【電子版のご案内】

■電子書籍サービス「南江堂テキストビューア」より，本書の電子版をご利用いただけます.
（2023年3月サービス開始予定）

・南江堂テキストビューアとは，タブレット・スマートフォン（iPhone, iPad, Android）アプリにより閲覧可能な電子書籍サービスです.

シリアル番号：

■南江堂テキストビューア登録用ページ　https://e-viewer.nankodo.co.jp　よりログインのうえ，上記シリアル番号をご登録ください.

■シリアル番号ご登録後，アプリにて本電子版がご利用いただけます.

■注意事項

・アプリのご利用には会員登録と利用規約の承諾が必要です.

・シリアル番号登録・本電子版のダウンロードに伴う通信費などはご自身でご負担ください.

・本電子版の利用は購入者本人に限定いたします．図書館・図書施設など複数人の利用を前提とした利用はできません.

・本電子版は，１つのシリアル番号に対し，１ユーザー・１端末の提供となります．一度登録されたシリアル番号は再登録できません．権利者以外が登録した場合，権利者は登録できなくなります.

・シリアル番号を他人に提供または転売すること，またはこれらに類似する行為を禁止しております.

・南江堂テキストビューアは事前予告なくサービスを終了することがあります.

■本件についてのお問い合わせは南江堂ホームページよりお寄せください.

［コンパス医薬品情報学 改訂第３版］

コンパス

医薬品情報学

ー理論と演習ー

改訂第3版

編集　小林 道也・中村 仁

南江堂

◆執筆者一覧（執筆順）

小林　道也	こばやし　みちや	北海道医療大学薬学部 教授
中村　　仁	なかむら　ひとし	東北医科薬科大学薬学部 教授
平野　　剛	ひらの　たけし	北海道医療大学薬学部 教授
後藤　伸之	ごとう　のぶゆき	福井大学医学部 教授/福井大学医学部附属病院薬剤部 部長
初田　泰敏	はつだ　やすとし	大阪大谷大学薬学部 教授
大野　恵子	おおの　けいこ	明治薬科大学 教授
富岡　節子	とみおか　せつこ	医療創生大学看護学部 准教授
倉本　敬二	くらもと　けいじ	国際医療福祉大学薬学部 教授
山下　美妃	やました　みき	北海道科学大学薬学部 教授
村井ユリ子	むらい　ゆりこ	東北医科薬科大学薬学部 教授
我妻　恭行	あがつま　やすゆき	東北医科薬科大学薬学部 教授
井尻　好雄	いじり　よしお	大阪医科薬科大学薬学部 准教授
鈴木　仁志	すずき　ひとし	株式会社バイタルネット
前澤佳代子	まえざわ　かよこ	国際医療福祉大学薬学部 准教授/国際医療福祉大学病院 副薬剤部長
久保田洋子	くぼた　ようこ	千葉科学大学薬学部 教授
武隈　　洋	たけくま　よう	北海道大学病院薬剤部 副部長/准教授
菅原　　満	すがわら　みつる	北海道大学大学院薬学研究院 教授

改訂第３版の序

1993年に日本病院薬剤師会でまとめられた病院における医薬品情報管理の業務基準の基本は，医薬品情報の収集・整理・保管・加工，そして専門的評価であった．それから約30年の年月が過ぎ，その基本は変わっていないものの，用いる技術やツールは著しく発展し，また得られる情報は膨大なものとなっている．情報源という海の中から，いかに迅速かつ効率的に必要な情報を入手し，薬剤師の目で取捨選択し，情報を必要としている患者や医療従事者に適切に加工して伝えていくかが，現在の薬剤師に求められている．

このような業務は一朝一夕でできるものではなく，当然，薬学生に完全を求めることは無理である．しかし，大学における医薬品情報学等の講義の中で，情報の種類や入手方法などの知識分野を学び，臨床を想定した模擬質問への対応（情報検索と評価，加工，提供）などのトレーニングを積み重ねて技能・態度を修得し，揺るぎのない基盤を作り上げた後に薬剤師として働く中でさらに磨きをかけていってほしい．

本書が「コンパスシリーズ」の１つとして2015年に上梓されてから７年が経過した．実務実習に必要な医薬品情報に関する知識をコンパクトにまとめ，得られた知識を活用できる演習問題を掲載しているスタイルが好評を得ている．今回の改訂では，2013年改訂の薬学教育モデル・コアカリキュラム（2015年４月より実施）の「E3（1）医薬品情報」と「E3（2）患者情報」を充実させたものとなっている．また，2019年４月より施行された医療用医薬品添付文書の記載要領改正にも完全対応した．初版ならびに第２版では，記述内容の誤りをいくつかご指摘いただき，正誤表にて対応させていただいた．本版ではそのようなことがないように十分に注意を払ったつもりだが，お気づきの点があれば編集部へご連絡いただきたい．

近年，薬剤師国家試験において，医薬品情報・医療統計分野の出題が増加し，またその内容も単なるキーワードの暗記だけでなく，臨床研究論文のグラフを見ながらどのように解釈すればよいかなど，医薬品情報の専門的評価の部分までもが問われている．これは，薬剤師として医療に貢献するためには，これまで以上に高い医薬品情報活用スキルを身につける必要があることを示している．本書の特色である豊富な演習問題は，臨床経験を有する数多くの著者らが考えたオリジナル課題であり，卒業してからも自己研鑽のために活用していただければ幸いである．

最後に，本書の改訂にご尽力いただいた，南江堂の津野将輝氏ほか関係の方々に心よりお礼申し上げる．

2022年11月

小林道也
中村　仁

初版の序

「くすりくそうばい（薬九層倍）」という言葉がある．薬の売価が原価に比べて非常に高いことを示す言葉であるが，薬をただの化学物質としてみればその原価は安い．しかし，薬としての価値は，その化学物質に付加された情報にある．どのくらいの量をいつ飲めばどのような病気に効果があるのか，期待する効果以外にどのような作用をもっているのか，体内ではどのような挙動をするのか，などの情報が備わってはじめて薬として認められる．これらの情報を生み出すためのコストが薬の価格には含まれている．

医薬品はさまざまな情報を有しているわけであるが，情報はあくまで意思決定のための道具である．たとえば，朝に傘をもって出かけるかどうかを判断するのに，私たちは降水確率の情報を利用する．もちろん，同じ40％の降水確率でも，人によって傘が必要かどうかの判断は異なるであろう．しかし，情報があるのとないのでは，判断のしやすさはまったく違う．同様に，医療の現場で適正な薬物療法を実施するための判断にも，医薬品情報を道具として上手に用いることが必要になる．そのためには，医薬品情報がどのように私たちに提示されるのか，どのように評価し活用すればよいのかを理解する必要がある．これらを扱うのが医薬品情報学である．

インターネットの発達により，誰もが医薬品情報に容易にアクセスすることが可能な時代になった．しかし，膨大な情報のなかから意思決定に必要な「価値のある情報」をみつけることは必ずしも容易ではない．薬剤師は薬の専門家として，患者やほかの医療従事者に真に必要とされる医薬品情報を選択し提供する大きな役割を担っている．

本書は「わかりやすい・ミニマムエッセンス」をコンセプトとした南江堂「コンパスシリーズ」の1つとして刊行された．主に実務実習前の薬学生を対象とし，実務実習に必要な医薬品情報の知識・技能を習得できる教科書を目指した．多くの演習を掲載し，読者が実際に手を動かし医薬品情報の扱いかたの経験を積むことができるように編集した．ぜひ課題に積極的に取り組み，医薬品情報の活用術を身に付けていただきたい．

本書は現行のコアカリキュラム「C15 治療に役立つ情報（1）医薬品情報」に対応した内容になっており，各章の大項目ごとに対応するSBOを示してある．2015（平成27）年度から新薬学教育モデル・コアカリキュラムに基づいた教育カリキュラムが各大学でスタートしているが，新コアカリキュラムでは「E3 治療に役立つ情報（1）医薬品情報」の部分をカバーしているので，新旧カリキュラムの対応一覧表をあわせてご覧いただきたい．また，実務実習での学生指導にも活用できる内容を盛り込んでいるので，医療現場の薬剤師の先生方にも役立てていただければと考えている．

最後に，本書の発刊にあたり，編者の依頼に快く応じてくださった執筆者の先生方ならびに南江堂の野澤美紀子氏，宮本博子氏に厚く御礼申しあげる．

2015年7月

小林道也
中村　仁

目 次

3章 医薬品の情報源 47

4章 医薬品情報の評価 115

7章 EBMと臨床研究 197

本書の使い方

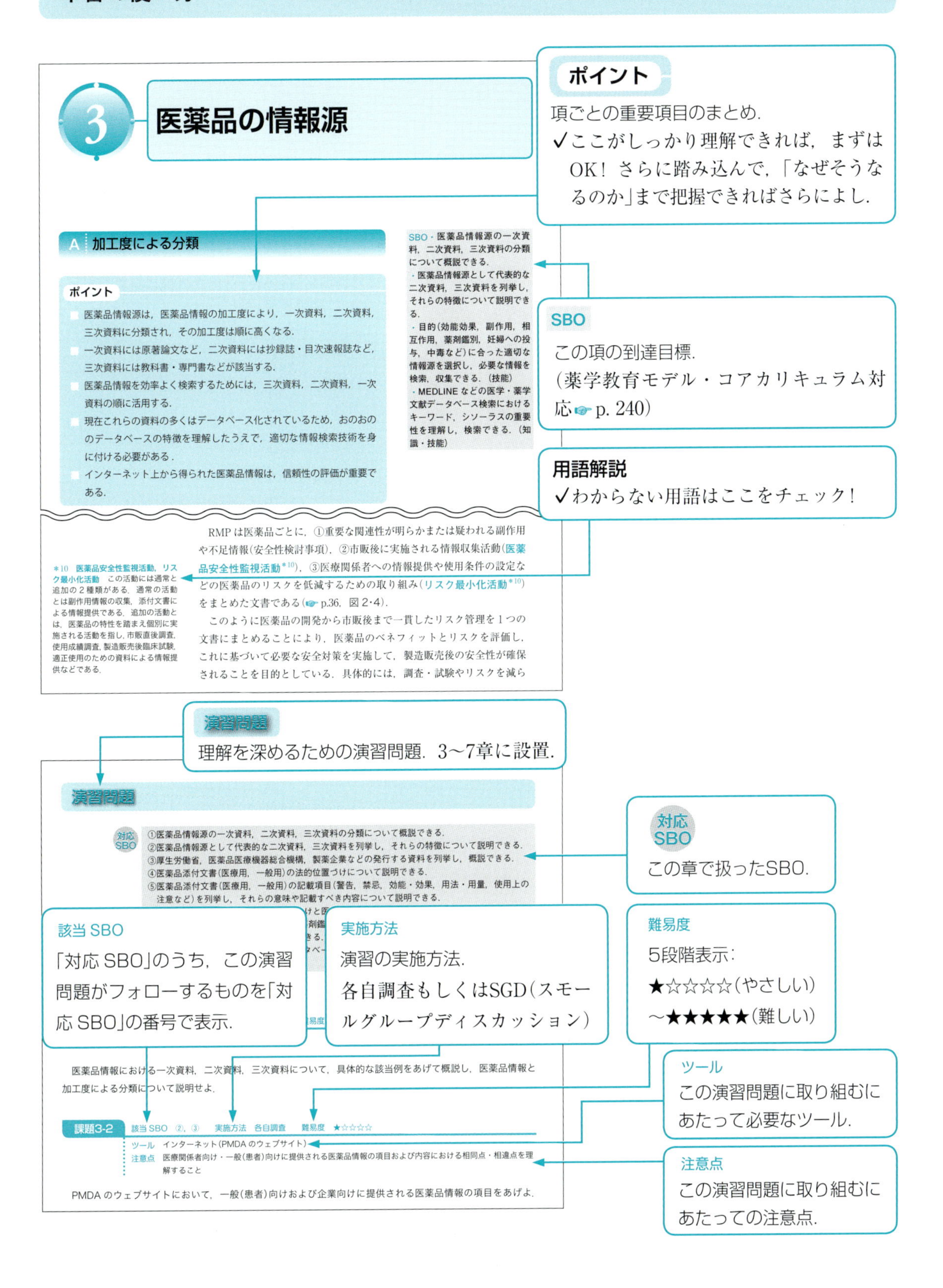
3 医薬品の情報源
ポイント
項ごとの重要項目のまとめ.
✓ここがしっかり理解できれば，まずはOK！さらに踏み込んで，「なぜそうなるのか」まで把握できればさらによし.
A 加工度による分類
ポイント
医薬品情報源は，医薬品情報の加工度により，一次資料，二次資料，三次資料に分類され，その加工度は順に高くなる.
一次資料には原著論文など，二次資料には抄録誌・目次速報誌など，三次資料には教科書・専門書などが該当する.
医薬品情報を効率よく検索するためには，三次資料，二次資料，一次資料の順に活用する.
現在これらの資料の多くはデータベース化されているため，おのおののデータベースの特徴を理解したうえで，適切な情報検索技術を身に付ける必要がある.
インターネット上から得られた医薬品情報は，信頼性の評価が重要である.
SBO・医薬品情報源の一次資料，二次資料，三次資料の分類について概説できる.
・医薬品情報源として代表的な二次資料，三次資料を列挙し，それらの特徴について説明できる.
・目的(効能効果，副作用，相互作用，薬剤鑑別，妊婦への投与，中毒など)に合った適切な情報源を選択し，必要な情報を検索，収集できる.(技能)
・MEDLINE などの医学・薬学文献データベース検索におけるキーワード，シソーラスの重要性を理解し，検索できる.(知識・技能)
SBO
この項の到達目標.
(薬学教育モデル・コアカリキュラム対応 p. 240)
用語解説
✓わからない用語はここをチェック！
RMP は医薬品ごとに，①重要な関連性が明らかまたは疑われる副作用や不足情報(安全性検討事項)，②市販後に実施される情報収集活動(医薬品安全性監視活動*10)，③医療関係者への情報提供や使用条件の設定などの医薬品のリスクを低減するための取り組み(リスク最小化活動*10)をまとめた文書である(p.36，図 2･4).
このように医薬品の開発から市販後まで一貫したリスク管理を1つの文書にまとめることにより，医薬品のベネフィットとリスクを評価し，これに基づいて必要な安全対策を実施して，製造販売後の安全性が確保されることを目的としている．具体的には，調査・試験やリスクを減ら
*10 医薬品安全性監視活動，リスク最小化活動 この活動には通常と追加の2種類がある．通常の活動とは副作用情報の収集，添付文書による情報提供である．追加の活動とは，医薬品の特性を踏まえ個別に実施される活動を指し，市販直後調査，使用成績調査，製造販売後臨床試験，適正使用のための資料による情報提供などである．
演習問題
理解を深めるための演習問題．3〜7章に設置.
演習問題
対応SBO
①医薬品情報源の一次資料，二次資料，三次資料の分類について概説できる.
②医薬品情報源として代表的な二次資料，三次資料を列挙し，それらの特徴について説明できる.
③厚生労働省，医薬品医療機器総合機構，製薬企業などの発行する資料を列挙し，概説できる.
④医薬品添付文書(医療用，一般用)の法的位置づけについて説明できる.
⑤医薬品添付文書(医療用，一般用)の記載項目(警告，禁忌，効能・効果，用法・用量，使用上の注意など)を列挙し，それらの意味や記載すべき内容について説明できる.
対応SBO
この章で扱ったSBO.
該当 SBO
「対応 SBO」のうち，この演習問題がフォローするものを「対応 SBO」の番号で表示.
実施方法
演習の実施方法.
各自調査もしくはSGD(スモールグループディスカッション)
難易度
5段階表示：
★☆☆☆☆(やさしい)
〜★★★★★(難しい)
医薬品情報における一次資料，二次資料，三次資料について，具体的な該当例をあげて概説し，医薬品情報と加工度による分類について説明せよ.
ツール
この演習問題に取り組むにあたって必要なツール.
課題3-2 該当 SBO ②，③ 実施方法 各自調査 難易度 ★☆☆☆☆
ツール インターネット(PMDA のウェブサイト)
注意点 医療関係者向け・一般(患者)向けに提供される医薬品情報の項目および内容における相同点・相違点を理解すること
注意点
この演習問題に取り組むにあたっての注意点.
PMDA のウェブサイトにおいて，一般(患者)向けおよび企業向けに提供される医薬品情報の項目をあげよ.

医薬品情報学総論

A 医薬品情報とは

SBO・医薬品を使用したり取扱ううえで，必須の医薬品情報を列挙できる．

ポイント

- 医薬品は，化合物としての情報(合成法，分析法，薬理作用メカニズムなど)に加え，ヒトに使用した場合の有効性や安全性の情報を必ず有している．
- 医薬品情報やその情報源はさまざまな性質を有しており，それぞれの特徴を考慮しながら目的に応じて情報を収集・評価し，活用すべきである．
- 医薬品情報を適切に評価するためには医療統計や薬剤疫学の知識が必須であり，またこれらの知識を活用すれば価値ある医薬品情報を創出することができる．

❶ 医薬品と化合物(試薬)の違い

「薬」を辞書で調べると，「心身に，特殊な効果や一定の影響を与えるもの．とくに，病気や傷などを治したり，健康を保持したりするために，飲んだり注射したり塗布したりするもの」と記載されている(大辞林第4版)．たとえば，学生実習でアスピリンを合成し，再結晶させて純度を高めたものを服用すれば，解熱効果や鎮痛効果を期待することができる．しかし，このアスピリンという「化合物」は「医薬品」としては認められない．化合物と医薬品の大きな違いは，医薬品には化合物の合成方法や純度だけではなく，「有効性と安全性」に関する情報が必ず備わっているということである(図 1･1)．「上から読めばくすり，下から読めばリスク」とよくいわれるように，医薬品は病気を治療・軽快させる(ベネフィット)とともに，少なからず副作用(リスク)が存在する．その情報が十分にあり，かつ両者のバランスが適度なものが医薬品として承認され市場に流通している．一方で，とくに安全性に関する情報は市販後も続々と報告され，ときには薬害とよばれるような重大な問題を引き起こすこともある．また，医薬品を適正に使用しなければベネフィットとリスクのバランスは大きく崩れてしまう．したがって，薬剤師が「医薬品」

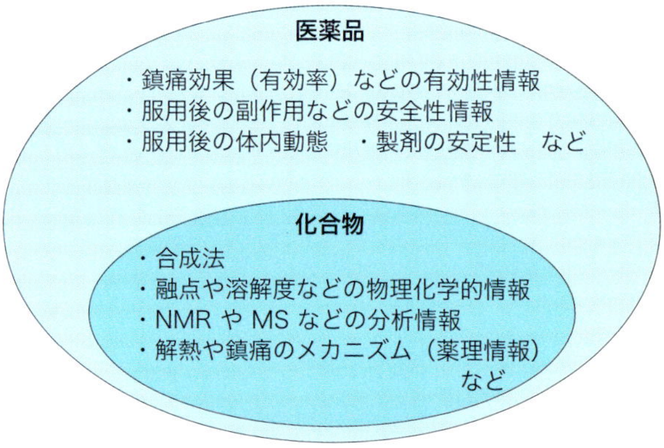

医薬品

・鎮痛効果（有効率）などの有効性情報
・服用後の副作用などの安全性情報
・服用後の体内動態　・製剤の安定性　など

化合物

・合成法
・融点や溶解度などの物理化学的情報
・NMR や MS などの分析情報
・解熱や鎮痛のメカニズム（薬理情報）
など

図 1･1　化合物や医薬品としてのアスピリンが有する情報

表 1･1　医療用医薬品添付文書の主な記載項目の分類

分　類	医療用医薬品添付文書の記載項目
1. 医薬品の物質に関する情報	名称，規制区分，日本標準商品分類番号，組成・性状，有効成分に関する理化学的知見
2. 有効性に関する情報	薬効分類名，効能または効果，薬物動態，臨床成績，薬効薬理
3. 安全性に関する情報	警告，禁忌，特定の背景を有する患者に関する注意(合併症・既往歴，腎機能障害，肝機能障害，妊婦，授乳婦，小児，高齢者など)，相互作用，副作用，過量投与，薬物動態
4. 使用方法に関する情報	貯法，有効期間，用法および用量，臨床検査結果に及ぼす影響，適用上の注意，取扱い上の注意

の専門家として医療に貢献するためには，医薬品に備わる「医薬品情報」を熟知し，適切に収集・活用する能力を有することが必須要件となる．

❷ 医薬品として必須の情報

医薬品として認められるためには，その化合物に医薬品情報が備わっていなければならないことがさまざまな法律や制度によって規定されている(☞1章B)．それらの情報，すなわち医薬品の承認申請に必要な医薬品情報コンテンツ(☞2章A)は，①医薬品の物質に関する情報，②有効性に関する情報，③安全性に関する情報，④使用方法に関する情報の4つに大別される．とくに，②～④は，医薬品であるための必須の情報といえる．医薬品に備わっている必要最低限の情報は，添付文書に記載されている．表1･1に，医療用医薬品添付文書の記載項目について上記の群ごとに分類した．なお，それぞれについては3章Cに詳述した．

❸ 医薬品情報の性質

医薬品は，市販されるまで(開発過程)の間に承認申請に必要な情報(物理化学的性質，臨床試験結果など)が収集され，その一部は学術論文と

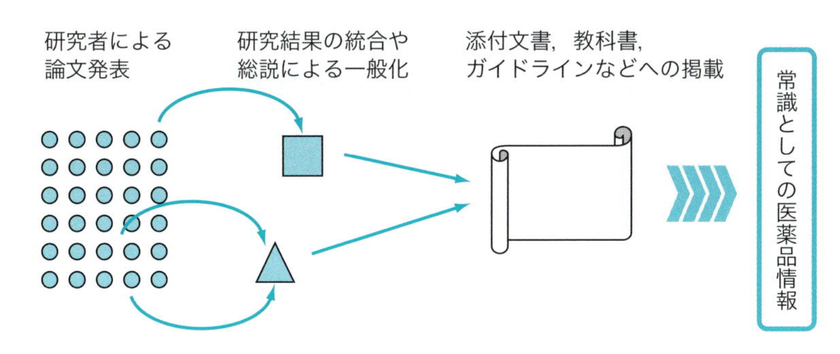

図 1･2 医薬品情報の創出と情報の公表・公開の流れの例

して公表されるとともに添付文書やインタビューフォーム，審査報告書に掲載される．また，市販された後も医薬品に関する有効性や安全性に関する情報は製薬企業や研究者らによって収集・評価され続ける(☞2章B)．医薬品情報は常に更新され，過去の情報は現在の情報と解釈が変わっている場合もあるため，医薬品情報を活用する際には常に最新の情報を収集し，適切な評価を行う必要がある．

医薬品情報を収集する際には，目的によって情報源と加工度を考慮する必要がある(☞3，4章)．先にも述べたように，多くの研究者により医薬品に関する研究が行われ，学術論文として公表される．これらの情報については，ときに相反する結果が得られる場合や臨床的意義の低いものもある．そのようななかからメタアナリシスのような臨床研究結果の統合的な研究がなされたり，あるいは総説に紹介されたりするなどして個々の情報は臨床的に有用性の高いものへと整理されていく．次いで，添付文書や教科書，あるいは治療ガイドラインなどに掲載されて，多くの医療関係者のコンセンサスを得た情報となり，やがてすべての医療関係者の常識である医薬品情報となっていく(図1･2)．したがって，学術論文は医薬品情報の基礎となるものであるが，その内容については内的・外的妥当性について十分な吟味が必要である．教科書や添付文書・インタビューフォームなどから得られる情報は信頼性が高いため，改めて内容を評価する必要はほとんどない．一方，これらの情報源は発行・発刊されるタイミングが学術論文に比べて遅いという欠点を有する．このような医薬品情報(情報源)の性質を理解して情報を収集・評価する．

❹ 医薬品情報の活用

製薬企業や多くの研究者などによって収集・公表された医薬品情報は，活用されてはじめて意味をもつ．医薬品情報にかかわる職種としては，病院や保険薬局の薬剤師はもちろんであるが，行政や企業の担当者などもおり，それぞれが医薬品情報を適切に収集・整理・加工・提供している(☞1章C)．目的に合わせて医薬品情報を収集する際には，適当なデータベースを利用するとよい(☞3章)．情報通信技術(information and communication technology，ICT）の発展により，医薬品情報の検索効率は飛躍的に進歩し，迅速かつ多くの医薬品情報を収集することが可能となった．薬剤師は，医薬品情報を活用するためにこれらのツールを十分に使いこなす技能を備えなければならない．また，得られた情報を吟味・評価し，提供する相手に合わせて加工することも重要である（☞4，5章）．そのためには，提供する相手のニーズをくみ取るコミュニケーション能力も必要となり，相手の理解力に応じた加工方法もポイントとなる．

❺ 医薬品情報の評価・創出

学術論文に掲載されている臨床試験結果に関する情報については，内的・外的妥当性について吟味する必要がある．とくに，内的妥当性について重要となるのは，行われた研究の対象集団に問題がないかどうかである．たとえば，新薬と既存薬の有効性に関する調査が行われた場合，新薬群と既存薬群の患者集団にバイアス（偏り）が存在していないことが必要である．糖尿病治療薬の有効性を血糖値の正常化で評価する場合，研究開始前の両群の血糖値に差があった場合には，その後の医薬品による血糖値の降下量は違いが生じやすい（血糖値が高い患者は，正常値まで下がりづらい）．これ以外にも臨床研究においては「原因と結果の関係を歪める因子」がしばしば問題となる．これらを念頭に置いて医薬品情報を批判的に吟味するためには，医療統計や薬剤疫学の知識を有する必要がある（☞7章）．また，薬剤師業務を行うなかで生じた問題について臨床研究を行う場合にも，研究計画の立案から結果の解析・解釈を適切に行うために必要となる．

SBO・医薬品情報に関係する代表的な法律・制度（「医薬品，医療機器等の品質，有効性及び安全性の確保等に関する法律」，GCP, GVP, GPSP, RMP など）とレギュラトリーサイエンスについて概説できる．

B　医薬品情報にかかわる法律と制度

ポイント

- 医療において薬物療法が安全で適正に遂行されるための，法律，政令，省令が規定されている．
- 法律には医薬品医療機器等法，薬剤師法，麻薬及び向精神薬取締法，覚醒剤取締法，再生医療等安全法などがある．
- 政令には薬剤師法施行令，医薬品医療機器等法施行令などがある．
- 省令には医薬品の臨床試験の実施基準に関する GCP，医薬品の製造販売後の審査に関する GPSP，製造販売後の安全管理の基準に関する GVP 省令などがある．

❶ 法律，政令，省令

憲法の理念の具体策で行政の根拠となるのが法律であり（○○法），国会の議決で制定される．政令は法律を実施するために内閣の閣議決定により制定される命令である（○○施行令）．省令は法律や政令を施行するために，各省大臣（厚生労働大臣など）が発令する命令である（○○施行規則）（図 1・3）．

医薬品情報関係の法律では，**医薬品医療機器等法**（旧薬事法），**薬剤師法**，麻薬及び向精神薬取締法，覚醒剤取締法，医療法，独立行政法人医薬品医療機器総合機構法，健康保険法などがある．また，おのおのに施行令，施行規則が制定されている．

憲法
法律（○○法）
政令（○○施行令）
省令（○○施行規則）

図 1・3　わが国における法体系

❷ 医薬品医療機器等法

「医薬品，医療機器等の品質，有効性及び安全性の確保等に関する法律（**医薬品医療機器等法**）」は，医薬品などの薬事全般を規制する法律である．

従来は「薬事法」という名称であったが，2014 年施行の法改正[*1]により改称された．この法律の章立てと医薬品情報に関連する条文を表 1・2 に示す．

＊1　主な改正点は，医薬品や医療機器などの迅速な提供の確保を図るための医薬品などの安全対策の強化，医療機器の登録認証機関による認証範囲の拡大，再生医療等製品の条件および期限付き承認制度の創設などである（2014 年 11 月 25 日施行）．なお，同年 6 月 12 日には一般用医薬品のインターネット販売，4 月 1 日には指定薬物に関する改正が施行された．

a 医薬品などの安全対策の強化に関する事項

(1) 法律の目的

第 1 条（目的）で，「この法律は，医薬品，医薬部外品，化粧品，医療機器及び**再生医療等製品**（以下『医薬品等』という．）の品質，有効性及び安全性の確保並びにこれらの使用による保健衛生上の危害の発生及び拡大の防止のために必要な規制を行うとともに，指定薬物の規制に関する措置を講ずるほか，医療上とくにその必要性が高い医薬品，医療機器及び再生医療等製品の研究開発の促進のために必要な措置を講ずることにより，保健衛生の向上を図ることを目的とする」と定められている．この目的を達成するために国，都道府県，医薬品等関連事業者など，医薬関係者には医薬品などの品質，有効性や安全性に対する責務を，また，国民には医薬品を適正に使用するという役割を課している（第 1 条の 2～6）．

(2) 注意事項等情報

医薬品等の製造販売業者には，最新の論文や知見に基づいた注意事項等情報[*2]（用法，用量，使用および取扱い上の注意など）を電子情報処理組織を使用する方法（インターネット）などにより公表する義務を課している（第 68 条の 2）．また，注意事項等情報のうち，厚生労働省令に定める事項については厚生労働大臣への届出義務が課されており，変更する場合も同様である（第 68 条の 2 の 3）．さらに，注意事項等情報を入手するために必要な符号等を容器等に記載する義務が製造販売業者に課されており（第 52 条第 1 項，第 63 条の 2 第 1 項，第 65 条の 3 第 1 項），その符号として，商品識別コード以外の情報も任意に追加可能な国際規格である GS1 バーコード[*3]の記載が進んでいる．これによって，製品

＊2　注意事項等情報が記載された紙の添付文書は 2021 年 8 月から原則として廃止され，PMDA のウェブサイトに掲載されている電子化された添付文書の閲覧が基本となった．なお，一般用医薬品等の消費者が直接購入する製品については，引き続き，紙の添付文書が同梱される．

＊3　**GS1 バーコード** ☞ p.249

表 1･2　医薬品医療機器等法の章立ておよび医薬品情報に関連する条文

章立て
第 1 章　総則(第 1 条～第 2 条)
第 1 条(目的)
第 2 章　地方薬事審議会(第 3 条)
第 3 章　薬局(第 4 条～第 11 条)
第 8 条の 2(薬局開設者による薬局に関する情報の提供等) **第 9 条の 4(調剤された薬剤に関する情報提供及び指導等)**
第 4 章　医薬品，医薬部外品及び化粧品の製造販売業及び製造業(第 12 条～第 23 条)
第 14 条(医薬品，医薬部外品及び化粧品の製造販売の承認) **第 14 条の 4(新医薬品等の再審査)** **第 14 条の 6(医薬品の再評価)**
第 5 章　医療機器及び体外診断用医薬品の製造販売業及び製造業等
第 1 節　医療機器及び体外診断用医薬品の製造販売業及び製造業(第 23 条の 2～第 23 条の 2 の 22) 第 2 節　登録認証機関(第 23 条の 2 の 23～第 23 条の 19)
第 6 章　再生医療等製品の製造販売業及び製造業(第 23 条の 20～第 23 条の 42)
第 23 条の 25(再生医療等製品の製造販売の承認) **第 23 条の 29(新再生医療等製品等の再審査)** **第 23 条の 31(再生医療等製品の再評価)**
第 7 章　医薬品，医療機器及び再生医療等製品の販売業等
第 1 節　医薬品の販売業(第 24 条～第 38 条) **第 36 条の 4(薬局医薬品に関する情報提供及び指導等)** **第 36 条の 6(要指導医薬品に関する情報提供及び指導等)** **第 36 条の 10(一般用医薬品に関する情報提供等)** 第 2 節　医療機器の販売業，貸与業及び修理業(第 39 条～第 40 条の 4) **第 40 条の 4(情報提供)** 第 3 節　再生医療等製品の販売業(第 40 条の 5～第 40 条の 7)
第 8 章　医薬品等の基準及び検定(第 41 条～第 43 条)
第 9 章　医薬品等の取扱い
第 1 節　毒薬及び劇薬の取扱い(第 44 条～第 48 条) **第 44 条(表示)** 第 2 節　医薬品の取扱い(第 49 条～第 58 条) **第 50 条(直接の容器等の記載事項)** **第 52 条(容器等への符号等の記載)** **第 53 条(記載方法)** **第 54 条(記載禁止事項)** 第 3 節　医薬部外品の取扱い(第 59 条・第 60 条) 第 4 節　化粧品の取扱い(第 61 条・第 62 条) 第 5 節　医療機器の取扱い(第 63 条～第 65 条) **第 63 条の 2(容器等への符号等の記載)** 第 6 節　再生医療等製品の取扱い(第 65 条の 2～第 65 条の 5) **第 65 条の 2(直接の容器等の記載事項)** **第 65 条の 3(容器等への符号等の記載)**
第 10 章　医薬品等の広告(第 66 条～第 68 条)
第 66 条(誇大広告等)
第 11 章　医薬品等の安全対策(第 68 条の 2～第 68 条の 15)
第 68 条の 2(注意事項等情報の公表) **第 68 条の 9(危害の防止)** **第 68 条の 10(副作用等の報告)** **第 68 条の 11(回収の報告)** **第 68 条の 14(再生医療等製品に関する感染症定期報告)**
第 12 章　生物由来製品の特例(第 68 条の 16～第 68 条の 25)
第 68 条の 18(添付文書等の記載事項) **第 68 条の 24(生物由来製品に関する感染症定期報告)**
第 13 章　監督(第 69 条～第 76 条の 3 の 3)
第 14 章　医薬品等行政評価・監視委員会(第 76 条の 3 の 4～第 76 条の 3 の 12)
第 15 章　指定薬物の取扱い(第 76 条の 4～第 77 条)
第 76 条の 5(広告の制限)
第 16 章　希少疾病用医薬品，希少疾病用医療機器及び希少疾病用再生医療等製品等の指定等(第 77 条の 2～第 77 条の 7)
第 17 章　雑則(第 78 条～第 83 条の 5)
第 18 章　罰則(第 83 条の 6～第 91 条)
附則

医薬品情報に関連する条文を**色文字**で示した．

追跡(トレーサビリティ)システムの構築が可能となり，最新の情報による安全対策が可能となる．

医薬品医療機器等法第68条の2「注意事項等情報の公表」：医薬品等の製造販売業者は，医薬品等の製造販売をするときは，厚生労働省令で定めるところにより，当該医薬品等に関する最新の論文その他により得られた知見に基づき，注意事項等情報について，電子情報処理組織を使用する方法その他の情報通信の技術を利用する方法により公表しなければならない．

(3)医薬品などの安全対策*4

医薬関係者(医師，薬剤師など)が医薬品，医療機器，再生医療等製品による副作用などを知った場合の厚生労働大臣への報告については，その旨を医薬品医療機器総合機構に報告すること(第68条の10，12，13)，医薬品などを回収する場合は，その製造販売業者は回収の理由や回収状況を厚生労働大臣に報告する義務があること(第68条の11)，製造販売業者は，注意事項等情報の提供を行うために必要な体制の整備，公表する義務が課されている(第68条2の2)，特定に資する情報提供として符号の記載(第68条2の5)などの安全対策が規定されている．

*4　2014年11月施行の改正法により，それまで10章の雑則に規定されていた「医薬品等の製造販売業者の情報提供等」「危害の防止」「副作用等の報告」「回収の報告等」に関する第77条の3～6が削除され，「第11章 医薬品等の安全対策」として新設された(第68条の2～15)．

b 医療機器の特性を踏まえた規制

医療機器は，1960年の薬事法改正で医療用具として規制され，医療技術の進歩により医療機器と改称されてきた(2006年)．医療機器はパソコンなどと同様に短い周期で改善が行われ供給されることが多いことから，2014年の改正で医薬品などとは章を区分して第5章として規定された(第23条の2～19)．また，医療機器の定義にプログラム(電子計算機に対する指令)やこれを記録したCD-Rなどの記録媒体も加えられており(第2条の2)，記録媒体のみの単体プログラムも欧米と同様に製造販売などの規制対象である．

医療機器の迅速な実用化に向けた規制や制度の簡略化も図られており，医療機器の製造業については登録制*5（第23条の2の3，4)，高度管理医療機器については民間の第三者機関(登録認証機関)による認証制*6（第23条の2の23)とされている．

*5　2014年改正法施行前は厚生労働大臣による許可・認証制．

*6　2014年改正法施行前は厚生労働大臣による製造販売の承認制．

医療機器の再審査や再評価制度は，厚生労働大臣が指定する医療機器(人工心臓など)については指定された期間中に厚生労働大臣による使用成績に関する評価を受けることにより，その有効性と安全性が確認される(第23条の2の9)．

c 再生医療等製品の特性を踏まえた規制

肧性幹細胞(ES細胞，embryonic stem cells)や人工多能性幹細胞(iPS細胞，induced pluripotent stem cells)を利用した再生医療などの迅速かつ安全な提供などを図るために「**再生医療等の安全性の確保等に関する法律**」が2014年より施行され，医薬品医療機器等法においても規制が行われている．

「再生医療等製品」の定義は，医療または獣医療に使用されることが目的で，ヒトまたは動物の細胞に培養やその他の加工を施したもので，①ヒトまたは動物の身体の構造または機能の再建，修復または形成し，または疾病の治療または予防に用いる製品，②ヒトまたは動物の細胞に導入され，これらの体内で発現する遺伝子を含有させたものである(第2条第9項)．

再生医療等製品の製造販売に関しては，第6章に規定されており，厚生労働大臣の許可を受けた者が品目ごとに厚生労働大臣の承認を受けなければならない(第23条の20，25)．再生医療等製品の特性を踏まえた安全対策が規制されている(第68条の4)．また，均質でない再生医療等製品については，有効性が推定され，安全性が認められれば，特別早期に条件と期限を付して製造販売承認を与える(条件および期限付き承認)こととされている(第23条の26)．

d 医薬品の販売業などに関する規制

医薬品は**薬局医薬品**，**要指導医薬品**，一般用医薬品の3種に分類される[*7]．その販売に関しては薬剤師の対面による情報提供と薬学知見に基づく指導が義務付けられており，要指導医薬品以外の一般用医薬品はインターネット販売も可能である(図1･4)．

*7　一般用医薬品のインターネット販売に関する最高裁判決(2013年1月)などを踏まえ，医薬品の分類が見直され，2014年施行の改正法で要指導医薬品が新たに設けられた(☞ p.170)．

(1)医薬品の3分類

①**薬局医薬品**：要指導医薬品および一般用医薬品以外の医薬品(動物への使用目的のものを除く)をいう(第4条第5項の2)．すなわち，医療用医薬品と薬局製造販売医薬品(薬局製剤)が該当する．「処方箋医薬品」以外の医療用医薬品も含まれる．

②**要指導医薬品**：その効能および効果において人体に対する作用が著しくないものであって，その適正な使用のために薬剤師の対面による情報の提供および薬学的知見に基づく指導が行われることが必要なものとして，厚生労働大臣が指定するものである(第4条第5項の3)．具体的には，スイッチ直後品目と毒薬・劇薬指定品目である．

③**一般用医薬品**：医薬品のうち，その効能および効果において人体に対する作用が著しくないものであって，薬剤師やその他の医薬関係者から提供された情報に基づく需要者の選択により使用されることが目的とされているもの(要指導医薬品を除く)である(第4条第5項の4)．第一類，第二類および第三類医薬品に区分される(第36条の7)．

(2)医薬品の販売方法(図1･4)

薬局医薬品は薬剤師が対面で販売しなければならない．この際，薬剤師は厚生労働省令で定める事項を記載した書面(記録媒体を含む)を用いて必要な情報を提供し，さらに，必要な薬学的知見に基づく指導を行う義務がある．また，相談に対する応需義務もある(第36条の3，4)．た

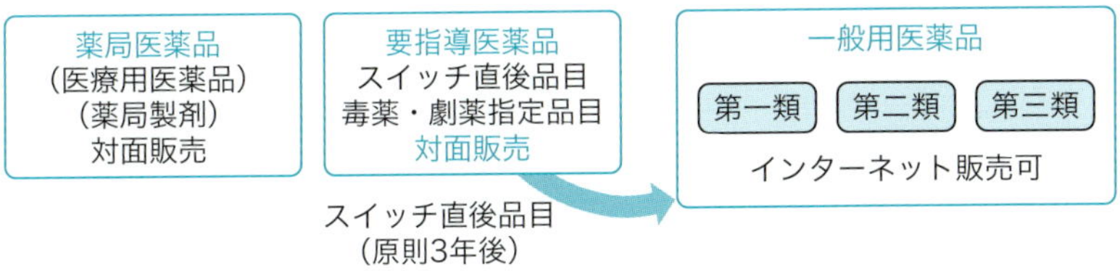

図 1・4 医薬品の 3 分類と販売方法

だし，薬局製剤については毒薬・劇薬指定品目を除いて，薬剤師による情報提供を対面以外の方法を認めており，インターネット販売が可能である．

要指導医薬品も薬局医薬品同様に，薬剤師による対面による販売，書面(電磁的記録媒体含む)による情報提供および薬学的指導をしなければならず，相談の応需義務がある(第 36 条の 5，6)．

一般用医薬品では，第一類医薬品の販売は薬剤師であり，情報提供義務がある．第二類，第三類医薬品の販売は薬剤師および登録販売者であり，情報提供は努力義務である(第 36 条の 10)．すべての一般用医薬品は，対面でない方法(インターネット販売など)でも販売可能である．

e 指定薬物の所持などの禁止

指定薬物とは，中枢神経系の興奮もしくは抑制，幻覚の作用を有する確率が高く，ヒトの身体に使用された場合に保健衛生上の危害が発生するおそれがある物質である(第 2 条第 15 項)．近年，とくに危険ドラッグ使用などによる事件や悲惨な交通事故などが多発している．2021 年 9 月 8 日時点で 2392 物質が指定され，規制が行われているが，常に新しい物質が出現しており，いたちごっこの状況である．指定薬物の輸入，製造，販売，授与，販売目的の貯蔵などだけでなく，指定薬物の所持，使用，購入，譲受も禁止されている(第 76 条の 4)．

医薬品医療機器等法第 76 条の 4：指定薬物は，疾病の診断，治療又は予防の用途及び医療等の用途以外の用途に供するために製造し，輸入し，販売し，授与し，所持し，購入し，若しくは譲り受け，又は医療等の用途以外の用途に使用してはならない．

❸ 薬剤師法

薬剤師法は薬剤師の任務，資格，業務や責務などを規定している法律である．

前項で記した 2014 年の薬事法改正(医薬品医療機器等法)に伴い，薬剤師法も改正され，第 25 条の 2 の「情報の提供」が，「情報の提供及び指導」に改められた．

薬剤師法第 25 条の 2 (情報の提供及び指導)：薬剤師は，調剤した薬剤の適正な使用のため，販売又は授与の目的で調剤したときは，患者又は現に

表 1・3　医薬品開発に関する厚生労働省令

省　令	概　要
GCP (Good Clinical Practice) 医薬品の臨床試験の実施の基準に関する省令	被験者の人権の保護や安全の確保，福祉の向上を図り，治験の科学的な質および成績の信頼性を確保するための基準
GLP (Good Laboratory Practice) 医薬品の安全性に関する非臨床試験の実施の基準に関する省令	医薬品の非臨床試験の実施に際しての試験施設や機器，職員や組織，試験計画書などを定めた基準
GMP (Good Manufacturing Practice) 医薬品及び医薬部外品の製造管理及び品質管理の基準に関する省令	医薬品および医薬部外品の製造販売承認の要件として，医薬品および医薬部外品の製造所における製造管理および品質管理の基準を定めた基準
GPSP (Good Postmarketing Study Practice) 医薬品の製造販売後の調査及び試験の実施の基準に関する省令	製造販売業者などが行う製造販売後の調査および試験に関する業務が適正に実施され，審査および再評価の申請を行う際の資料の信頼性を確保するために，遵守すべき事項を規定した基準
GVP (Good Vigilance Practice) 医薬品，医薬部外品，化粧品，医療機器及び再生医療等製品の製造販売後安全管理の基準に関する省令	製造販売業の許可要件として，安全確保業務にかかわる組織・体制の構築，手順書の整備，安全管理情報の収集・評価，検討および安全確保の措置の実施などに関する基準
GQP (Good Quality Practice) 医薬品，医薬部外品，化粧品及び再生医療等製品の品質管理の基準に関する省令	製造販売業の許可要件として，市場への出荷の管理，適正な製造管理および品質管理の確保，品質などに関する情報および品質不良などの処理などの構築に関する基準

その看護に当たっている者に対し，必要な情報を提供し，及び必要な薬学的知見に基づく指導を行わなければならない．

これは医薬品医療機器等法による①薬局医薬品および要指導医薬品の薬剤師による販売，②対面による情報の提供，③**薬学的知見に基づく指導**，の義務規定の３点を，薬剤師法に反映させたものと考えられる．

ここで注目すべきは「販売又は授与の目的で調剤したときは，患者又は現にその看護に当たっている者に対し…」と，調剤して販売または授与した場合は，必要な薬学的知見に基づく指導を行わなければならないと解釈されることである．すなわち，保険調剤や病院における調剤においても患者への「必要な薬学的知見による指導」が必要となった．これに伴い，日本病院薬剤師会は，入院患者あるいは外来患者に対する必要な薬学的知見に基づく指導の進め方について具体的な提案を行っている．

❹ 医薬品開発に関する厚生労働省令

医薬品開発に関する主な厚生労働省令を表 1・3 に示す．これらの省令は医薬品医療機器等法に基づく．

a GCP

医薬品開発では，薬理試験，毒性（安全性）試験，製剤化（安定性）試験や薬物動態試験の非臨床試験後は，ヒトを対象とした臨床試験が必要となる．この臨床試験成績に関する資料の収集を目的に実施する試験を治験という．治験における被験者の人権の保護や安全の確保，福祉の向上を図るための基準の省令がGCPである．具体的には治験の科学的な質，成績の信頼性を確保することを目的として，治験および製造販売後臨床試験に関する計画，実施，モニタリング，監査，記録，解析および報告などに関する遵守事項を規定している．倫理面ではいわゆるヘルシンキ宣言*8の倫理的原則をもとに作成されている．

GCPは，ICH*9で合意されたICH-GCPに対応している．最新のGCPは，ICHとの整合性を図りつつ，治験の手続きを効率化して治験業務を迅速化すること，および医師主導治験の負荷を軽減し，アンメットメディカルニーズ*10における産学連携を促進することを改正の目的とし，2012年12月に公布・施行された．

*8 ヘルシンキ宣言 ☞p.201

*9 ICH(International Council for Harmonization of Technical Requirements for Pharmaceuticals for Human Use) 医薬品規制調和国際会議のこと．新薬承認審査基準を国際的に統一し，非臨床試験・臨床試験の実施方法やルール，提出書類のフォーマットなどを標準化することで，承認申請の迅速化を図る目的で日本・米国・EUそれぞれの医薬品規制当局と産業界代表で構成された国際会議．

*10 アンメットメディカルニーズ(unmet medical needs) まだ有効な治療方法がない疾患に対する医療ニーズ．

b GPSP

GPSPは，製造販売業者などが行う製造販売後の調査および試験に関する業務が適正に実施され，審査および再評価の申請を行う際の資料の信頼性を確保するために，遵守すべき事項を規定した基準である．これまで，医薬品の市販後調査の実施については，1979年に新医薬品の再審査制度が導入された．次いで，適正な実施と信頼性確保を図るため，新医薬品の再審査の申請のための市販後調査の実施に関する基準(GPMSP)が1993年に厚生省薬務局長通知で定められ，1997年からはGPMSPとして法制化された．さらに，2005年の改正薬事法により，GPMSPは，副作用や感染症，品質や安全性確保の実施などにかかわる安全対策の部分(後述するGVP)と，再審査や再評価の実施にかかわる試験・調査の部分(GPSP)に区分され，GPMSPは廃止された．医薬品製造業者において，医薬品製造販売後のリスクを適切に管理するための「医薬品リスク管理計画*11」の策定と実施の確保を図ることを目的として，2014年10月1日に改正GPSPが施行された．また，医薬品の製造販売後の調査に医療情報データベースを利用した際の再審査及び再評価の申請書に添付する資料の信頼性を確保するため，2017年10月26日に改正GPSPが公布，2018年施行されている．

*11 医薬品リスク管理計画(RMP) ☞p.136

c GVP

前述したように，GPMSPのうち，製造販売業者が行う製造販売後の安全管理に関する部分が，GVPとして2005年に制定された．具体的には，製造販売業の許可要件として，安全確保業務にかかわる組織・体制の構築，手順書の整備，安全管理情報の収集・評価，検討および安全確保の措置の実施などに関する基準である．

また，2005年には新医薬品の製造販売早期における医薬品安全性監視活動(ICH E2Eガイドライン)の支援を意図して「医薬品安全性監視の計画について」が通知されていた．さらに，「医薬品リスク管理計画」を策定するための指針が2012年に発令された．この「医薬品リスク管理計画」が確実に実施されることを目的に2014年にGVPおよびGPSPが改正された．さらに，2013年に化粧品などによる皮膚障害など，販売前には想定されなかった副作用事例が発生した．これに伴い，副作用報告の対象範囲を拡大し，化粧品などの製造販売業者が，医療関係者から安全管理情報を収集しなければならない旨の改正も行われた(2014年)．

❺ レギュラトリーサイエンス

レギュラトリーサイエンスとは，「科学技術の成果を人と社会に役立てることを目的に，根拠に基づく的確な予測，評価，判断を行い，科学技術の成果を人と社会との調和の上で最も望ましい姿に調整するための科学」[第4次科学技術基本計画(2011年)]とされている．また，2015年施行の健康・医療戦略推進法においては，「国は，医療分野の研究開発の成果の実用化に際し，その品質，有効性及び安全性を科学的知見に基づき適正かつ迅速に予測，評価及び判断することに関する科学の振興に必要な体制の整備，人材の確保，養成及び資質の向上その他の施策を講ずるものとする」と規定されており，レギュラトリーサイエンスの推進を支援する諸施策を支持する根拠の1つとなっている．

a 目　的

基礎科学は真理の探究を目的とし，新規性を最も重視しているのに対し，応用科学は人類の要望に応え利益を与えること，すなわち有用性を最終目的としている．一方，レギュラトリーサイエンスは，これら既存の基礎科学や応用科学とは異なる独自の最終目的および価値基準に新たに学問的な価値を認めることであり，研究分野や方法論を意味するものではない．したがって，その最終目的は新規性や有用性ではなく，科学の成果を人と社会に役立てることにある．

b 適用対象と方法

適用対象は，評価および判断が重要となる新規開発物質や新技術であり，求められる成果は安全性や有効性のみならず，それらの評価方法や判断基準などとなる．医療の目的は，疾病に苦しむ患者の症状を軽減すること，さらには命を救うことである．人類において，薬の果たしてきた役割は大きい．しかしながら，医薬品の効果や副作用には個人差があり，それらを正確に予測することは不可能である．医薬品のレギュラトリーサイエンスは，医薬品開発およびライフサイクルマネジメントにおいて必要な医薬品の品質，有効性および安全性の的確な予測，評価や判断を支える科学である．すなわち，分析化学，薬理学，毒性学，遺伝学，生物統計学，薬剤疫学などの基礎科学や応用科学に基づく科学であり，さらに，社会科学やリスク管理を含む人間科学に関する手法を活用することとなる．

c 薬剤師とのかかわり

レギュラトリーサイエンスは，科学的根拠と社会的見地に基づいて解決するための新しい科学といえる．医薬品の価値の大部分は，それらの医薬品適正使用のための情報の量と質である．したがって，承認審査後の医薬品でさえ未完成と考えられ，医療関係者は新たな患者への適用を通じて持続的にフィードバックする努力をしていかなければならない．薬剤師業務では，収集した医薬品情報が公正かつ中立で，適正に評価されたものであるか否かを確認することが必要となる．根拠が不足している場合には，より優れた評価法の開発や薬剤師主導による臨床研究の立案などを行い，科学の限界を認識し検証することが重要である．薬剤師の職責は大きく変化しており，調剤および医薬品適正使用から患者安全を考慮した有効性や安全性の評価のみならず，費用効果分析を含め社会にも貢献しなければならない．医薬品のリスク・ベネフィットを勘案しつつ，新しい社会的価値を有する体系的な学問体系を構築することが，薬剤師業務の大きな進歩につながる．

C 医薬品情報にかかわる職種

SBO・医薬品情報にかかわっている職種を列挙し，その役割について概説できる．

ポイント

- 医薬品情報にかかわる業種・職種としては，病院・保険薬局などに勤務する薬剤師だけでなく，医薬品を製造・販売する製薬企業（研究部門，開発部門，学術部門），医薬品の承認・申請にかかわる行政機関（厚生労働省，PMDA），医薬品卸業，医薬品を用いた基礎・臨床研究を行っている大学や臨床現場での研究者・薬剤師が該当する．

❶ 病院・診療所・保険薬局に勤務する薬剤師

病院や診療所に勤務する薬剤師は，全員が医薬品情報を活用する職種である．なかでも，医薬品情報室（DI室）[*12]を担当する薬剤師は，病院・診療所における医薬品情報の収集・整理・保管・加工・評価・提供を担う．

（一社）日本病院薬剤師会では，2018年に「医薬品情報業務の進め方2018」を策定し，病院における薬剤師のDI業務推進のための一助となるよう公開している（表1·4）．またこの中では，病院におけるDI業務はDI室担当の薬剤師のみならず，病棟担当薬剤師を含む薬剤部全体で取り組むべきものとしている．

*12 医薬品情報室 ☞p.134

a 病院薬剤師の役割

(1)医薬品情報の収集，専門的評価，整理・保管および加工

病院薬剤師は，医師などの医療従事者や患者からの医薬品に関する質

表 1･4 DI 業務の範囲

1. 医薬品情報の収集，専門的評価，整理・保管および加工
2. 医薬品に関する情報の伝達・周知
3. 医薬品に関する質疑への対応
4. 病院における医薬品の適正使用や安全管理に係る委員会等への参画
5. 病棟担当薬剤師等の臨床薬剤師との連携・支援
6. 安全性情報の入手と整理・活用
7. 医薬品の製造販売後調査への関与
8. 他の医療従事者および医薬関連分野の学生に対する教育
9. 薬剤師および薬学生に対する基本的な DI 業務および専門性を高めるための教育と訓練
10. DI 関連の情報科学に関する研究
11. 医薬品，家庭用品および農薬等の中毒情報の収集と伝達
12. 地域における DI 業務の連携

[(一社)日本病院薬剤師会：医薬品情報業務の進め方 2018 より引用]

*13 受動的 DI 業務 ☞p.172

問に対して，適切に情報を収集して回答する(受動的 DI 業務[*13])必要がある．この際には，質問者の望む情報を迅速かつ効率よく収集する必要があるが，医薬品に関する情報は膨大であり，内容について薬剤師の目で評価して不必要なものは削除する能力も必要である．また，得られた情報を質問者に合わせて適宜加工することも重要である．たとえば，医師には専門用語を多用してもよいが，患者には平易な文言に変換する必要があること，複数の薬剤に関する情報を単に列挙するのではなく理解しやすいように 1 つの表としてまとめるなどの「受け取る側に配慮した」加工が必要となる．さらに，収集した情報あるいは加工した情報は，物理的(紙媒体として DI 室内のファイルキャビネットに収納)あるいは電子的(電子媒体としてハードディスクに整理して保存)に整理・保管し，再度同様な質問があった場合に迅速に取り出すことができるようにする．

(2)医薬品に関する情報の伝達・周知

先に述べた受動的 DI 業務のみならず，新たな情報に接した薬剤師自身が，この情報を医療従事者などへ提供すべきと自発的に考え，伝達・周知(能動的 DI 業務[*14])することも必要である．能動的 DI 業務の例としては，緊急安全性情報[*15]が PMDA より発出された場合，DI 担当薬剤師は処方実績のある診療科を特定し，迅速に担当医師や診療科スタッフに伝達・周知する．その際には病棟担当薬剤師の協力も重要となる．その他にも院内の新規採用医薬品が決定した場合の各診療科への連絡など，情報の受け取る側を考慮した加工や伝達手段(オーダリングシステムや電子カルテの活用，メール配信，ポスターなどの紙媒体)についても考慮する．

*14 能動的 DI 業務 ☞p.157
*15 緊急安全性情報 ☞p.81

(3)医薬品に関する質疑への対応

医療従事者(薬剤部の他の薬剤師を含む)や患者からの質問に対して適切に回答するためには，質問内容を正確に聴取して「どこまでの情報を

必要としている」のかを明確にし，状況によって迅速性を考慮する．薬物中毒で救急搬送された患者に関する質問であれば1分をあらそう状況であり，たとえ不十分な情報であっても速報として回答が必要であるが，一方で時間はかかっても詳細で分かりやすい情報の収集・加工が必要な場合もある．そして，受け取り側の知識レベルなどに合わせた回答をする．また，電話や対面での質疑・回答の場合には，相手の理解の程度を会話の中で評価しながら表現を修正していく必要もある．

さらに回答後には，質疑内容と回答の根拠となった資料などを記録として残し，薬剤部内・院内において共有することで，同様の質問があった場合にも迅速に回答できる，あるいは医師などの質問者が薬剤部に問い合わせをしなくても解決できる環境を構築する．

(4)病院における医薬品の適正使用や安全管理にかかわる委員会などへの参画

病院における医薬品の適正使用や安全管理にかかわる委員会としては，院内の採用薬の見直しや新規採用を諮る**薬事審査委員会**，医薬品にかかわる安全管理について審議する**医薬品安全管理委員会**，わが国では未承認の海外医薬品などの使用について諮る**未承認新規医薬品等評価委員会**，医療全般の安全に関する**医療安全管理委員会**や，院内感染防止にかかわる委員会などがある．各委員会への薬剤師の参画とともに，DI室の設置やDI担当薬剤師による委員会への情報提供が医療法施行規則などにおいて義務付けられる場合もある．

(5)病棟担当薬剤師などの臨床薬剤師との連携・支援

多くの病院では**病棟薬剤師**が配置され，現場において直接医師や看護師から医薬品に関する質疑・回答が行われている．一方で，病棟において迅速に回答できないような質問の場合にはDI室担当薬剤師に調査を依頼することもある．また，病棟における質疑・回答は，他の病棟でも同様の質疑が発生することも大いにあり，病棟薬剤師同士の情報共有を促進するための薬剤部内カンファレンスを実施することも有用である．

また，病棟において医薬品による重大な副作用が発生した場合には，PMDAへの副作用報告(医薬品医療機器等安全性情報報告制度)を支援するとともに，院内における副作用事例の把握，製薬企業や厚生労働省・PMDAからの医薬品適正使用に関する情報の迅速な提供なども病棟薬剤師と連携して実施する．

(6)安全性情報の入手と整理・活用

安全性に関する情報については，インターネットの普及と発展に伴い，従来よりも迅速かつ簡便に入手することが可能となった．とくに，医薬品医療機器情報配信サービス(**PMDAメディナビ**)は，PMDAのウェブサイトなどを通じて情報公開される緊急安全性情報や医薬品の回収情報などをメールによりタイムリーに登録者に通知するシステムであり，医薬品の安全性情報の要約を入手するうえで有益である．また，新規医薬品が承認されたのちには，PMDAのホームページにて添付文書とともにインタビューフォーム，リスク管理計画書(RMP)，審査報告書などが医薬品ごとに入手可能となる．製薬企業のホームページにはこれらの情報の他にもさまざまな安全性に関連する情報や，患者向けの資料も掲載されるため，必要に応じて閲覧・収集する．一方，製薬企業からの情報のなかにはウェブサイトなどでは公開しないものもあるため，対面や電話，Faxや郵送といった従来から用いられている情報伝達手段を用いて情報を収集することも重要である．

収集された情報は，紙媒体のものは適宜ファイルキャビネットに整理して保管し，必要時に閲覧しやすい状態とする．また，とくに重要な紙媒体の資料はDI室で電子化(PDF化)し，ウェブサイトから入手できる電子媒体の資料とともにPCに保管する．添付文書のように適宜改訂される情報については，常に最新の情報に維持できるよう努める．これらの情報は，院内サーバーに保管してすべての医療従事者が閲覧できる環境を整えるとよい．また，とくに院内の医療安全にかかわる情報については，院内の医薬品安全管理者や医療安全管理室などに迅速に情報提供できる体制を整える．

(7)医薬品の製造販売後調査への関与

新規に承認された医薬品は，治験において得られる安全性に関する情報が不十分であるため，製造販売後調査(使用成績調査，市販直後調査など)の実施による情報収集が不可欠である．施設の規模によっては薬剤部以外の部門が対応することもあるが，DI室担当者が製薬企業との契約，プロトコル(製造販売後調査の実施計画書)の確認，院内における当該医薬品の処方状況の確認などを行うこともある．

(8)他の医療従事者および医療関連分野の学生に対する教育

院内における医師や看護師などの医療従事者に対して，薬剤部から発出される医薬品情報(新規採用薬情報，製薬企業や行政機関からの安全性情報など)の活用について教育・啓発を行う．また，医薬品医療機器等安全性情報報告制度や医薬品副作用被害救済制度については，レジデントに対する講習会を開催するとよい．

医学部や看護学部などの学生実習生に対しては，病院における薬剤師の職能(処方箋の調剤業務だけではないこと)を十分に伝え，処方オーダリングにおける相互作用チェックシステムによる医薬品適正使用の推進，向上への寄与や，病棟における副作用モニタリングを通じたプレアボイド活動など，具体的な事例を紹介することも肝要である．

(9)薬剤師および薬学生に対する基本的なDI業務および専門性を高めるための教育と訓練

薬学生に対する教育として，早期体験学習や実務実習においてDI業務の紹介や具体的な業務体験の実施が行われる．とくに実務実習では，大学において学習した医薬品情報学の内容がどのように業務として実施されているのかを体験させることが必要であり，模擬事例であっても医師などからの疑義に対する回答書の作成や，**プレアボイド報告書**や**医薬品医療機器安全性情報報告用紙**に実際に記載させるなどの体験から学習効果を高める．

経験の浅い薬剤師やレジデントに対しては，DI業務の基本となる医薬品情報の収集，整理，保管，加工，専門的評価について，DI担当薬剤師の指導のもとで経験させる．また，学術論文の抄読会を企画し，持ち回りで論文紹介を行わせることで一次資料の重要性を体感させる．

(10) DI関連の情報科学に関する研究

情報科学とは，情報の生成，伝達，変換，蓄積，利用などについての一般原理を考究する学問(大辞林第4版)であり，DI関連の情報科学としては処方情報や疑義対応などのデータベース構築や，データベースを用いた研究，DIに関連したオリジナルの処方支援システムやアプリケーションの開発などが該当する．

院内で構築したデータベースは，いかに活用されるかが重要であり，医療従事者とってより使いやすく，また価値のある情報提供を行えるよう常に改善が望まれる．また，カルテや処方情報等を用いた薬剤疫学的研究は新しい医薬品情報を創出することとなり，医療の質の向上にもつながる．さらに，PMDAが公表している**医薬品副作用データベース(JADER)**のような，巨大なデータベースを利用することで，院内では少数しか収集できないような重大な副作用事例の解析も可能となる．

(11) 医薬品，家庭用品および農薬などの中毒情報の収集と伝達

自殺目的や誤飲，医療ミスなどにより医薬品や農薬などの化学物質を過量服用・投与してしまった場合，一部の医薬品に関しては過量投与時の対処法が添付文書に記載されているが，多くのケースでは記載がない．このような場合には，急性中毒の対処に関連する書籍が販売されているため，DI室に配置して緊急時に迅速に対応できるようにする．また，薬物，化合物に限らず，毒キノコなどの中毒性のある食物を摂取した場合，あるいはボタン型電池やたばこの吸い殻などの家庭用品，嗜好品などの誤飲により緊急搬送されるケースもあるため，成書を活用するとともに，(公財)日本中毒情報センター(電話)などを利用する．

(12) 地域におけるDI業務の連携

各地域において，大学病院や県立病院などの基幹病院が中心となり，あるいは都道府県薬剤師会や病院薬剤師会のDI委員会などが中心となって，地域におけるDI業務を連携するシステムを構築することが重要である．また，地域包括ケアシステムのような他の医療職との協働による地域住民の健康的生活の維持，向上に貢献することもできる．地域におけるDI業務の連携においては，病院薬剤師のみならず保険薬局に勤務する薬剤師の参画も重要である．

さらには，同じ志をもつさまざまな施設のDI担当薬剤師が，DIに関

連する学会に参加して情報交換をしたり，ソーシャルネットワークサービス(SNS)を介してつながりをもつことで，地域レベルから全国レベルでの連携を図ることも可能である．

b 保険薬局薬剤師の役割

病院薬剤師とは異なり，保険薬局薬剤師についてのDI業務の進め方，指針についてはとくに決められていないが，おおむね病院薬剤師に求められる業務を目標とする．一方で，病院とは異なりカルテを閲覧することができず，担当医にすぐ問い合わせることも難しい場合があり，来局患者やその家族から聴取する情報が最も重要であるため，情報収集能力が必須となる．また，保険薬局では医療用医薬品以外にも一般用医薬品，要指導医薬品，医薬部外品など多岐にわたっており，関連する情報は製薬企業のみならず医薬品卸業から収集することも多い．

保険薬局ごとにDI担当者が配置されることは非常にまれであり，各薬剤師がDI業務を実践することとなる．その多くは，患者からの質問に対する回答(受動的DI業務)であり，即時回答できるように備える．また，患者が質問に至った背景に隠れた情報が存在することもあり(たとえば，ある薬剤の副作用について質問があった場合，その患者には過去に別の薬剤による副作用の経験があって，そのことはまだ薬剤師には話していない)，単に回答するだけでなくコミュニケーション能力を駆使して情報収集することが肝要である．

来局する患者は，新聞や週刊誌，TV番組，インターネットの情報など，さまざまなメディアから自分の病気や健康に関連する情報を入手し，誤った解釈をしているケースが少なくない．入院患者と異なり，外来患者に対しては限られた時間内に回答を提示することが重要であるため，薬剤師は日頃からこれらメディアに取り上げられた医薬品や健康食品などに関する話題に注意しておく必要がある．

❷ 厚生労働省，(独)医薬品医療機器総合機構(PMDA)

厚生労働省では，主に医薬・生活局において医薬品・医薬部外品・化粧品・医療機器および再生医療等製品の有効性・安全性の確保対策のほか，血液事業，麻薬・覚醒剤対策などを行っている．また，医政局においては医薬品などの治験や研究の推進にかかわる業務が行われている．

独立行政法人医薬品医療機器総合機構(pharmaceuticals and medical devices agency，PMDA)*16は，国民保健の向上に貢献することを目的として，①医薬品による副作用・感染症等による健康被害に対して，迅速な救済を図る(**健康被害救済**)，②医薬品等の品質，有効性及び安全性について，治験前から承認まで一貫して申請者(製薬企業)を指導し，申請内容を審査する(**承認審査**)，③製造販売後における安全性に関する情報の収集，分析，提供を行う(**安全対策**)ことを主な業務としている．

*16 PMDA ☞p.77

中でも②と③は医薬品情報に大きく関係する業務である.

(1)医薬品の承認審査

製薬企業が新薬を開発する際には，とくに治験に関してはPMDA担当者と各治験段階の開始前に相談を行い，被験者に対する安全性の確保はもとより，得られる結果の信頼性を高めるよう助言を行っている．また，承認申請における製薬企業とPMDAとの確認作業の内容は，**審査報告書**としてPMDAのウェブサイトに公表される．審査報告書には，承認申請にかかわるさまざまな試験結果が網羅されており，それぞれの試験結果に対するPMDAの意見が述べられている．これらの情報はインタビューフォームよりもさらに詳細なものであり，非常に有用である.

(2)製造販売後の安全対策

医薬品医療機器等安全性情報報告制度により，医薬品に関しては製薬企業や医療関係者などから年間約7万件の副作用事例が厚生労働大臣(窓口はPMDA)に報告され，データベース化が行われている．これらの情報のうち，早急な対処が必要と考えられる重大な副作用に関しては，緊急安全性情報の発出を製薬企業に指示する.

また，新規医薬品の承認申請の際には**リスク管理計画書(RMP)**[*17]の作成を製薬企業に義務付け，製造販売後の安全対策を充実させるとともに，RMPを公表することで医薬品を使用する医師・薬剤師などに注意喚起を行っている.

*17 **医薬品リスク管理計画(RMP)** ☞ p.136

さらに，再審査，再評価制度による有効性や安全性情報を製薬企業に収集，報告させるとともに，一部の新規医薬品に関しては**市販直後調査**を承認条件として義務付け，市販後6ヵ月間の全例報告に基づく安全性評価を実施している.

❸ 製薬企業

製薬企業では，医薬品の承認申請に向けてさまざまな医薬品情報を創出する研究部門ならびに臨床開発部門，承認申請にかかわる薬事部門，市販後の情報を管理する安全管理部門，医薬品情報を医師や薬剤師などに提供する学術部門などが医薬品情報にかかわる職種である.

(1)研究部門

新規化合物の合成から，製剤化までの一連の創薬をつかさどる部門である．ここでは，薬物の合成法，溶解度や融点などの物理化学的情報，原末や製剤としての安定性に関する情報などが収集される．また，他の注射剤や輸液などとの配合変化に関する情報も生み出される．さらに，臓器組織や培養細胞などを用いた*in vitro*における薬理試験，動物を用いた*in vivo*における薬物動態試験や毒性試験などの情報も創出される.

(2)臨床開発部門，薬事部門，安全管理部門

臨床開発部門は単に開発部門ともよばれ，治験の実施に関する業務を行っている．治験の実施は**治験責任医師**や分担医師であるが，得られた有効性や安全性に関する情報は開発担当者により集積され，承認申請のための資料作成へとつながる．治験における情報は，治験責任医師らによって論文化されることもあるが，社内資料としてまとめられることもあり，製造承認取得後に添付文書の主要文献の項に列挙される．論文などの資料には，治験実施時のプロトコル（対象となる被験者の選択基準，実施方法，エンドポイントなど）が比較的詳細に記載されるため，被験者の背景と有効率や副作用発現頻度を考慮するうえで有用である．製造販売承認取得後は，製造販売後調査（市販直後調査，使用成績調査など）が実施され，医薬品の実臨床での有効性，安全性に関する情報が集められる．また，重大な副作用に該当する事例についても，国内外を含めて常に情報収集を行っている．

(3)学術部門

医師や薬剤師への自社製品の情報提供や，製造販売後調査あるいは副作用報告などの情報収集を行っている．また，医療従事者向けの講演会，セミナーなどの開催においても中心的な活動を行っている．

1)MR(medical representative)

製薬企業の医薬品情報担当者であり，医薬品の適正な使用に資するために，医療関係者を訪問することなどにより安全管理情報を収集し，提供することを主な業務として行っている．情報収集や提供以外にも営業職としての業務もある．（公財）MR 認定センターでは，MR の質の保証のために認定制度を設けており，製薬企業に属する MR は導入教育を受けた後，認定試験に合格することで MR 認定証が交付される．なお，薬剤師の資格を有する者は，試験の一部が免除される．

2)MSL(medical science liaison)

MSL も企業に属するが，MR とは異なり営業活動は行わないため，学術部門に属さないこともある．主な業務は，最新の医療情報を医師や医学研究者などに提供し，薬物療法の適正化の推進や医師主導の臨床試験の支援などを行う．提供する情報は高度なものであり，海外の論文を検索して，熟読し，情報をまとめるなどの作業が必要となる．したがって，MR に比べると高度な医学・薬学的知識や，語学力，情報収集能力や判断力などを有する必要がある．

❹ 医薬品卸業

製薬企業は自主規制によって，他社製品に関する情報や自社製品とは関係のない情報の提供は行わない．一方，医薬品卸業は各製薬企業が販売する医薬品を取扱う業種であり，第三者としての立場で医薬品情報を加工，評価することが可能な業種である．

医薬品卸業では，医薬品情報の収集，加工，提供に関しては MS（marketing specialist）が担当する．MS は，製薬企業から仕入れた医薬品を，医療機関や保険薬局に安定的に販売・供給するとともに，各社から市販される新薬の情報や，同種同効薬の有効性や安全性，医療におけるトピックスなどの情報提供も行う．また，医療用医薬品のみならず，一般用医薬品や健康食品などの情報も取扱うことがある．

❺ 研究者など

医薬品情報にかかわる研究を行うことで，情報の創出を行っている研究者は，大学のみならず，製薬企業や病院，保険薬局に勤務する薬剤師が該当する．

(一社)日本医薬品情報学会は，医薬品情報学に関する教育・研究の向上およびその応用ならびに国内外の相互交流により薬学および医学，医療の進歩向上，国民の健康に貢献することを目的に活動している．本学会は，病院や保険薬局に勤務する薬剤師，薬系大学教員や学生，製薬企業や医薬品卸業，厚生労働省や PMDA などの行政担当者などが会員となっている．また，本学会では医薬品の有効性と安全性を高める適性使用情報について専門性を有し活用を実践できる薬剤師を「**医薬品情報専門薬剤師**」として認定している．この認定薬剤師となるためには，日本医薬品情報学会の会員であること，医薬品情報にかかわる業務経験が通算５年以上であること，本学会が指定する生涯教育セミナーに参加して一定数の単位を取得していること，全国レベルの学会などにおいて医薬品情報領域に関する学会発表が２回以上(少なくとも１回は発表者)あること，複数査読制のある国際的あるいは全国的学会誌・学術雑誌に医薬品情報領域の学術論文が１編以上(筆頭著者)あることが条件となり，最終的に本学会の認定試験に合格することが要件となる．

医薬品情報の発生過程

A 開発過程で得られる情報

SBO・医薬品(後発医薬品等を含む)の開発過程で行われる試験(非臨床試験，臨床試験，安定性試験等)と得られる医薬品情報について概説できる．

ポイント

- 医薬品の研究開発は，シーズ探索プロセス，非臨床試験プロセス，臨床試験プロセス，承認申請プロセスの4段階において各種試験が実施され製造販売承認の申請に必要な情報が集められる．
- 医薬品の製造販売承認に求められる情報のコンテンツは，①医薬品の物質に関する情報，②有効性に関する情報，③安全性に関する情報，および④使用方法に関する情報，の4つに大別できる．
- 医薬品申請に提出する資料は，ICHでの日本・米国・EUの3地域の合意に基づいた共通の様式でまとめられる．
- 申請資料の概要および作成された審査報告書は，PMDAのウェブサイトにて医療用医薬品の承認審査情報として一般公開されている．
- 開発段階での情報を医療の現場で活用する際には限界があり，留意する必要がある．

❶ 医薬品の研究開発から製造販売承認

医薬品の研究開発は，①化学合成や抽出により医薬品の候補を獲得する**シーズ探索プロセス**，②薬理，安全性，薬物動態を動物や *in vitro* で検討する**非臨床試験プロセス**，③ヒトにおける**臨床試験プロセス**，④**承認申請プロセス**の4段階を経て，各プロセスから得られた各種試験の結果などの資料により，医薬品の製造販売承認申請が行われる(図2･1[*1])．

しかし，申請する医薬品のタイプにより，その添付資料の内容が異なり，**現在の医療用医薬品の申請区分**は，表2･1の左欄に示した(1)から(10)の申請区分が存在する．この申請区分により，申請の際に必要な提出書類が異なるので，実施される各種試験(表2･2)も異なる．基本的には，この添付資料の医薬品情報をもとに，添付文書が作成される．

医薬品の製造販売承認は，当該物質が医薬品として品質，有効性および安全性を有し，製造管理および品質管理の基準に適合した方法で製造されたうえで，適切な品質管理および安全管理体制のもと製造，販売さ

*1 図4･5も参照 ☞ p.131

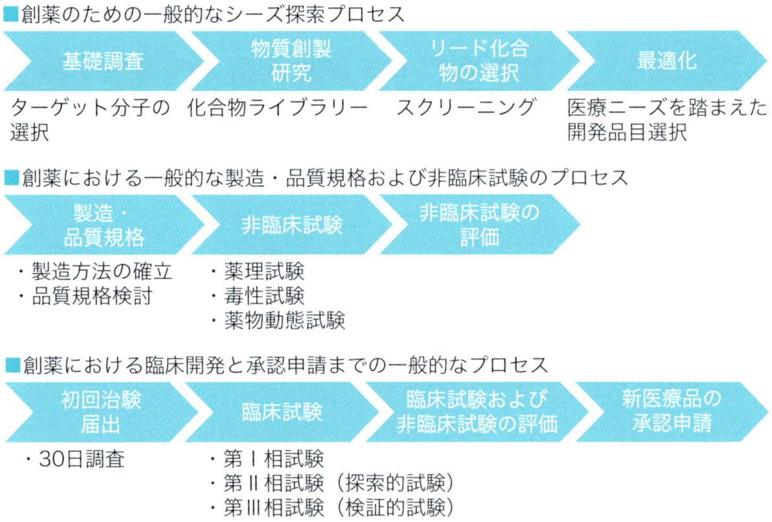

■創薬のための一般的なシーズ探索プロセス

基礎調査 → 物質創製研究 → リード化合物の選択 → 最適化

ターゲット分子の選択　化合物ライブラリー　スクリーニング　医療ニーズを踏まえた開発品目選択

■創薬における一般的な製造・品質規格および非臨床試験のプロセス

製造・品質規格 → 非臨床試験 → 非臨床試験の評価

・製造方法の確立
・品質規格検討

・薬理試験
・毒性試験
・薬物動態試験

■創薬における臨床開発と承認申請までの一般的なプロセス

初回治験届出 → 臨床試験 → 臨床試験および非臨床試験の評価 → 新医療品の承認申請

・30日調査

・第Ⅰ相試験
・第Ⅱ相試験（探索的試験）
・第Ⅲ相試験（検証的試験）

図 2･1　医薬品の開発プロセスの例

［医薬品医療機器総合機構：薬事戦略相談－革新的医薬品・医療機器の実用化を日本から，第5版，2015を参考に著者作成］

れ，一般に流通し，国民の医療，保健に使用されることについて適切であると国が認めることをいう．申請にかかる医薬品が保健衛生上適切か否かについて，その時点における医学，薬学の学問水準に照らし客観的に判断される．医薬品の承認申請に際しては，品質，安全性，有効性に関する資料を添付することが求められており，品目ごとに，その名称，成分・分量，用法・用量，効能・効果，副作用などが審査される．

一方，当該品目を製造している製造所において，製造管理および品質管理の基準(GMP)に適合していることが**GMP適合性調査**により確認される．その結果として，厚生労働大臣の承認(医薬品製造販売承認)が与えられる．

これ以外にも下記の迅速あるいは緊急に医薬品を患者に届ける制度がある．

特例承認：健康被害の拡大を防ぐために，他国で販売されている日本国内未承認の新薬において，一定の条件を満たした場合に厚生労働大臣が薬事・食品衛生審議会の意見を聞いて通常よりも簡略化された手続きで承認し使用を認める制度．

先駆的医薬品等指定制度(先駆け審査指定制度)：革新的医薬品・医療機器・再生医療等製品を日本で早期に実用化すべく，世界に先駆けて開発され，早期の治験段階で著明な有効性が見込まれる医薬品などを指定し，各種支援によるその開発を促進するための制度．

条件付き早期承認制度：重篤で有効な治療方法に乏しい疾患について，医療上とくに必要性が高い医薬品への患者のアクセスの確保を図るため

表 2・1 医療用医薬品製造販売承認などの申請の際に必要な提出書類

左 欄	右 欄(☞表 2・2)							
	イ	ロ	ハ	ニ	ホ	ヘ	ト	チ
	1 2 3	1 2 3	1 2 3	1 2 3	1 2 3 4 5 6	1 2 3 4 5 6 7		
(1)新有効成分含有医薬品	○○○	○○○	○○○	○○△	○○○○×△	○○○△○△△	○	○
(2)新医療用配合剤	○○○	×○○	○○○	○△△	○○○○×△	○○×××△×	○	○
(3)新投与経路医薬品	○○○	×○○	○○○	○△△	○○○○×△	○○×△○△△	○	○
(4)新効能医薬品	○○○	×××	×××	○××	△△△△×△	×××××××	○	○
(5)新剤形医薬品	○○○	×○○	○○○	×××	○○○○×△	×××××××	○	○
(6)新用量医薬品	○○○	×××	×××	○××	○○○○×△	×××××××	○	○
(7)バイオ後続品	○○○	○○○	○△△	○××	△△△△×△	△○×××△△	○	○
(8)剤形追加にかかわる医薬品 (再審査期間中のもの) (8 の 2)剤形追加に係る医薬品 (再審査期間中でないもの)	○○○	×○○	△△○	×××	××××○×	×××××××	×	○
(9)類似処方医療用配合剤 (再審査期間中のもの) (9 の 2)類似処方医療用配合剤 (再審査期間中でないもの)	○○○	×○○	○○○	△△×	××××××	○△×××△×	○	○
(10)その他の医薬品 (再審査期間中のもの) (10 の 2)その他の医薬品 ((10)の場合であって，生物製剤などの製造方法の変更に係るもの) (10 の 3)その他の医薬品 (再審査期間中でないもの) (10 の 4)その他の医薬品 ((10 の 3)の場合であって，生物製剤などの製造方法の変更に係るもの)	×××	×△○	××○	×××	××××○×	×××××××	×	○[1)]

注) ○は添付を，×は添付の不要を，△は個々の医薬品により判断されることを意味する.
1) 製造方法の変更または試験方法の変更など，添付文書の記載に変更を生じない内容に関する申請に限り，原則として，チの資料の添付は要しない.
[厚生労働省医薬食品局長：医薬品の承認申請について．薬食発 1121 第 2 号，2014 より引用]

に，患者数が少ないなどの理由で臨床第Ⅲ相試験などの検証的臨床試験を行うことが難しい医薬品，医療機器，再生医療等製品について，発売後に有効性，安全性を評価することを条件に承認する制度.

❷ 製造販売承認に必要な医薬品情報コンテンツ

医薬品の研究開発では，試験研究を系統的に実施し，表 2・2 に示す医療用医薬品製造販売承認の申請に必要な情報が集められる．医薬品の製造販売承認に求められる情報のコンテンツは，①医薬品の物質に関する情報，②有効性に関する情報，③安全性に関する情報，④使用方法に

表 2･2　医療用医薬品製造販売承認などの申請の際に必要な提出書類の内容(表 2・1 の右欄)

イ．起原または発見の経緯および外国における使用状況などに関する資料	1．起原または発見の経緯 2．外国における使用状況	3．特性およびほかの医薬品との比較検討など
ロ．製造方法ならびに規格および試験方法などに関する資料	1．構造決定および物理的化学的性質など	2．製造方法 3．規格および試験方法
ハ．安定性に関する資料	1．長期保存試験 2．苛酷試験	3．加速試験
ニ．薬理作用に関する資料	1．効力を裏付ける試験 2．副次的薬理・安全性薬理	3．その他の薬理
ホ．吸収，分布，代謝，排泄に関する資料	1．吸収 2．分布 3．代謝	4．排泄 5．生物学的同等性 6．その他の薬物動態
ヘ．急性毒性，亜急性毒性，慢性毒性，催奇形性その他の毒性に関する資料	1．単回投与毒性 2．反復投与毒性 3．遺伝毒性 4．がん原性	5．生殖発生毒性 6．局所刺激性 7．その他の毒性
ト．臨床試験の成績に関する資料	臨床試験成績	
チ．法第五十二条第一項に規定する添付文書等記載事項に関する資料	添付文書等記載事項	

[厚生労働省医薬食品局長：医薬品の承認申請について．薬食発 1121 第 2 号，2014 より引用]

関する情報，の 4 つに大別ができ，表 2･2 の申請の際に必要な提出書類との関連性は以下のようになる．

①医薬品の物質に関する情報：名称，原薬の化学構造，物理的化学的性質，製剤の処方，原薬や製剤の規格および試験方法(ロ)，安定性試験の成績(ハ)などがある．

②有効性に関する情報：非臨床試験で効力を裏付ける薬理試験(ニ)や臨床試験の成績(ト)がある．

③安全性に関する情報：非臨床試験から得られる単回投与毒性，反復投与毒性，慢性毒性，生殖発生毒性(へ)などが，また臨床試験から得られる有害事象・副作用，他剤との併用時の有害事象(ト)などがある．

④物質の情報と安全性と有効性，また非臨床試験成績と臨床成績を評価する仲立ちする情報：動物とヒトでの薬物の吸収，分布，代謝，排泄に関する情報(ホとト)も必要である．

⑤使用方法に関する情報：上述の情報をもとに，効能・効果，用法・用量，使用上の注意などを定めたもので，主に添付文書に記載される(チ)．

❸ コモン・テクニカル・ドキュメント(国際共通化資料，CTD)の構成

医薬品申請に提出する資料は，ICH[*2] での日本・米国・EU の 3 地域の合意に基づいた共通の様式コモン・テクニカル・ドキュメント(国際

*2　ICH ☞p.11

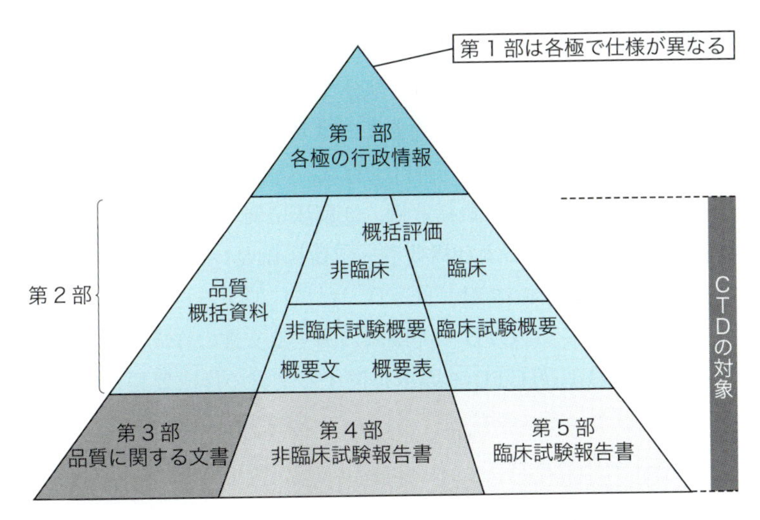

図 2･2 コモン・テクニカル・ドキュメント(CTD)の概念図
[日本製薬工業協会(編)：電子化コモン・テクニカル・ドキュメント(eCTD)作成の手引き，第 4.2 版，p.1-10，日本製薬工業協会，2017 より許諾を得て転載]

共通化資料, common technical document, CTD)の様式でまとめられる．この様式でまとめることにより 3 地域のいずれの規制当局にも受け入れられるメリットがある．CTD は，図 2･2 のような 5 つの部(モジュール)の階層構造で構成され，開発過程としては底辺の第 3 部，第 4 部，第 5 部の試験結果に基づいて第 2 部の品質，非臨床，臨床の概括評価が行われ，最終的に第 1 部の申請資料目次がまとめられ，添付文書情報などに反映されて，申請に至るというプロセスをたどる．第 1 部は，各地域に特異的な文書が含まれているので当該地域の規制当局(わが国では厚生労働省)が定めることができる．第 2 部から第 5 部(モジュール 2 ～ 5)までの資料は，ICH で合意された CTD に関するガイドラインが作成されており，それに基づいて作成される．後発医薬品の承認申請においても 2017 年 3 月より CTD 形式による提出が導入されている．

a 第 1 部(モジュール 1)

当該地域における申請書または添付文書(案)といった各地域に特異的な文書が含まれる．申請の際に必要な提出書類(表 2･2)の「イ．起原または発見の経緯，外国における使用状況などに関する資料」や，臨床試験における対照薬を含む，効能・効果，用法・用量，化学構造，薬理作用からみて類似している同種同効品の一覧表，当該薬剤の添付文書(案)も含まれる．

添付文書は，承認申請の際は案として提出され，承認審査の過程で記載内容を評価し，修正のうえ承認後に確定される．

b 第2部(モジュール2)

作成されたCTDの概要をまとめた部分である．具体的には，薬理学的分類，作用機序および申請する効能または効果などの当該医薬品の全般的な概略で，以下の順番で7項目(①目次，②緒言，③品質に関する概括資料，④非臨床に関する概括評価，⑤臨床に関する概括評価，⑥非臨床試験に関する概要文および概要表，⑦臨床概要)が含まれる．これら概要の個々の構成については，「CTD－品質に関する文書の作成要領に関するガイドライン」「CTD－非臨床に関する文書の作成要領に関するガイドライン」および「CTD－臨床に関する文書の作成要領に関するガイドライン」のそれぞれのガイドライン中に規定するものである．

③品質に関する概括資料では，品質について，第3部の全体像を把握できるよう各項に関する十分な内容を含んでいる．第3部の各項資料と第4部および第5部の関連資料を総合的に考え合わせた重要事項の考察が記載されている．

④非臨床に関する概括評価の詳細項目は，非臨床試験計画概略，薬理試験，薬物動態試験，毒性試験，総括および結論，参考文献一覧からなり，非臨床試験について事実に基づく包括的な概要が示されている．成績の説明，得られた成績の臨床との関連性，医薬品の品質情報との関連付けおよび医薬品の安全使用に関連する非臨床試験との関連性(すなわち，添付文書などに記載すべき事柄)が記載されている．

⑤臨床に関する概括評価の詳細項目は，製品開発の根拠，生物薬剤学に関する概括評価，臨床薬理に関する概括評価，有効性の概括評価，安全性の概括評価，ベネフィットとリスクに関する結論，参考文献からなる．臨床試験成績が事実に基づいて詳細に要約されており，臨床試験成績について関連する臨床的意義が示唆される動物実験データや製品の品質に関する情報などの非臨床試験成績にも言及しつつ臨床的考察と解釈が記載されている．さらに申請医薬品の開発計画および試験結果の優れた点と限界を示し，目的とする適用におけるベネフィットとリスクを分析し，試験結果が添付文書中重要な部分をどのように裏付けているかなども簡潔に記載されている．

c 第3部(モジュール3)

品質に関する資料で，原薬，製剤，規格，製造方法などに関する報告書，データなどの資料を「CTD－品質に関する文書の作成要領に関するガイドライン」の記載要領に従って記載したものである．具体的な項目としては，①原薬(一般情報，製造，特性，原薬の管理，標準品または標準物質，容器および施栓系，安定性)，②製剤(製剤および処方，製剤開発の経緯，製造方法，添加剤の管理，製剤の管理，標準品または標準物質，容器および施栓系，安定性)，③その他(製造施設および設備，外来性感染性物質の安全性評価，新規添加剤)，④各地域の要求資料，参考文献がある．申請の際に必要な提出書類(表 2･2)の「ロ．製造方法ならびに規格および試験方法などに関する資料」および「ハ．安定性に関する資料」が含まれる．

d 第 4 部(モジュール 4)

実施した非臨床研究を大きく薬理試験，薬物動態試験，毒性試験に分類し，「CTD －非臨床に関する文書の作成要領に関するガイドライン」の規定に沿って図表なども取り入れて記述したものである．臨床試験段階に進む候補品を選択するとともに，薬理試験，薬物動態試験を GLP*3 (医薬品の安全性に関する非臨床試験の実施の基準)，安全性に関する本格的な非臨床試験(一般毒性試験, 特殊毒性試験, 安全性薬理試験)にのっとって行われ，臨床試験を開始する際の安全性の確保とヒトへの外挿性を検討する基礎情報を得る．

*3 GLP ☞p.10

(1)薬理試験

効力を裏付ける試験，副次的薬理試験，安全性薬理試験，薬力学的薬物相互作用試験などにより，主要な薬効の機序や作用点，ほかの作用点に対する影響，ほかの薬剤との併用による効果の阻害，増強などが検討される．

(2)薬物動態試験

薬物の生体への吸収，血中や臓器への分布，代謝経路および代謝物の同定，排泄などを *in vitro* および複数の動物種を用いて検討する．

分析法：生体試料中の薬物濃度の分析法の検出限界および定量限界を求める．また薬物の生体試料中での安定性を確認する．この分析法を用いて，以下の項目を検討する．

吸収：薬物の吸収の程度と速度，薬物動態パラメータ，生物学的同等性およびバイオアベイラビリティなど．

分布：組織分布，タンパク結合および血球中への移行，胎盤通過など．

代謝：生体試料中の代謝物の化学構造および含有量，推定代謝経路，初回通過効果(消化管および肝初回通過効果), 酵素誘導および阻害など．

排泄：排泄の経路および程度，乳汁排泄など．さらに，薬物動態学的薬物相互作用(非臨床)，その他の薬物動態試験についても検討される．

(3)毒性試験

単回投与毒性試験：薬物を 2 種以上の哺乳動物に単回投与し，現れる毒性を質的, 量的に明らかにする．げっ歯類では概略の致死量を求める．

反復投与毒性試験：2 種以上の哺乳動物について，臨床予想投与期間に応じて，1 ヵ月，3 ヵ月，6 ヵ月，必要に応じて 12 ヵ月までの反復投与で, 明らかな毒性変化を惹起する用量(確実中毒量)とその変化の内容, および毒性変化の認められない最大用量(無毒性量)を明らかにする．投与後の回復試験で, 毒性所見の不可逆性および遅延性毒性の発現をみる．

トキシコキネティクス：毒性試験における全身的曝露を評価するため

に，血中の薬物濃度を測定し，薬物動態データを得る．

遺伝毒性試験：遺伝子突然変異誘発性を検討する非哺乳動物細胞系での *in vitro* 試験，染色体異常誘発性を検討する哺乳動物細胞系での *in vitro* 試験と哺乳動物系での *in vivo* 試験がある．

がん原性試験：薬物の化学構造，薬理作用，反復投与毒性試験成績などから，発がん性に疑いがある場合，および臨床での投与期間が長期にわたる場合に実施する．ラットで24ヵ月以上30ヵ月以内，マウスで18ヵ月以上24ヵ月以内の反復投与で検討する．

生殖・発生毒性試験：受胎能および着床までの初期胚発生に関する試験[雌雄動物の受(授)胎能力と初期胚の発生障害の検索]，胚・胎児発生に関する試験(胚・胎児の発育障害，奇形発生)，出生前および出生以後の発生ならびに母体の機能に関する試験(母動物の分娩・授乳，産児の成長・発達，各種行動・機能に対する影響)，新生児を用いた試験を行う．

局所刺激性試験：注射剤や局所適用剤の注射部位や適用部位での傷害性・刺激性を検討する．

その他の毒性試験：抗原性試験，免疫毒性試験，毒性発現の機序に関する試験，依存性試験，代謝物・不純物の毒性試験などが実施されている場合は記載される．

申請の際に必要な提出書類の「ニ．薬理作用に関する資料」「ホ．吸収，分布，代謝，排泄に関する資料」の一部，「ヘ．急性毒性，亜急性毒性，慢性毒性，催奇形性その他の毒性に関する資料」が含まれる．

医薬品の薬理評価，薬物動態評価および毒性評価について包括的で客観的な評価結果が示されている．提出された試験がGLPに適合していることを示し，必要に応じて，非臨床試験で得られた所見と医薬品の品質，臨床試験の結果および類薬で認められた作用との関連が示される．

e 第5部(モジュール5)

主として実施した臨床試験成績からみた医薬品の有効性と安全性について「CTD－臨床に関する文書の作成要領に関するガイドライン」の配列順，すなわち，生物薬剤学，ヒト生体資料を用いた薬物動態，臨床薬物動態(pharmacokinetics，PK)，臨床薬力学(pharmacodynamics，PD)，有効性および安全性，の順に配列し，また，(他地域などの)市販後のデータおよび患者データ一覧表および症例記録を添付したものである．

具体的な項目としては，生物薬剤学および関連する分析法の概要(背景および概観，個々の試験結果の要約，全試験を通しての結果の比較と解析)，臨床薬理の概要，臨床的有効性の概要(背景および概観，個々の試験結果の要約，全試験を通しての結果の比較と解析，推奨用法・用量に関する臨床情報の解析，効果の持続，耐薬性)，臨床的安全性の概要(医薬品への曝露，有害事象，臨床検査値の評価，身体的所見および安全性に関連するほかの観察項目，特別な患者集団および状況下における安全性，市販後データ），参考文献などがある．

臨床試験は，原則時期的に**第Ⅰ相**，**第Ⅱ相**，**第Ⅲ相**に分類されるが，それぞれ臨床薬理試験，探索的試験，検証的試験の主要な試験の実施時期に相当する．

(1)臨床薬理試験

薬物の忍容性，薬物動態パラメータの評価，薬物代謝と薬物相互作用の探索および，可能なら薬理作用の推定を目的とした試験で，主要な試験は第Ⅰ相で行う．通常は健康志願者または特定のタイプの患者(例：軽度の症状を有する患者)で実施する．ただし，抗がん剤候補の治療薬などでは，第Ⅰ相から患者を対象として試験を実施する．

忍容性：後の臨床試験で必要と想定される用量範囲の忍容性(ヒトがどの程度の薬用量に対応できるか)を決定する．毒性を指標に「○○ mg まで忍容性が認められた」というように表現される．

薬物動態：被験薬の血中濃度を測定し，吸収性，体内動態の確認のため各種薬物動態パラメータを算出する．

薬力学：薬理作用がそのまま臨床での有効性の指標になる場合(降圧効果など)などは，ヒトにおける薬理効果の情報が有用となる．

医薬品および**評価指標**(エンドポイント)によっては，薬力学試験および薬物の血中濃度と反応に関する試験[薬物動態 / 薬力学(PK/PD)試験]を行い，臨床での有効性や安全性を推定，検討する．

(2)探索的試験

多くは第Ⅱ相で行われる患者における安全性と目標とする効能に対する有効性を探索的に検討する試験である．医薬品の開発では，効能・効果(適応症)，用法・用量を明らかにする必要があるが，これらの要素は互いに関連しており一度には決められない．まず，それぞれの要素について探索的試験でおおよその見当を付けたうえで，妥当と考えられる適応症，用法・用量などを選択する．すなわち，適応症の検索，被験薬の用量と反応の関係，安全でかつ有効性が期待できる用法・用量の推測を行い，かつ有効性判定のためのエンドポイントが検討される．

(3)検証的試験

医薬品の効果を確認するために，あらかじめ定めた有効性の評価指標を用い，プラセボまたは既存薬を対照として，承認取得の根拠となるデータを集める試験である．多くが第Ⅲ相で行われ，探索的試験において蓄積した適応症および対象患者で薬物が安全で有効であるという予備的な試験結果より得られた要素を固定して実施される．

申請の際に必要な提出書類の「ト．臨床試験の成績に関する資料」および「ホ．吸収，分布，代謝，排泄に関する資料」の一部が含まれる．

第5部は，医薬品の薬理的な位置付け，医薬品の目標となる疾患の臨床的病態生理の情報を示し，試験を行ったことの科学的背景・理由が示される．次に臨床開発計画，個々の試験のデザインなど，仮説の検証過程の情報が示される．さらに，生物薬剤学と臨床薬理学により，医薬品がどの程度体内に入り，血中や体内でどのような挙動を示しどの程度標的となる器官に到達し保持されるか(PK)，そしてそれがどの程度の薬理作用を示すか(PD)を説明する．

有効性の臨床データでは，成績のいかんを問わず関連するすべてのデータを検討し，データから得られる効能・効果，用法・用量がどのように裏付けられるかが示される．とくに対象となった患者集団の特性を明確にすることと，エンドポイントの妥当性や適切に評価可能である旨などが示され，評価される．一方，安全性は試験中に認められたすべての有害事象に対する程度や頻度，薬物の薬理作用から特徴的な有害事象，投与量や投与期間，患者の背景，合併症や併用療法との関連など多角的に分析し，添付文書の使用上の注意の内容に反映される．最後にこれらの試験結果を統合して，医療現場において使用した場合のベネフィットとリスクを総合的に評価され，新医薬品の治療上での位置付けが示される．

以上のようにCTDは実に膨大な資料になり，紙に印刷して積み上げると数mの高さになるので，現在では電子化したe-CTDの形で提出される．

❹ 医薬品の製造販売承認審査

医薬品の承認審査は，医薬品医療機器総合機構(PMDA)で行われるので，製造販売承認申請書と添付資料(CTD)はPMDAに提出される．PMDAにおいて承認申請書が受理されると，新医薬品については，品質，非臨床，臨床，統計などの領域分野別の審査チームによる詳細な審査が行われ，同チームにより審査報告書が作成される．

申請資料概要および作成された審査報告書は，PMDAのウェブサイトにて医療用医薬品の承認審査情報として一般公開されている．

審査の結果をまとめた審査報告書は，審査結果および審査報告(1)と審査報告(2)から構成される．審査報告(1)は，製薬企業により提出された新薬の申請資料に基づき，提出された資料の概略を示しながら審査の概略が記されており，新医薬品が承認されるに至った根拠データとPMDAの審査内容がわかる．また，審査報告(2)は，審査報告(1)を踏まえた専門協議後の報告書であり，表2･3に示した内容が記される．

❺ 添付文書と医療用医薬品の承認審査情報

申請者は，開発の際に実施された臨床試験，非臨床試験など結果を総合的に評価して，添付文書(案)を作成し，申請する際の申請資料として提出される．最終的には，承認時に添付文書(案)の内容は確定される．

添付文書では「開発の経緯および特徴」と「非臨床試験」の項目は，医薬

表 2・3 審査報告(2)の主な項目

Ⅰ. 申請品目
Ⅱ. 審査内容
1. 有効性について
2. 安全性について
3. 効能・効果について
4. 用法・用量について
5. 特別な患者集団について
①腎機能低下患者 ②肝機能障害患者 ③高齢者
6. 医薬品リスク管理計画(案)について
Ⅲ. 機構による承認申請書に添付すべき資料にかかわる適合性調査結果および機構の判断
Ⅳ. 総合評価

品の適正使用を推進する際の優先順位は低く原則的には削除されるが，適正使用に必要な「非臨床試験」の情報は，たとえば動物実験の催奇形性などのデータは「妊婦，産婦，授乳婦などへの投与」へ，動物実験の毒性に関する情報は「その他の注意」など該当する項目に記載する．

また，薬物動態(ヒトにおける体内動態，代謝酵素など)，臨床成績(臨床試験成績の結果)，薬効薬理(薬理作用，作用機序など)，および有効成分の理化学的知見などの内容は，開発時の主な試験成績をまとめた申請書の概要を要約して記載される．

副作用に対する用語は，現在は標準化され MedDRA(ICH 国際医薬用語集，Medical Dictionary for Regulatory Activities Terminology)が用いられている．MedDRA とは，医薬品に関連する国際間の情報交換を迅速かつ的確に行うため，ICH の専門家ワーキンググループで開発され，ICH として合意された，英語をベースとした医学用語集であり，その日本語対応版が MedDRA/J(ICH 国際医薬用語集日本語版)[*4]である．

*4 MedDRA/J ☞p.43

a 後発医薬品

後発医薬品は，先発医薬品と治療学的に同等であるものとして，申請時の数種類の添付資料をもとに審査・承認され，研究開発に要する期間や費用(期間は 2 〜 3 年，開発費用は約 1 億円)を大幅に軽減できる．また，開発時に製剤特許が残っている場合も多く，添加物などを変更して製剤学的に工夫されることも多い．表 2・4 には，先発医薬品，バイオ後続品および後発医薬品の承認申請時に必要な添付資料を示した．

後発医薬品では，生物学的同等性に関する資料をもって有効性・安全性に関する資料としており，その申請に際しては，後発医薬品の製造販売承認申請のガイドラインに準拠して添付資料[「規格及び試験方法」「安定性試験」「生物学的同等性試験」(薬力学的同等性試験)の試験成績]などを取りまとめて承認申請書とともに提出される．

表 2・4　新有効成分含有医薬品(先発医薬品)，バイオ後続品，後発医薬品の承認申請時の添付資料

承認申請資料(☞表 2・2)		新有効成分含有医薬品	バイオ後続品	後発医薬品
イ	1	○	○	×
	2	○	○	×
	3	○	○	×
ロ	1	○	○	×
	2	○	○	△
	3	○	○	○
ハ	1	○	○	×
	2	○	△	×
	3	○	△	○
ニ	1	○	○	×
	2	○	×	×
	3	△	×	×
ホ	1	○	△	×
	2	○	△	×
	3	○	△	×
	4	○	△	×
	5	×	×	○
	6	△	△	×
ヘ	1	○	△	×
	2	○	○	×
	3	○	×	×
	4	△	×	×
	5	○	×	×
	6	△	△	×
	7	△	△	×
ト		○	○	×
チ		○	○	○

○：添付，×：添付不要，△：個々の医薬品により判断．

[厚生労働省医薬食品局長：バイオ後続品の承認申請について．薬食発第 0304004 号，2009 を参考に著者作成]

(1)安定性試験（加速試験）

最終包装された状態で，40℃で75%の相対湿度保存条件で6ヵ月間保存し，有効成分の含有量や不純物の程度などが「規格及び試験方法」の範囲内であることを確認し，通常の保存条件下で3年間安定であるかを推測する．

(2)溶出試験

溶出試験では，内用固形製剤を対象に異なった消化管液のpH(強酸性～中性)を想定した複数の試験液で溶出挙動を確認する．設定された1点ないしは2点での平均溶出率を測定して判定する．とくに，徐放性製剤での放出機構の類似性の証明や胃酸度の違いなどの特定の作用検出に寄与できる．

(3)生物学的同等性試験

先発医薬品と後発医薬品で異なる消化管内での崩壊，消化液への溶解について吸収のパターンをみて同等性を確認すれば，有効成分の分布，代謝，排泄は共通過程であるので治療効果も同等であるとの原理に基づいている．生物学的同等性試験は，吸収過程がある経口薬などにおいて実施され，原則，健常成人を対象としたクロスオーバー法（被験者を2群に分け，それぞれの群に対して先発医薬品と後発医薬品を交互に投与する）で実施する．*AUC*（area under the blood concentration time curve，血中濃度-時間曲線下面積）および C_{max}（最高血中濃度）を比較して判定される．

(4)薬力学的同等性試験

薬力学的同等性試験は，ヒトでの生物学的同等性試験では評価できない場合に実施される．その方法は，個別に検討されるが効力を裏付ける薬理作用，または治療効果を比較する臨床試験などで同等性が評価される．なお，吸収過程の関与がない静脈注射用製剤では，製剤の浸透圧，pH，変化点pHなどの物理化学的な性質や規定含量が入っていることが同等性を担保する指標となる．

どのような試験で同等性が評価されているかを確認し，同等性の評価項目以外の使用感やにおい，湿布剤の貼りやすさ，内用剤の外観や味などの相違点を把握したうえで，患者へ説明する．

後発医薬品メーカーが先発医薬品メーカーから先発医薬品での特許の使用許諾を受けて製造し，すべての効能・効果を取得した**オーソライズドジェネリック**（authorized generic，**AG**）とよばれる後発医薬品のうち，原薬・添加物・製法・製造ライン・技術者まで先発医薬品とすべて同じある場合は，通常の後発医薬品では求められる生物学的同等性試験が免除される．

b バイオ後続品（バイオシミラー）

細胞培養技術などを用いて製造されたバイオ後続品は，分子量が大きく構造が複雑，生物活性，不安定性，免疫原性などの品質特性から，化学合成医薬品を有効成分とする後発医薬品と異なり有効成分の同一性を実証することが困難である．そこで，バイオ後続品では，先行バイオ医薬品を比較対照とし，品質特性に関する**同等性/同質性評価**，さらに非臨床・臨床試験データを組み合わせ，品質特性における類似性が高く，かつ，品質特性に差異があった場合でも最終製品の安全性および有効性を科学的に確認する必要がある．バイオ後続品では後発医薬品とは異なり，原則として製造販売後調査やリスク管理計画も実施される．バイオ後続品の承認申請時の添付資料（表2･4）は，新薬よりは簡素化されているものの，後発医薬品とは比較にならないほどの手間と時間，費用，設備を要する．

6 開発時の製造販売承認の際に必要な申請時情報の活用とその限界

医療用医薬品添付文書は，医薬品の製造販売承認の際に必要な添付資

表 2･5　5 つの TOOs

too few（症例数が少ない）
too narrow（適応疾患が限定される）
too median-aged（高齢者，小児などが除外されている）
too simple（合併症や併用薬が少ない）
too brief（投与期間が短い）

料の医薬品情報をもとに，医薬品の情報の基本文書として適正使用情報の伝達ツールとして作成される．その情報を補完するものとして医薬品インタビューフォームが作成される．

医療用医薬品添付文書は，承認の際に必要な添付資料からその時点における医学・薬学の学問水準に照らし客観的に審査され，その結果より記されているもので審査の際の評価データ，企業の考え方，規制当局や専門家との協議内容を知ることができる．このような医薬品情報が，臨床での医薬品適正使用に有用となる場合もある．

このように，開発段階での情報は，医薬品の有効性，安全性を確認するために必要な情報ではあるが，医薬品の研究開発で得られる臨床試験の情報には 5 つの TOOs（表 2･5）とよばれる限界があり，医療の現場で活用する際には留意する必要があることを認識すべきである．

臨床試験では対象となる被験者の安全性に配慮し，目的となる情報を得るために必要最小限の患者を対象とするため，まれな有害事象は検出できず，また比較的頻度が高い有害事象であっても，医薬品との因果関係，発生の機序，発生時の対応方法を確定するだけの情報は得られない．また対象となる被験者は選択基準・除外基準によって限定されているので，安全性・有効性の情報は不足する．さらに試験中の併用薬の使用や併用療法が制限されているため，試験成績が医療現場での実態にそぐわない場合もある．

疾患の病態・症状は多様であり，臨床試験ではあくまで医薬品の特性の一部分だけを評価していることに注意すべきである．臨床試験での投与期間，観察期間は，たとえ生涯使う薬剤でも限定される．また，臨床試験の成績では統計的有意差の有無が非常に強調される．しかしたとえ対照薬との効果の差が小さくても，症例数を十分大きくとれば，統計的有意差を示すことがある．また，有意差が統計的有意差なのか臨床的に意義のある差なのかも考慮する．

臨床試験では，医薬品の有効性や安全性を患者１人ひとりではなく集団で検討することを目的にしており，患者１人ひとりの個性（背景や医薬品に対する反応性の違いなど）は集団におけるデータの「ばらつき」として扱われるので，個々の患者に外挿する際には，多面的かつ総合的に検討することを忘れてはいけない．

B 市販後に得られる情報

SBO・医薬品の市販後に行われる調査・試験と得られる医薬品情報について概説できる.

ポイント

- 製造販売後の新医薬品はその有効性や安全性に関する情報の収集が重要であり，市販後調査(PMS)が行われている.
- PMSでは,「再審査制度」「安全性定期報告」「再評価制度」「副作用・感染症報告制度」などが実施されている.

治験には製薬企業主導の治験，ならびに国内未承認薬や既承認薬の適応症の追加承認を目的とした医師主導の大規模臨床試験(**医師主導治験**)がある.

治験を終了して承認を受け，製造販売された医薬品は，薬価基準に収載された後，保険薬として多くの患者に使用されることになる．治験では，小児，高齢者，妊婦，授乳婦などの特殊な背景をもった患者は対象患者から除外され，基本的に合併症や併用薬は制限されている．また，治験薬は統一された用法・用量で専門医によって処方され管理されている．一方，製造販売後は，多様な背景をもつ多くの患者に投与され，また，さまざまな併用薬とともに，多様な投与量で，専門ではない医師によっても処方される．つまり，医薬品が使用される状況は，承認の前後で大きく変化する．また，最近では海外治験データが承認申請資料に用いられることも多く，その場合日本人を対象とした臨床データが少ない．したがって，製造販売後の医薬品は，市販前の治験では得られなかった有効性や安全性を確認するために，**製造販売後安全管理の基準**(GVP)[*5]に基づく安全性確保業務が行われ，有効性や安全性に関する情報を収集するため，**医薬品の製造販売後の調査および試験の実施の基準**(GPSP)[*5]に基づく製造販売後調査等が行われる．この，医薬品や医療機器が販売された後に行われる，品質，有効性および安全性の確保を図るための調査は**PMS**(post marketing surveillance)とよばれ，日本語で市販後調査ともいわれる．PMSでは，新医薬品等を対象とする**再審査制度**や**安全性定期報告**，すべての医薬品が対象となる**再評価制度**，常時安全性についてモニターする**副作用・感染症報告制度**などが実施されている(図2･3).

再審査制度(医薬品医療機器等法第14条の4)は，新医薬品などについて製造販売後一定期間経過後に品質，有効性および安全性の再確認を行う制度である．調査の結果は安全性定期報告(医薬品医療機器等法施行規則第63条)として定期的[*6]に報告することが製造販売業者に義務付けられている．海外からの導入新医薬品の製造販売業者が，当該医薬品の海外関連企業から安全性情報を収集・分析・評価した報告書は定期的ベネフィット・リスク評価報告(periodic benefit-risk evaluation re-

*5 GVP，GPSP ☞p.11

*6 承認後2年間は半年ごと，その後は再審査の終了まで毎年行う.

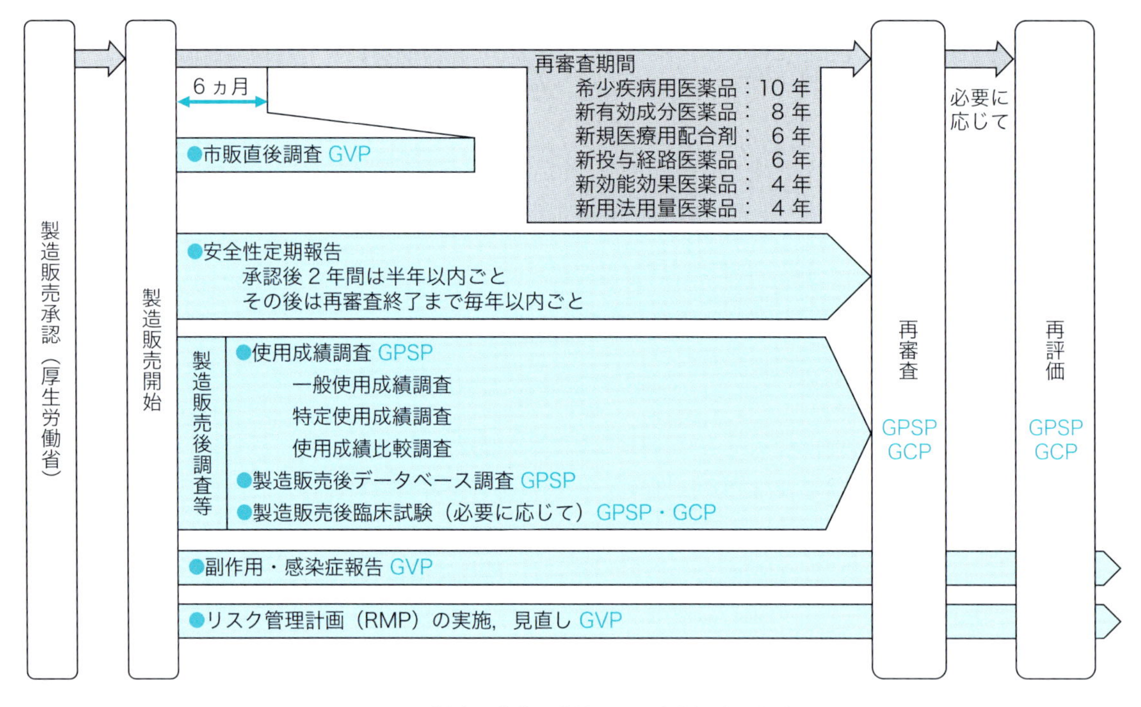

図 2･3　製造販売後に実施される各種調査や制度

port, PBRER）とよばれており，安全性定期報告に加えてもよいとされている．なお，再審査の期間は承認時に厚生労働大臣から指定される（図 2･3）．医療用医薬品の再審査報告書については，PMDA の医療用医薬品情報検索から審査報告書/再審査報告書などの文書を選択すると，検索が可能である．

再評価制度（医薬品医療機器等法第 14 条の 6）は，再審査終了後の医薬品が必要に応じて厚生労働大臣により再評価される制度であり，承認時に行われた承認内容を最新の水準で再評価するものである．したがって，新医薬品の有効性と安全性は，承認時，再審査時および再評価時の 3 回，最新の医学・薬学的見地から評価を受けることになる．再評価を受けた医薬品は，再評価結果により，承認の取り消し，効能効果などの削除または修正，とくに措置なし，のいずれかとなる．

❶ GVP に関連する医薬品情報

GVP（2004 年厚生労働省令第 135 号，2014 年 10 月改正施行）は，製造販売業者に対して適切な組織・体制の構築，手順の整備，医薬品などの適正使用情報の収集・評価，検討および安全確保措置の実施にかかわる製造販売後安全管理に関する基準を定めたものである．GVP で定められたなかで，医薬品情報に関しては**医薬品リスク管理計画**（risk management plan, **RMP**）および**市販直後調査**の結果が重要となる．

① **安全性検討事項**：重要な関連性が明らかまたは疑われる副作用，不足情報
・重要な特定されたリスク，重要な潜在的リスク，重要な不足情報の特定を行う

② **医薬品安全性監視活動**：①のリスクについて市販後に実施される情報収集活動
・通常：副作用症例の情報収集
・追加：市販直後調査による情報収集，使用成績調査，製造販売後臨床試験など

③ **リスク最小化活動**：①のリスクや②で明らかになったリスクを低減するための取り組み
・通常：添付文書，患者向医薬品ガイド
・追加：市販直後調査による情報提供，適正使用のための資材の配布，使用条件の設定など

図 2･4 医薬品リスク管理計画

a 医薬品リスク管理計画(RMP)*7

新医薬品とバイオ後続品の承認申請時にはRMPの提出が求められている．また，後発医薬品については，RMPが公表されている先発医薬品に対する後発医薬品のうち「効能又は効果」が先発医薬品と同一のものを承認申請する場合には，RMPを策定する必要がある．さらに，製造販売後に新たな安全性の懸念が判明した時点，たとえば緊急安全性情報*8や安全性速報*9が発出された場合にも，RMPの策定が検討される．RMPは個別の医薬品ごとに，①**安全性検討事項**(関連性が明らか，または疑われる重要な副作用や不足情報)，②**医薬品安全性監視活動**(市販後に実施される情報収集活動)，および③**リスク最小化活動**(医療関係者への情報提供や使用条件の設定などの医薬品のリスクを低減するための取り組み)をまとめたものである(図 2･4)．

医薬品安全性監視活動，リスク最小化活動のそれぞれに「通常」と「追加」の活動がある．副作用情報の収集，添付文書や患者向医薬品ガイドによる情報提供など，すべての医薬品に共通して製造販売業者が実施するものが「通常の活動」である．「追加の活動」は，市販直後調査，使用成績調査，製造販売後臨床試験，適正使用のための資材による情報提供など，医薬品の特性に応じて個別に実施されるものである．

RMPを活用すれば，個別の新医薬品がどのような視点で安全性を検討しているのか，また，安全対策として製造販売業者が医療現場などに依頼していることや，市販後の調査または臨床試験がどのような目的で実施されているのかを理解することに役立つ．公表されているRMPはPMDAのウェブサイト(https://www.pmda.go.jp/safety/info-services/drugs/items-information/rmp/0002.html)で閲覧が可能である．

*7 **医薬品リスク管理計画(RMP)** ☞ p.136

*8 **緊急安全性情報** ☞ p.81

*9 **安全性速報** ☞ p.82

b 市販直後調査

製造販売後の医薬品は治験期間と異なり，多様な状況で用いられ，とくに市販直後に治験中には発現しなかった副作用が発現することが認められている．そこで，新医薬品については，**販売開始直後の6ヵ月間**は製造販売業者の医薬情報担当者(MR)などが医師などを定期的に訪問し，

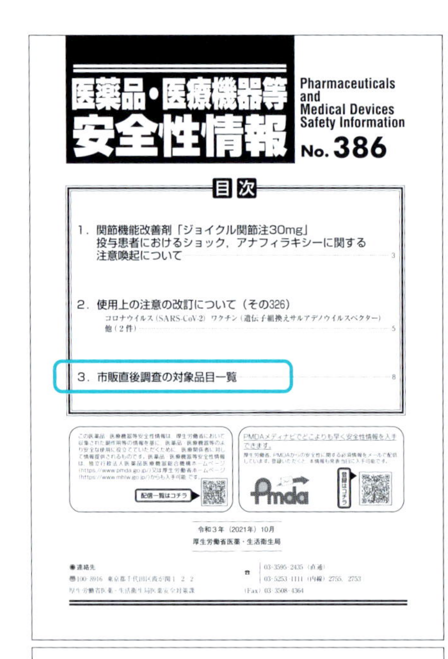

医薬品・医療機器等安全性情報

Pharmaceuticals and Medical Devices Safety Information No.386

目次

1．関節機能改善剤「ジョイクル関節注30mg」投与患者におけるショック，アナフィラキシーに関する注意喚起について……3

2．使用上の注意の改訂について（その326）
コロナウイルス（SARS-CoV-2）ワクチン（遺伝子組換えサルアデノウイルスベクター）他（２件）……5

3．市販直後調査の対象品目一覧……8

この医薬品・医療機器等安全性情報は，厚生労働省において収集された副作用等の情報を基に，医薬品・医療機器等のより安全な使用に役立てていただくために，医療関係者に対して情報提供されるものです．医薬品・医療機器等安全性情報は，独立行政法人医薬品医療機器総合機構ホームページ（https://www.pmda.go.jp/）又は厚生労働省ホームページ（https://www.mhlw.go.jp/）からも入手可能です．

配信一覧はコチラ

PMDAメディナビでどこよりも早く安全性情報を入手できます．
厚生労働省，PMDAからの安全性に関する必須情報をメールで配信しています．登録いただくと，本情報も発表当日に入手可能です．

登録はコチラ

令和３年（2021年）10月
厚生労働省医薬・生活衛生局

●連絡先
〒100-8916　東京都千代田区霞が関１－２－２
厚生労働省医薬・生活衛生局医薬安全対策課
☎ 03-3595-2435（直通）
03-5253-1111（内線）2755，2753
（Fax）03-3508-4364

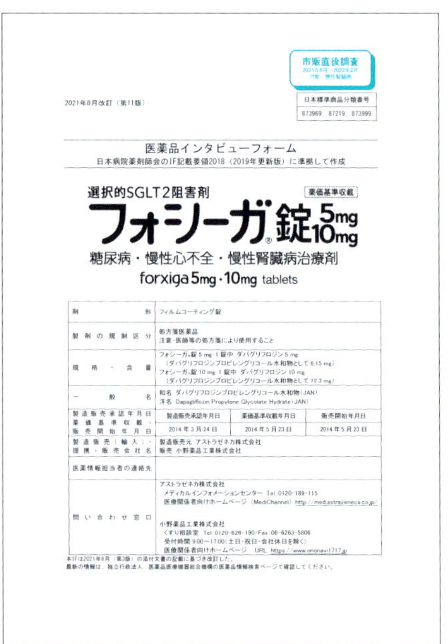

市販直後調査

2021年8月改訂（第11版）

日本標準商品分類番号
873969，87219，873999

医薬品インタビューフォーム
日本病院薬剤師会のIF記載要領2018（2019年更新版）に準拠して作成

選択的SGLT2阻害剤　薬価基準収載

フォシーガ®錠5mg 10mg

糖尿病・慢性心不全・慢性腎臓病治療剤

forxiga 5mg・10mg tablets

剤形	フィルムコーティング錠		
製剤の規制区分	処方箋医薬品 注意－医師等の処方箋により使用すること		
規格・含量	フォシーガ®錠5mg　1錠中　ダパグリフロジン 5mg （ダパグリフロジンプロピレングリコール水和物として 6.15mg） フォシーガ®錠10mg　1錠中　ダパグリフロジン 10mg （ダパグリフロジンプロピレングリコール水和物として 12.3mg）		
一般名	和名　ダパグリフロジンプロピレングリコール水和物（JAN） 洋名　Dapagliflozin Propylene Glycolate Hydrate（JAN）		
製造販売承認年月日 薬価基準収載・ 販売開始年月日	製造販売承認年月日	薬価基準収載年月日	販売開始年月日
	2014年3月24日	2014年5月23日	2014年5月23日
製造販売（輸入）・ 提携・販売会社名	製造販売元　アストラゼネカ株式会社 販売　小野薬品工業株式会社		
医薬情報担当者の連絡先			
問い合わせ窓口	アストラゼネカ株式会社 メディカルインフォメーションセンター　Tel 0120-189-115 医療関係者向けホームページ（MediChannel）http://med.astrazeneca.co.jp/ 小野薬品工業株式会社 くすり相談室　Tel 0120-626-190/Fax 06-6263-5806 受付時間 9:00～17:00（土日・祝日・会社休日を除く） 医療関係者向けホームページ　URL https://www.ononavi1717.jp		

本IFは2021年8月（第3版）の添付文書の記載に基づき改訂した．
最新の情報は，独立行政法人　医薬品医療機器総合機構の医薬品情報検索ページで確認してください．

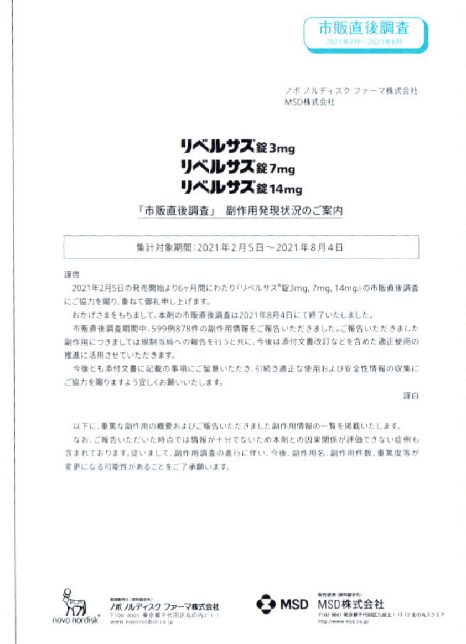

市販直後調査
2021年2月～2021年8月

ノボ ノルディスク ファーマ株式会社
MSD株式会社

リベルサス®錠3mg
リベルサス®錠7mg
リベルサス®錠14mg

「市販直後調査」　副作用発現状況のご案内

集計対象期間：2021年2月5日～2021年8月4日

謹啓
2021年2月5日の発売開始より6ヶ月間にわたり『リベルサス®錠3mg, 7mg, 14mg』の市販直後調査にご協力を賜り，重ねて御礼申し上げます。
おかげさまをもちまして，本剤の市販直後調査は2021年8月4日にて終了いたしました。
市販直後調査期間中，599例878件の副作用情報をご報告いただきました。ご報告いただきました副作用につきましては規制当局への報告を行うと共に，今後は添付文書改訂などを含めた適正使用の推進に活用させていただきます。
今後とも添付文書に記載の事項にご留意いただき，引続き適正な使用および安全性情報の収集にご協力を賜りますよう宜しくお願いいたします。
謹白

以下に，重篤な副作用の概要およびご報告いただきました副作用情報の一覧を掲載いたします。
なお，ご報告いただいた時点では情報が十分でないため本剤との因果関係が評価できない症例も含まれております。従いまして，副作用調査の進行に伴い，今後，副作用名，副作用件数，重篤度等が変更になる可能性があることをご了承願います。

ノボ ノルディスク ファーマ株式会社
MSD株式会社

図 2･5　市販直後調査に関する情報
上左：医薬品・医療機器等安全性情報 No.386（厚生労働省発行）：市販直後調査の対象品目一覧
上右：医薬品インタビューフォーム表紙に「市販直後調査」の記載（フォシーガ®錠 5 mg・10 mg，第 11 版，アストラゼネカ株式会社より許諾を得て転載）
下：市販直後調査報告書（リベルサス®錠 3 mg・7 mg・14 mg，ノボノルディスクファーマ株式会社および MSD 株式会社より許諾を得て転載）

新医薬品の慎重な使用を促すとともに，当該新医薬品に関する重篤な副作用や感染症の情報を収集する体制を強化する市販直後調査という制度がある．市販直後調査対象品目は「医薬品・医療機器等安全性情報（厚生労働省発行）」に掲載され，対象期間中の医薬品インタビューフォームの表紙には市販直後調査期間が記載され，注意が促されている．また，当該医薬品製造販売業者からも市販直後調査報告書が発行されており，当該医薬品製造販売業者のウェブサイトから閲覧が可能である（図 2･5）.

❷ GPSPに関連する医薬品情報

GPSP[*10]（2004年厚生労働省令第171号，2018年4月改正施行）で規定されている**製造販売後調査等**とは，医薬品の製造販売業者等が，医薬品の品質，有効性および安全性に関する情報の収集，検出，確認又は検証のために行う調査又は試験であり，医療機関から収集した情報を用いて行う**使用成績調査**，医療情報データベース取扱事業者が提供する医療情報データベースを用いて行う**製造販売後データベース調査**，市販後臨床試験ともよばれる**製造販売後臨床試験**がある．

*10　GPSP　☞p.11

ⓐ 使用成績調査

使用成績調査は，医療機関から収集した情報を用いて，診療において，医薬品の副作用による疾病などの種類別の発現状況ならびに品質，有効性および安全性に関する情報の検出または確認のために行う調査であり，次のようなものがある（図2･3）．

一般使用成績調査は，医薬品を使用する者の条件を定めることなく行う調査である．**特定使用成績調査**は，小児，高齢者，妊産婦，腎機能障害または肝機能障害を有する者，医薬品を長期に使用する者など，医薬品を使用する者の条件を定めて行う調査である．この調査が対象としているのは，治験の対象から除外されている患者群である．

使用成績比較調査は，特定の医薬品を使用する者と使用しない者の情報を比較することによって行う調査である．

使用成績調査の結果は当該医薬品製造販売業者から入手が可能であり，製薬企業のウェブサイトでも公開されている．

ⓑ 製造販売後データベース調査

診療録（カルテ）データやDPC（診断群分類包括評価，diagnosis procedure combination）データ，診療報酬請求書（レセプト）データなど，医療情報データベース取扱い業者が提供するデータベースを利用し，医薬品の副作用による疾病などの種類別の発現状況や，品質，有効性および安全性に関する情報の検出・確認のために行う調査である．「どのような患者に処方されているか」など処方実態調査，「類薬と比較して事象の発現頻度は増加しているか」など対照群をおいての評価，「禁忌患者への投与は減少しているか」など安全対策措置の効果の定量的または経時的評価，などに適している．調査をする際には，リサーチ・クエスチョンを明確にし，目的が不明瞭な調査を漫然と実施することがないよう留意し，調査・試験デザイン，評価指標，情報の収集方法について十分検討することが必要である．

製造販売後データベース調査に関連して，PMDAから「製造販売後データベース調査実施計画書の記載要領」「医療情報のデータベース等を用いた医薬品の安全性評価における薬剤疫学研究の実施に関するガイ

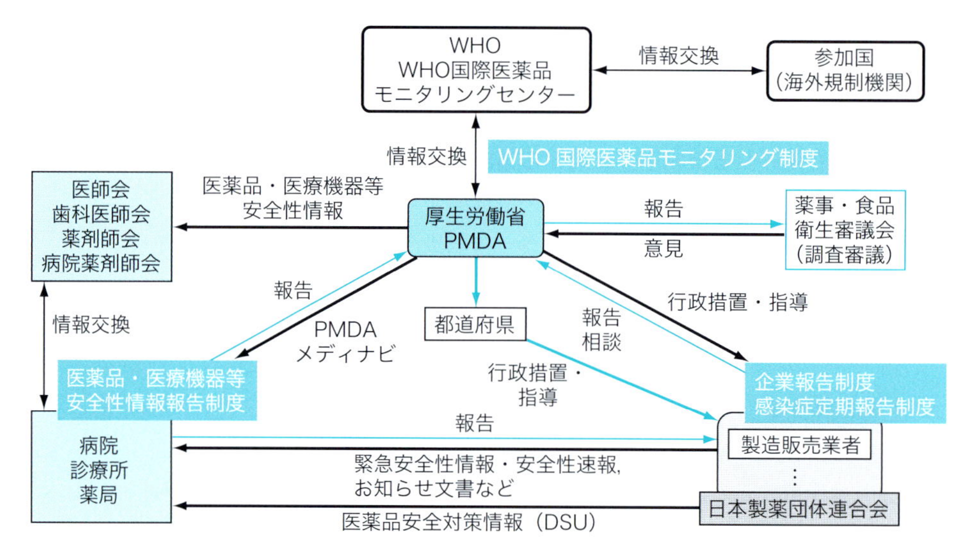

図 2･6　副作用・感染症報告制度

ドライン」などが公開されている.

c 製造販売後臨床試験

製造販売後臨床試験は第Ⅳ相臨床試験ともよばれ, 治験, 使用成績調査および特定使用成績調査などの成績に関する検討を行った結果, 得られた推定などを検証するための試験, または, 診療においては得られない品質, 有効性および安全性情報を収集するために, 承認された用法・用量, 効能および効果に従い行う試験である. 製造販売後臨床試験はGPSPだけでなくGCP[*11]も遵守して行われる必要がある.

*11　GCP　☞p.10

❸ 副作用・感染症報告制度

副作用・感染症報告制度の種類としては企業報告制度, 医薬品・医療機器等安全性情報報告制度, 感染症定期報告制度およびWHO国際医薬品モニタリング制度がある(図2･6).

a 企業報告制度

医薬品医療機器等法第68条の10第1項に基づき, 医薬品, 医薬部外品, 化粧品, 医療機器もしくは再生医療等製品の製造販売業者などが医療機関などから収集した医薬品・医療機器の「副作用・感染症・不具合情報」「研究報告」および「外国での措置」に関する情報などを厚生労働大臣に報告することを義務付けた制度である. 医薬品による死亡例や重篤な副作用などについてはそれを知った日から15日以内に, 非重篤な副作用については30日以内に報告を行う必要がある. それらの報告基準については医薬品医療機器等法施行規則第228条の20で定められている(表2･6). なお, 製薬企業からの安全性定期報告や個別症例報告など

表 2･6　副作用などの報告

医薬品の製造販売業者または外国製造医薬品等特例承認取得者は，その製造販売し，または承認を受けた医薬品について，次の各号に掲げる事項を知ったときは，それぞれ当該各号に定める期間内にその旨を厚生労働大臣に報告しなければならない．

(1)次に掲げる事項：15 日

a）次に掲げる症例のうち，国内外を含む当該医薬品の副作用によるものと疑われるものであり，かつそのような症例などの発生または発生頻度，発生条件などの発生傾向が当該医薬品の添付文書などに記載された使用上の注意から予測できないもの(未知で重篤な症例)

①死亡，②障害，③死亡または障害につながるおそれのある症例，④治療のために入院または入院期間の延長が必要とされる症例，⑤①から④までに掲げる症例に準じて重篤である症例，⑥後世代における先天性の疾病または異常

b）国内外を含む当該医薬品の使用によるものと疑われるすべての未知の感染症および既知の感染症による上記①から⑥までに掲げる症例

c）外国の規制当局がとった製造または販売中止などの措置の実施

d）既知・死亡症例

e）既知・重篤副作用の発生傾向の変化が保健衛生上の危害の発生または拡大を示すもの

f）新有効成分含有医薬品であり，かつ承認を受けた日後 2 年を経過していないものの副作用によるものと思われる重篤な症例(未知・既知問わず)

g）新有効成分含有医薬品以外で市販直後調査が承認条件とされた医薬品の副作用のうち，当該医薬品の市販直後調査により得られた重篤な症例(未知・既知問わず)

(2)次に掲げる事項：30 日

a）国内の当該医薬品の既知の副作用によるものと疑われる前号 a 項②から⑥までに掲げる症例(既知で重篤な症例)

b）国内外での当該医薬品の承認を受けた効能・効果を有しないことを示す医薬品についての研究報告

[医薬品医療機器等法施行規則第 228 条の 20 を参考に著者作成]

の副作用用語は，ICH 国際医薬用語集日本語版(MedDRA/J)[*12] の基本語を用いることになっている．

b 医薬品・医療機器等安全性情報報告制度

医薬品医療機器等法第 68 条の 10 第 2 項では，「すべての医薬関係者は医薬品，医療機器または再生医療等製品について，当該品目の副作用やその使用によるものと疑われる感染症の発生に関する事項を知った場合で，保健衛生上の危害の発生または拡大を防止するために，必要があると認めるときは，その旨を厚生労働大臣に報告しなければならない」と定められている．医薬品安全性情報報告書(図 2･7)は PMDA のウェブサイトから入手が可能であり，報告は郵送，FAX または電子メールに添付して PMDA 宛に報告する．なお，2021 年 4 月より医薬品の副作用等の報告は報告者が PMDA のウェブサイトにて直接入力を行うオンライン報告が主となった．

製薬企業または医療機関から報告のあった医療用医薬品および一般用医薬品・要指導医薬品に関する安全性報告は，2004 年 4 月 1 日から 2021 年 9 月末までに 70 万 5294 件の報告があり，PMDA のウェブサイトの「副作用が疑われる症例報告に関する情報」から「症例情報」および「報告副作用一覧」の検索・閲覧が可能になっている．また，「医薬品副作用データベース」(JADER)として CSV データが公開されており，ダ

＊12　**MedDRA/J**　ICH において作成された国際的に共通する医学用語集が MedDRA であり，医学用語は SOC(器官別大分類)，HLGT(高位グループ用語)，HLT(高位用語)，PT(基本語)および LLT(下層語)の 5 層構造になっている．米国の Maintenance and Support Services Organization(MSSO)が国際的に用語を管理し，原則として年 2 回更新されている．MedDRA の日本語版を MedDRA/J といい，わが国では一般財団法人医薬品医療機器レギュラトリーサイエンス財団が Japanese Maintenance Organization(JMO)として MedDRA/J を維持管理している．

別紙1　様式①

□ 医療用医薬品
□ 要指導医薬品
□ 一般用医薬品

医薬品安全性情報報告書

☆医薬品医療機器法に基づいた報告制度です。
記入前に裏面の「報告に際してのご注意」をお読みください。

化粧品等の副作用等は、様式②をご使用ください。健康食品等の使用によると疑われる健康被害については、最寄りの保健所へご連絡ください。

患者情報

患者イニシャル	性別	副作用等発現年齢	身長	体重	妊娠
. .	□男 □女	歳（乳児：　ヶ月　週）	cm	kg	□無 □有（妊娠　週）□不明

原疾患・合併症	既往歴	過去の副作用歴	特記事項
1. 2.	1. 2.	□無・□有 医薬品名： 副作用名： □不明	飲酒　□有（　）□無　□不明 喫煙　□有（　）□無　□不明 アレルギー□有（　）□無　□不明 その他（　）

副作用等に関する情報

副作用等の名称又は症状、異常所見	副作用等の重篤性 「重篤」の場合、<重篤の判定基準>の該当する番号を（　）に記入	発現期間 （発現日 ～ 転帰日）	副作用等の転帰 後遺症ありの場合、（　）に症状を記入
1.	□重篤 →（　） □非重篤	年　月　日 ～　年　月　日	□回復 □軽快 □未回復 □死亡 □不明 □後遺症あり（　）
2.	□重篤 →（　） □非重篤	年　月　日 ～　年　月　日	□回復 □軽快 □未回復 □死亡 □不明 □後遺症あり（　）

<重篤の判定基準>　①：死亡　②：障害　③：死亡につながるおそれ　④：障害につながるおそれ　⑤：治療のために入院又は入院期間の延長　⑥：①～⑤に準じて重篤である　⑦：後世代における先天性の疾病又は異常

<死亡の場合>被疑薬と死亡の因果関係：□有　□無　□不明

<胎児への影響>　□影響あり　□影響なし　□不明

被疑薬及び使用状況に関する情報

被疑薬（副作用との関連が疑われる医薬品の**販売名**）	製造販売業者の名称（業者への情報提供の有無）	投与経路	1日投与量（1回量×回数）	投与期間（開始日～終了日）	使用理由（疾患名、症状名）
	（□有□無）			～	
	（□有□無）			～	
	（□有□無）			～	

↑ 最も関係が疑われる被疑薬に○をつけてください。

併用薬（副作用発現時に使用していたその他の医薬品の販売名　可能な限り投与期間もご記載ください。）

副作用等の発現及び処置等の経過（記入欄が不足する場合は裏面の報告者意見の欄等もご利用ください。）

年　月　日

※被疑薬投与前から副作用等の発現後の全経過において、関連する状態・症状、検査値等の推移、診断根拠、副作用に対する治療・処置、被疑薬の投与状況等を経時的に記載してください。検査値は下表もご利用ください。

副作用等の発現に影響を及ぼすと考えられる上記以外の処置・診断：□有　□無
有りの場合 →（□放射線療法　□輸血　□手術　□麻酔　□その他（　））

再投与：□有　□無　　有りの場合→　再発：□有　□無　　ワクチンの場合、ロット番号（　）

一般用医薬品の場合：　□薬局等の店頭での対面販売　□インターネットによる通信販売
購入経路→　□その他（電話等）の通信販売　□配置薬　□不明　□その他（　）

報告日：　年　月　日（既に医薬品医療機器総合機構へ報告した症例の続報の場合はチェックしてください。→□）
報告者　氏名：　　施設名（所属部署まで）：
（職種：□医師、□歯科医師、□薬剤師、□看護師、□その他（　））
住所：〒
電話：　　FAX：

医薬品副作用被害救済制度及び生物由来製品感染等被害救済制度について：□患者が請求予定　□患者に紹介済み　□患者の請求予定はない　□制度対象外（抗がん剤等、非入院相当ほか）　□不明、その他

※一般用医薬品を含めた医薬品（抗がん剤等の一部の除外医薬品を除く。）の副作用等による重篤な健康被害については、医薬品副作用被害救済制度又は生物由来製品感染等被害救済制度があります（詳細は裏面）。

➢ FAX又は電子メールでのご報告は、下記までお願いします。両面ともお送りください。
（FAX：0120-395-390 **電子メール**：anzensei-hokoku@pmda.go.jp**医薬品医療機器総合機構安全性情報・企画管理部情報管理課宛**）

報告者意見（副作用歴、薬剤投与状況、検査結果、原疾患・合併症等を踏まえ、被疑薬と副作用等との関連性についてご意見をご記載ください。）

検査値（投与前、発現日、転帰日の副作用等と関係のある検査値等をご記入ください。）

検査日 / 検査項目（単位）	/	/	/	/	/	/

「報告に際してのご注意」

➢ この報告制度は、医薬品、医療機器等の品質、有効性及び安全性の確保等に関する法律（昭和35年法律第145号）第68条の10第2項に基づき、医薬品による副作用及び感染症によると疑われる症例について、医薬関係者が保健衛生上の危害発生の防止等のために必要があると認めた場合にご報告いただくものです。医薬品との因果関係が必ずしも明確でない場合や一般用医薬品等の誤用による健康被害の場合もご報告ください。
➢ なお、医薬部外品、化粧品によると疑われる副作用等の健康被害については、任意の報告となるので、様式②をご使用ください。
➢ 各項目については、可能な限り埋めていただくことで構いません。
➢ 報告された情報については、独立行政法人医薬品医療機器総合機構（以下「機構（PMDA）」という。）は、情報の整理又は調査の結果を厚生労働大臣に通知します。また、原則として、機構（PMDA）からその医薬品を供給する製造販売業者等へ情報提供します。機構（PMDA）又は当該製造販売業者は、報告を行った医療機関等に対し詳細調査を行う場合があります。
➢ 報告された情報については、厚生労働省、国立感染症研究所（ワクチン類を含む報告に限る）、機構（PMDA）で共有いたします。
➢ 報告された情報について、安全対策の一環として広く情報を公表することがありますが、その場合には、施設名及び患者のプライバシー等に関する部分は除きます。
➢ 健康食品・無承認無許可医薬品による疑いのある健康被害については最寄りの保健所へご連絡ください。
➢ 記入欄が不足する場合は、別紙に記載し、報告書に添付いただくか、各欄を適宜拡張して記載願います。
➢ FAX、郵送又は電子メールによりご報告いただく場合には、所定の報告用紙のコピーを使用されるか、機構（PMDA）のウェブサイトから用紙を入手してください。（https://www.pmda.go.jp/safety/reports/hcp/pmd-act/0002.html）
➢ 電子報告システム（報告受付サイト）によりご報告いただく場合には、機構（PMDA）ウェブサイト（https://www.pmda.go.jp/safety/reports/hcp/0002.html）をご利用ください。
➢ 医薬品の副作用等による健康被害については、医薬品副作用救済制度又は生物由来製品感染等被害救済制度があります［お問い合わせ先 0120-149-931（フリーダイヤル）］。詳しくは機構（PMDA）のウェブサイト（https://www.pmda.go.jp/relief-services/index.html）をご覧ください。また、報告される副作用等がこれらの制度の対象となると思われるときには、その患者にこれらの制度をご紹介願います。ただし、使用された医薬品が抗がん剤等の対象除外医薬品である場合や、副作用等による健康被害が入院相当の治療を要さない場合には、制度の対象とはなりません。また、法定予防接種による健康被害は、予防接種後健康被害救済制度の対象となり、これらの救済制度の対象外となるため、具体的には市町村に問い合わせていただくようご紹介ください。
➢ 電子メール、FAX又は郵送でご報告いただいた場合、施設の住所は安全性情報受領確認書の送付に使用しますので、住所もご記入ください。
➢ 電子報告システム（報告受付サイト）からご報告いただいた場合、利用者登録された電子メールアドレス宛に安全性情報受領確認書を送付いたします。

➢ ご報告は**医薬品医療機器総合機構安全性情報・企画管理部情報管理課宛**にお願いします。両面ともお送りください。
電子報告システム（報告受付サイト）：https://www.pmda.go.jp/safety/reports/hcp/0002.html
電子メール：anzensei-hokoku@pmda.go.jp
FAX：0120-395-390
郵送：〒100-0013 東京都千代田区霞が関3-3-2 新霞が関ビル

図 2･7　医薬品安全性情報報告書

ウンロードが可能である(https://www.pmda.go.jp/safety/info-services/drugs/adr-info/suspected-adr/0003.html).

さらに,「予防接種法に基づく副反応疑い報告(https://www.pmda.go.jp/safety/reports/hcp/prev-vacc-act/0003.html)」や患者自身または患者家族が直接PMDAに報告する「患者副作用報告(https://www.pmda.go.jp/safety/reports/patients/0004.html)」など,幅広く安全性情報を収集するしくみが構築されている.

c 感染症定期報告制度

医薬品医療機器等法第68条の24第1項では,ヒトその他の生物(植物を除く)に由来するものを原材料として製造される生物由来製品の製造販売業者などは,それらの原材料による感染症に関する最新の論文などにより得られた知見に基づき当該製品を評価し,その成果を厚生労働大臣に6ヵ月ごとに報告することが求められている.生物由来製品のなかでも輸血用血液製剤や血漿分画製剤など,感染症の発生リスクが高いものは特定生物由来製品として指定されている.とくに,特定生物由来製品は未知のウイルスなどの感染因子が混入する可能性が高く,不特定多数からの原材料を用いたり,感染因子の不活性化に限界がある,などの理由のため感染症定期報告制度が設けられている.

d WHO国際医薬品モニタリング制度

WHO参加加盟国が各国で行っているモニタリング制度で得られた副作用情報をWHO国際医薬品モニタリングセンターに報告する制度であり(図2･6),わが国からは副作用・感染症報告制度で報告された副作用が評価され,必要に応じてWHOに報告されている.厚生労働省はWHO国際医薬品モニタリングセンターやFDAなどの海外規制機関と情報交換をしており,収集された情報は評価され,必要な情報は医薬品・医療機器等安全性情報で医療現場に周知されている.また,海外規制機関による医薬品安全性情報は国立医薬品食品衛生研究所のウェブサイト(https://www.nihs.go.jp/kanren/iyaku.html)から閲覧が可能である.

医薬品の情報源

A 加工度による分類

SBO・医薬品情報源の一次資料，二次資料，三次資料の分類について概説できる．
・医薬品情報源として代表的な二次資料，三次資料を列挙し，それらの特徴について説明できる．
・目的（効能効果，副作用，相互作用，薬剤鑑別，妊婦への投与，中毒など）に合った適切な情報源を選択し，必要な情報を検索，収集できる．（技能）
・MEDLINE などの医学・薬学文献データベース検索におけるキーワード，シソーラスの重要性を理解し，検索できる．（知識・技能）

ポイント

- 医薬品情報源は，医薬品情報の加工度により，一次資料，二次資料，三次資料に分類され，その加工度は順に高くなる．
- 一次資料には原著論文など，二次資料には抄録誌・目次速報誌など，三次資料には教科書・専門書などが該当する．
- 医薬品情報を効率よく検索するためには，三次資料，二次資料，一次資料の順に活用する．
- 現在これらの資料の多くはデータベース化されているため，おのおののデータベースの特徴を理解したうえで，適切な情報検索技術を身に付ける必要がある．
- インターネット上から得られた医薬品情報は，信頼性の評価が重要である．

❶ 加工度による医薬品情報の分類

医薬品情報源は，情報の加工の程度により，**一次資料**，**二次資料**，**三次資料**に分類され，加工度は一次資料，二次資料，三次資料と順に高くなるが，速報性は順に低減する（図3･1）．

薬剤師は，薬の専門家として，必要とされる信頼性の高い情報を効率的に収集する必要がある．そのためには，どのような医薬品情報源があるのか，また，それらの医薬品情報源の特徴について十分に理解することが重要である．

図3･1 加工度による医薬品情報の分類

❷ 医薬品情報の収集手順

医薬品情報を収集する場合には，それぞれの情報源の特徴や，検索目的を考慮して，使用する医薬品情報源を適切に選択することが重要である．

臨床において，医薬品情報を検索する場合には，一般に，調査目的を明確にした後に，まず三次資料を検索する．しかし，三次資料で適切な情報が得られない場合，最新の情報を得たい場合，過去に行われた研究を網羅的に検索したい場合には，二次資料を検索し，目的とする一次資料を入手する必要がある．なお，近年では，電子化された医薬品情報源が増加しており，インターネットなどを利用して，目的とする医薬品情報を検索することができる．

❸ 一次資料

一次資料は，オリジナリティーの高い研究成果に関する情報が記載された資料であり，情報の加工度は最も低い．**原著論文**(original article)や特許公報などが一次資料に該当する．

原著論文は，一般に学会誌や専門誌など定期的に刊行される学術雑誌に掲載されている．医学・薬学分野の原著論文が掲載されている代表的な学術雑誌の例を表3･1に示す．

表3･1　代表的な医学・薬学分野の学術雑誌の例

- 医療薬学(日本医療薬学会)
- 臨床薬理(日本臨床薬理学会)
- 薬学雑誌(日本薬学会)
- Biological and Pharmaceutical Bulletin(日本薬学会)
- Journal of Pharmaceutical Health Care and Sciences(日本医療薬学会)
- The Annals of Pharmacotherapy(SAGE Journals，米国)
- The BMJ(BMJ Publishing Group Ltd.，英国)
- JAMA(American Medical Association，米国)
- The Lancet(Elsevier，英国)
- The New England Journal of Medicine(Massachusetts Medical Society，米国)
- Pharmacotherapy(American College of Clinical Pharmacy，米国)

a 原著論文の構成

原著論文は，言語(日本語・英語など)にかかわらず，基本的に表3･2に示す要素から構成されている．

「表題」は，論文中で最も重要な要素であり，著者の「研究目的」や「結論」などの論文の内容をイメージできるように，端的に示される．

「要旨」は，論文の内容を要約した文章であり，研究の目的，方法，結果，考察が簡潔に記載されている．要旨の書式(文字数，形式など)は，学術雑誌ごとに投稿規定で厳密に指定されている．

近年では，見出しのある**構造化抄録**(structured abstract)を採用して

表 3・2 原著論文の主な構成要素

表題(title) 著者名・所属機関名(authors, author's affiliations) 要旨(abstract) 本文(text) 　緒言(introduction) 　方法(methods) 　結果(results) 　考察(discussion) 謝辞(acknowledgement) 利益相反(conflict of interest, COI) 参考文献(references)

いる学術雑誌が増加している．構造化抄録の一般的な項目例を表 3・3 に示す．構造化抄録の利点としては，記載すべき項目が規定されているため，著者による記述内容の不統一性がなくなり，重要かつ必要な情報が欠落しにくいこと，読者が論文の内容を迅速かつ的確に把握できること，短時間で最低限のポイントを批判的吟味できることなどがあげられる．

表 3・3 構造化抄録の一般的な項目の例

objective	研究目的
design	研究デザイン
setting	研究施設
patients or participants	対象患者
interventions	介入(治療)
measurements	主要評価項目および統計学的手法
results	主要な結果
conclusion	結論

「緒言」には，本研究を行うに至った背景，仮説，目的について，過去の論文を適切に引用しながら，詳細に記載される．

「方法」には，研究の対象，研究(実験)方法，倫理的配慮，データの解析方法，統計解析方法などが記載される．研究対象がヒト(患者)であれば，その選択基準および除外基準が記載される．

「結果」の項目には，得られたデータ(結果)のみが客観的な事実として，図表を用いて記述されるが，単純な結果は文章のみで記述される場合もある．

「考察」には，得られた結果から引き出された新たな知見，既報との比較，当該研究の限界，今後の研究に向けた提言などについて，著者らの考えが多角的かつ客観的に論述される．また，「結論」は別項の学術雑誌もあるが，一般に考察の最後の部分に，結論が記載されている．

「謝辞」には，研究を遂行するにあたり，共著者以外に支援などを受けたことに対する感謝の辞が付記される．

「利益相反」[*1]には，利害関係が想定される企業などとのかかわりについて記述される．研究の公正性，中立性，公明性を確保するために，投稿時に当該研究にバイアスをもたらす可能性のあるすべての利害関係(金銭的・個人的関係)を開示することや本文中に利益相反に関する記述を求める学術雑誌が多い．

「参考文献」では，投稿雑誌の執筆規定に従って，本文中で引用した論文の書誌事項を列挙する．既知の知見を引用するときは，必ず出典を明記する必要がある．違反すれば盗作とみなされ，著作権侵害を問われることになる．

*1　**利益相反(conflict of interest, COI)**　外部との経済的な利益関係などによって，公的研究で必要とされる公正かつ適正な判断が損なわれる，または損なわれるのではないかと第三者から懸念が表明されかねない事態をいう．公正かつ適正な判断が妨げられた状態としては，データの改ざん，特定企業の優遇，研究を中止すべきであるのに継続するなどの状態が考えられる[厚生科学課長：厚生労働科学研究における利益相反の管理に関する指針．2008(平成20)年3月31日科発第0331001号]（☞p.116，コラム）．

❹ 二次資料

一次資料に掲載された学術論文や学会発表要旨から，特定の主題について書かれたものを効率よく探し出すために加工，編集した資料が二次資料である．現在のようにデータベース化される前は，**目次速報誌**，**索引誌**，**抄録誌**などの冊子体で提供されていた．

目次速報誌は，学術雑誌の最新号の目次ページのみを集めて編集したもので，代表的な目次速報誌としてCurrent Contentsがある．索引誌は，著者名やキーワードから**書誌事項**[*2]を検索できるようにしたもので，Index Medicusがこれにあたる．抄録誌は，索引誌に論文の抄録も付与したもので，Chemical Abstractsが代表的な抄録誌である．

これらは現在電子化され，インターネットでの検索が可能になっている．検索結果に電子ジャーナルがリンクされている場合には，すぐに論文の全文を読むことができる．代表的な二次資料を表3･4に示す．

*2　**書誌事項**　標題，著者名，雑誌名，巻数・号数，開始ページ，発行年などの，論文を特定するために必要な情報のこと．

ⓐ MEDLINE

MEDLINEは，米国国立医学図書館(United States National Library of Medicine, NLM)が運営する医学・生物学分野の学術文献データベースである．**PubMed**は，このデータベースを無料で検索できるサービスで，NLM内の国立生物工学情報センター（National Center for Biotechnology Information, NCBI)の作成しているEntrezという統合型分子生物学データベースの一部として一般公開されている．40言語，約3200万件の文献データが収録されているが，90％以上は英語論文である．2019年11月のリニューアルで，スマートフォンの画面でもみやすい画面デザインが採用されるとともに，デフォルトの検索結果表示が最新順(Most Recent)から適合度順(Best Match)に変更された．

ⓑ EMBASE

EMBASEは，Elsevier社が作成する薬学・医学文献を網羅的に収録しているデータベースで，このEMBASEとNLM作成のMEDLINEを統

表 3･4　代表的な二次資料

資料の名称	web 版・URL	作成・提供元	基本となる冊子体	分野，収録数	費　用
MEDLINE	PubMed https://pubmed.ncbi.nlm.nih.gov/	米国国立医学図書館	Index Medicus	・医学系全般(医学，歯学，薬学，看護学など) ・40 言語，約 5600 誌	無料
EMBASE	Embase https://www.embase.com/login	Elsevier	Excerpta Medica	・医学，薬学，生物科学 ・90 ヵ国以上，約 8500 誌	有料
Chemical Abstracts	SciFinder-n https://scifinder-n.cas.org/	米国化学会	Chemical Abstract	・生物医学，化学，工学，材料科学，農学など ・文献・特許情報約 4400 万件	有料
医中誌	医中誌 Web https://www.jamas.or.jp/	医学中央雑誌刊行会	医学中央雑誌	・医学，歯学，薬学，看護学，獣医学 ・国内の学術雑誌約 7500 誌	有料
JSTPlus, JMEDPlus	JDream III https://jdream3.com/	作成：科学技術振興機構 提供：ジー・サーチ	-	・医学, 薬学, 歯科学, 看護学, 生物科学，獣医学など ・国内外文献約 7000 万件	有料
CiNii	CiNii Research https://cir.nii.ac.jp/	国立情報学研究所	-	・国内の学術論文約 2200 万件，博士論文約 60 万件	無料
JAPICDOC	iyakuSearch https://database.japic.or.jp/is/top/index.jsp	日本医薬情報センター	-	・医薬品の有効性や安全性に関する文献情報 ・国内雑誌約 430 誌，海外雑誌 13 誌	無料
Google Scholar	Google Scholar https://scholar.google.com/	Google	-	・インターネット上の学術情報の検索	無料

合し，Web 上でまとめて検索できるシステムが Embase である．EMBASE に収載の 1974 年以降の約 4800 誌のデータと MEDLINE のデータとの重複を除去した約 8500 誌，データ数 2900 万件以上の情報が提供されている．欧州の医学文献や医薬品関係の情報を広くカバーしているのが特徴である．

c Chemical Abstracts

Chemical Abstracts は，米国化学会の情報部門である Chemical Abstracts Service(CAS)が発行している化学および化学工学関連分野の文献や特許の抄録が収載された抄録誌である．この情報をインターネット上で検索利用できるようにしたサービスが SciFinder-n で，文献検索だけでなく部分構造検索や反応検索が可能である．

d 医学中央雑誌（医中誌）

医中誌は，1903 年に創刊された医学文献抄録誌で，わが国で発行されている医学，歯学，薬学，看護学，獣医学分野の学会誌・協会誌・研究会誌，業界誌，商業誌，大学・研究所・病院・学術団体の紀要，研究報告が対象となっている．医中誌 Webとして2000年にインターネットでのサービス提供が始まり，2002年に冊子体の提供を中止した．約7500誌から収集された約1500万件の論文情報が収録されている．利用は有料で，個人契約も可能である．

e JSTPlus，JMEDPlus

JSTPlus，JMEDPlusは，科学技術振興機構(Japan Science and Technology Agency, JST)が作成しているデータベースである．JSTPlusには国内外発行の資料から科学技術(医学を含む)全分野に関する文献情報が，JMEDPlusには国内発行の資料から医学，薬学，歯科学，看護学，生物科学，獣医学などに関する文献情報が収録されている．これらのデータベースを検索する有料サービスがJDream Ⅲで，クイックサーチとアドバンスドサーチができる．

f CiNii

CiNii(NII論文情報ナビゲータ)は，国立情報学研究所(National Institute of Informatics, NII)が運営する，国内の学会・協会刊行物や大学の研究紀要，国立国会図書館の雑誌記事索引などのデータベースである．2022年4月に，それまで学術論文の検索サービスとして提供されてきたCiNii ArticlesがCiNii Researchに統合され，論文情報にリンクする引用情報や多様な学術成果データなどをシームレスに閲覧できるようになった．

g JAPICDOC

JAPICDOCは，日本医薬情報センター(Japan Pharmaceutical Information Center, JAPIC)が提供する国内外の医薬品情報に関するデータベースである．iyakuSearchで，医薬文献情報，学会演題情報，医療用・一般用医薬品添付文書情報，臨床試験情報などが検索できる．医薬文献情報では，対象となる国内雑誌約430誌，海外雑誌13誌に掲載された論文のなかで，医薬品の有効性や安全性に関する情報が記述されているものをデータベース化している．

h Google Scholar

Google Scholarは，検索エンジンのGoogleが提供する学術情報に特化した検索サービスである．インターネット上のドキュメントのうち，論文，学術誌，出版物などから検索を行う．通常のGoogle検索と違い，ネット上に散在している同一論文は1つの結果にまとめて表示される．検索結果に「引用元＋数字」が表示され，その文献がほかの文献から何回引用されているのかを把握できる．

❺ 三次資料

三次資料は一次資料をもとに特定の主題について情報を整理しまとめられた最も加工度の高い資料で，専門書，教科書，ハンドブック，医薬品集などの書籍類や，添付文書やインタビューフォームなどの医薬品情報源がこれにあたる．ここでは前者の医薬品関連書籍や三次資料がデータベース化された医薬品情報関連サイトについて解説し，後者については次項3章B(☞p.75)で解説する．

ⓐ 医薬品関連書籍

書籍は情報内容を十分吟味したうえで出版されるので信頼性は高いが，情報にタイムラグが生じるため速報性には劣る．一般に，短い期間で版を更新し，長い年月にわたって版を重ねている書籍は質的に高い情報源といえる．医療施設で常備しておくべき代表的な医薬品関連書籍を以下に示す．

(1)日本薬局方関連書籍

日本薬局方は，医薬品の性状および品質の適正を図るため，厚生労働大臣が薬事・食品衛生審議会の意見を聴いて定めた医薬品の規格基準書で，現在は第十八改正日本薬局方が公示されている．関連書籍として，『第十八改正日本薬局方』(じほう)，『第十八改正日本薬局方条文と注釈』(廣川書店)，『第十八改正日本薬局方解説書』(廣川書店)，『第十八改正日本薬局方技術情報 JPTI 2021』(じほう)，『第十八改正日本薬局方医薬品情報 JPDI 2021』(じほう)が出版されている．このうち，『第十八改正日本薬局方医薬品情報 JPDI 2021』には，薬局方収載医薬品の物性データや製剤の製品名，効能・効果，用法・用量，警告，禁忌，過量投与，薬物動態のほか，調剤時などの薬剤取扱いや服薬説明時の留意点などの情報がまとめられている．

(2)医薬品集

個々の医薬品の情報を要約してまとめたものが医薬品集で，医療用医薬品集と一般用医薬品集がある．『日本医薬品集医療薬』(じほう)や『JAPIC 一般用医薬品集』(日本医薬情報センター)のように机上に置く大型のものから，『今日の治療薬』(南江堂)，『治療薬マニュアル』(医学書院)，『治療薬ハンドブック』(じほう)，『今日の OTC 薬』(南江堂)のように携帯できるものまでさまざまなものが出版されている．いずれも添付文書記載の情報が中心であるが，医療用医薬品集では適応外使用や薬価などの情報が記載されているものや，識別コード検索が可能なものなど，書籍によって特徴がある．また，情報を電子化し，パソコン，スマートフォン，タブレットなどで閲覧できるサービスを提供しているものもある．

海外の医薬品を調べる際には，世界43ヵ国の医療用医薬品の情報が収載されている『Martindale: The Complete Drug Reference』(Pharmaceutical Press)，米国の医療用医薬品の添付文書集である『Physicians'

Desk Reference（PDR）』（PDR Network），米国医療薬剤師会（ASHP）が発行している医薬品集である『AHFS Drug Information』などが使用される．

(3)副作用関連書籍

医薬品の使用にあたって，副作用は避けて通れない．できるだけ早く副作用の発現に気づき，重症化させないことが大切である．そのためには，患者の訴える症状と副作用との関連を考える必要があり，『患者の訴え・症状からわかる薬の副作用』（じほう）が参考になる．また，『薬剤師のための医薬品副作用入門』（じほう）では，多くの症例を提示し副作用か否かの判断の考え方を説明している．『がん化学療法副作用対策ハンドブック』（羊土社）には，副作用が必発するがん化学療法での副作用予防対策や，副作用を発症した際の治療や抗がん剤の減量・休薬の基準などが記載されている．海外の代表的な書籍として『Meyler's Side Effects of Drugs』（Elsevier Science）が知られている．

(4)相互作用関連書籍

医薬品相互作用によるリスクの防止に参考になる書籍として，薬物相互作用の発現機序を詳説し相互作用を起こす医薬品の組み合わせを一覧表にまとめた『薬の相互作用としくみ』（日経BP社）がある．また，健康食品・サプリメントの使用増加に伴い医薬品との相互作用が問題となってきていることから，それらをまとめた『健康食品・サプリメント 医薬品との相互作用事典』（同文書院）なども出版されている．海外のスタンダードな書籍としては『Drug Interaction Analysis and Management』（Lippincott Williams & Wilkins）や『Drug Interaction Facts』（Facts & Comparisons），『Stockley's Drug Interactions』（Pharmaceutical Press）などがある．

(5)妊婦・授乳婦関連書籍

妊娠時の医薬品使用リスクをまとめた書籍として『実践 妊娠と薬』（じほう）があり，医薬品ごとの危険度のレベルとその根拠が示されている．また，『薬物治療コンサルテーション　妊娠と授乳』（南山堂）や『薬剤の母乳への移行』（南山堂）では，医薬品の母乳を介した小児への影響に関する情報が得られる．海外の書籍として『Drugs in Pregnancy and Lactation』（Lippincott Williams & Wilkins）や『Hale's Medications & Mothers Milk』（Springer Publishing）などが使用される．

(6)中毒・毒性関連書籍

中毒・毒性関連の書籍としては，急性中毒患者が医療機関に搬入された際に対処するために必要な情報（中毒起因物質の毒性，中毒症状，処置法）を中毒起因物質別にまとめた『急性中毒情報ファイル』（廣川書店）や，必要最小限の中毒情報に絞ったハンディタイプの『急性中毒ハンドファイル』（医学書院）などがある．また，『発生状況からみた急性中毒初期対応のポイント』（へるす出版）は，家庭用品編と農薬・工業用品（TICs）

編/化学剤編が出版されている．

(7)調剤・製剤関連書籍

調剤業務を行ううえで欠かせない書籍に『調剤指針』(薬事日報社)がある．調剤の基本から関連法令まで，指針と解説に分けてわかりやすく記載されている．また，調剤の際に問題となる錠剤・カプセル剤粉砕の可否をまとめた『錠剤・カプセル剤粉砕ハンドブック』(じほう)や，経管栄養チューブから薬剤を投与する場合の適否や関連情報を記載した『内服薬経管投与ハンドブック』(じほう)なども頻用される．『病院薬局製剤事例集』(薬事日報社)は全国の病院で実際に使用されている処方・調製法をまとめた院内製剤処方集で，院内製剤の調製を行う際の参考になる．

(8)配合変化関連書籍

医薬品の混合調製による配合変化の情報を扱った書籍としては，外用剤に関する『軟膏・クリーム配合変化ハンドブック』(じほう)や注射剤に関する『表解 注射薬の配合変化』(じほう)，『注射薬調剤監査マニュアル』(エルゼビア・ジャパン)などがある．このうち『表解 注射薬の配合変化』では，医療現場で汎用される注射薬の配合変化一覧とその可否が表形式でまとめられている．

(9)薬理・薬物治療関連書籍

薬理・薬物治療分野の代表的書籍には，薬理学のバイブルともいわれる『グッドマン・ギルマン薬理書』(廣川書店)，最新の治療法をその疾患の専門家が執筆した『今日の治療指針』(医学書院)，世界的に使われている内科治療マニュアルの『ワシントンマニュアル』(メディカル・サイエンス・インターナショナル)などがある．

(10)腎機能・肝機能関連書籍

腎機能や肝機能が低下している患者に医薬品を投与する場合は，医薬品によって投与量を調節する必要がある．『腎機能別薬剤投与量 POCKET BOOK』(じほう)には，1500 以上の医薬品の腎機能別推奨投与量が一覧表で掲載されている．『透析患者への投薬ガイドブック』(じほう)には，慢性腎臓病・透析患者への医薬品投与設計の考え方や個々の医薬品の投与量データが示されている．また，肝疾患患者に医薬品を投与する際の用法・用量や，代謝・排泄などのデータを一覧にまとめた『肝機能低下時の薬剤使用ガイドブック』(じほう)がある．

(11)服薬指導関連書籍

服薬指導関連の書籍は数多く出版されているが，代表的なものとして『薬効別服薬指導マニュアル』(じほう)や『メディクイックブック 第1部 患者さんによくわかる薬の説明』(金原出版)などがある．

(12)薬剤鑑別用書籍

薬剤の本体・被包にある識別記号(会社ロゴマーク，数字，アルファベット)から，医薬品を特定するための書籍として，『医療用医薬品 識別ハンドブック』(じほう)や『薬剤識別コード事典』(医薬ジャーナル社)

表 3･5　代表的な三次資料(医薬品情報関連サイト)

名称・URL	提供元	内　容
医薬品医療機器総合機構(PMDA)ホームページ https://www.pmda.go.jp/	医薬品医療機器総合機構	添付文書などの各種医薬品情報
ジェネリック医薬品情報検索システム(GIS) http://www.ge-academy.org/GIS/	日本ジェネリック医薬品・バイオシミラー学会	ジェネリック医薬品の検索
おくすり検索 https://search.jsm-db.info/	セルフメディケーション・データベースセンター	OTC 医薬品の検索
おくすり 110 番 http://www.jah.ne.jp/~kako/	医薬品情報研究会ファーマフレンド	一般向け医療用医薬品情報
安心処方 infobox https://anshinshoho.ims-japan.co.jp/	IQVIA ジャパン	副作用，相互作用検索
抗菌薬インターネットブック http://www.antibiotic-books.jp/	株式会社ミップ	薬剤名，薬剤特性による抗菌薬の検索
くすりのしおり https://www.rad-ar.or.jp/siori/index.html	くすりの適正使用協議会	一般向けの医療用医薬品の説明文書
コクランライブラリー https://www.cochranelibrary.com/	コクラン共同計画	臨床試験のシステマティックレビュー(有料)
Minds ガイドラインライブラリー https://minds.jcqhc.or.jp/	日本医療機能評価機構	診療ガイドライン
「健康食品」の安全性・有効性情報 https://hfnet.nibiohn.go.jp/	医薬基盤・健康・栄養研究所	健康食品の素材情報，健康食品による健康被害事例

などが出版されている．

(13)薬価関連書籍

医薬品の薬価を知りたい場合，『薬価基準点数早見表』(じほう)や『保険薬事典 Plus＋』(じほう)が用いられる．前者は，薬価基準収載医薬品が投与経路別に商品名の 50 音順に配列されている．後者は薬効別に分けられており，類似薬の薬価の違いがひと目でわかる．

b 医薬品情報関連サイト

インターネット上には多くの医薬品情報関連サイトが存在し，データベース化された情報に簡単にアクセスすることができる．薬剤師は三次資料データベースを上手に活用し，医薬品情報を迅速に収集，提供することが求められる．そのためには，日頃から必要な情報がどこでどのような形で提供されているのかを理解しておくことが大切である．代表的な医薬品情報関連サイトを表 3･5 にまとめた．

(1)医薬品医療機器総合機構ホームページ

医薬品医療機器総合機構(PMDA)が管理，運営するウェブサイトで，日常よく利用する医薬品情報源(添付文書，インタビューフォーム，緊急安全性情報，安全性速報，医薬品・医療機器安全性情報，医薬品安全対策情報)や承認審査情報，回収情報，各種通知などの有益な情報が掲載されている．医療用医薬品添付文書の検索では，一般名，販売名，薬効分類での検索のほか，キーワードによる添付文書内全文および項目別検索も可能である．また，警告，禁忌，相互作用，慎重投与の項目があるものや，過去1ヵ月以内に添付文書が更新されたものに絞り込むことができる．添付文書はPDFファイルとして添付文書のイメージそのままに閲覧が可能である．また，多くの医薬品でインタビューフォームもPDFファイル化されたものが入手できる．一方，販売名，メーカー名，成分名，剤形，添加物名，薬効分類，適応症・症状，使用上の注意，リスク区分で検索した一般用医薬品添付文書もPDFファイルで閲覧可能である．

(2)ジェネリック医薬品情報検索システム(GIS)

日本ジェネリック医薬品・バイオシミラー学会が運営している，医療関係者向けのジェネリック医薬品の検索システムである．先発医薬品から後発医薬品を検索でき，先発医薬品との適応症が同一かどうかで絞り込むこともできる．安定性データや生物学的同等性データのほか，医療機関での採用情報なども閲覧できる．日本ジェネリック医薬品・バイオシミラー学会では，一般向けに「かんじゃさんの薬箱」(http://www.generic.gr.jp/)というサイトも運営し，情報提供を行っている．

(3)おくすり検索

OTC医薬品が製品名，メーカー名，薬効分類，症状，成分，添加物，剤形，JANコード，医薬品分類から検索できるサイトである．セルフメディケーション・データベースセンターが運用する「セルフメディケーション・データベース」の製品情報や日本製薬団体連合会より提供された製品情報に基づいて作成されている．添付文書情報や価格を閲覧できる．

(4)おくすり110番

医薬品情報研究会ファーマフレンドが運営している一般向け医療用医薬品情報サイトである．医療用医薬品の効能・効果や副作用，注意点などを，医薬品名や識別記号から調べることができる．妊娠中の薬の使用に関する情報や薬価，添付文書改訂情報なども掲載されている．

(5)安心処方infobox

医薬品の副作用と相互作用を検索できるサイトである．副作用サーチでは副作用名(2つまで)と薬剤(10薬剤まで)との関連性が検索可能で，副作用名は直接入力のほか，人体図と器官から選択することもできる(図3･2)．相互作用サーチでは2つ以上10薬剤までの各薬剤間の併用禁忌の有無が検索できる．相互作用による薬剤の増強，減弱を表示し，症状も示される．利用には登録が必要である．

(6)抗菌薬インターネットブック

『抗菌剤ハンドブック』(世界保健通信社)をもとに公開されているデータベースで，約120種類の抗菌薬が収載されている．薬剤名(一般名・

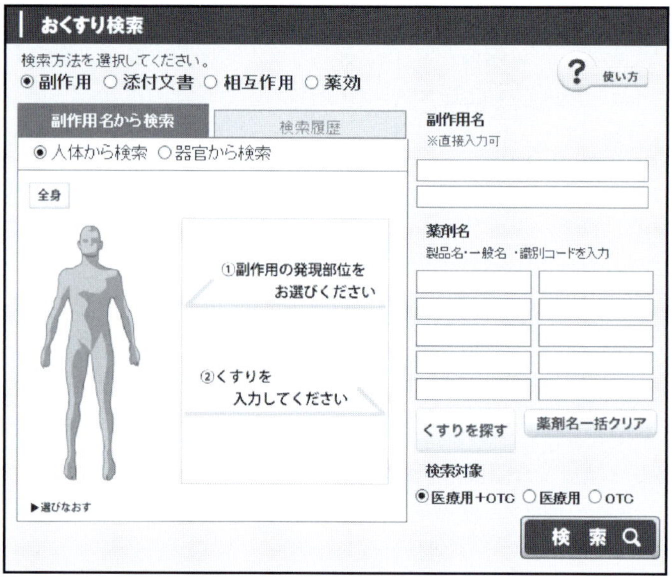

図3・2 安心処方 infobox の副作用サーチ画面
[安心処方 infobox(https://anshinshoho.ims-japan.co.jp/)(2021年9月1日取得),IQVIA ジャパン株式会社より許諾を得て転載]

製品名)だけでなく,薬剤特性(菌感受性,投与経路,血中濃度半減期,臓器移行性,排泄経路)や菌名による検索が可能である(図3・3).

(7)くすりのしおり

基本フォーマットに従って製薬企業が作成した一般向けの医療用医薬品説明文書を,くすりの適正使用協議会が取りまとめて公開しているサイトである.印刷して患者に手渡すことができるほか,Word ファイルとしてダウンロードすることもできる.また,視覚障害のある人がアクセスできるよう,音声コードを付加し音声で内容を聞き取ることができる.一部英語訳版も提供されている.

(8)コクランライブラリー

コクランが発行する複数のデータベースからなる根拠に基づく医療(evidence-based medicine, EBM[*3])を実践するためのツールである.世界中で実施されたさまざまな診断・治療法についての臨床試験の結果をメタアナリシスという手法で処理し,その有効性を評価したシステマティックレビュー(systematic review)の結果をデータベース化している.医療における意思決定の根拠として重要な役割を果たしている.

*3 EBM ☞p.197

(9) Minds ガイドラインライブラリ

日本医療機能評価機構が厚生労働省の委託を受けて運営している診療ガイドラインのデータベースである.わが国で作成された診療ガイドラインを収集・評価し,信頼性の高いものを掲載している.一般向けのガイドラインの解説などのオリジナルコンテンツも作成している.

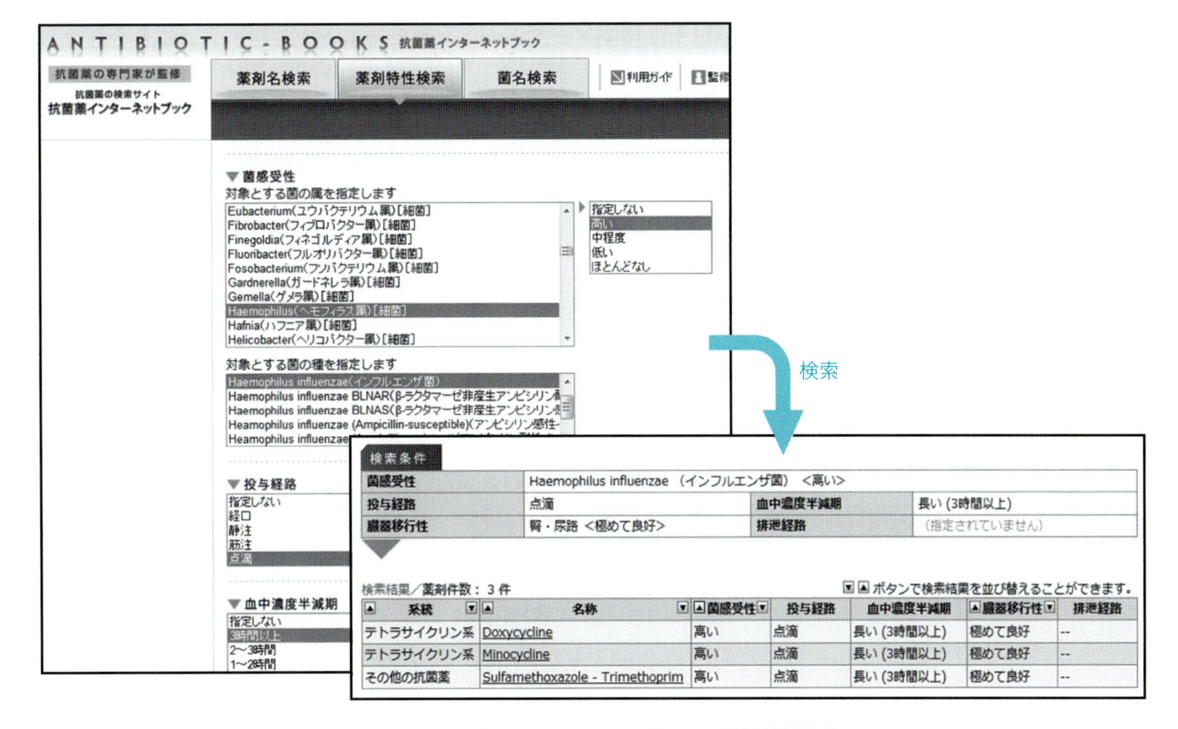

図 3･3　抗菌薬インターネットブックの薬剤特性検索

[抗菌薬インターネットブック(http://www.antibiotic-books.jp/)(2021 年 9 月 1 日取得)より転載]

(10)「健康食品」の安全性・有効性情報

健康食品に関する情報を得るのに最も有用なサイトで，医薬基盤・健康・栄養研究所が管理・運営している．健康食品に利用されている素材(原材料)に関する有効性・安全性のエビデンスがデータベース化されているほか，健康食品による健康被害の事例，一般向けの健康食品の利用に関する基礎知識などが収載されている．会員登録をすると，最新の掲載情報の追加・修正点が電子メールで通知される．

❻ 情報の検索方法

ⓐ データベース

特定のテーマに基づいて必要な情報を収集・蓄積し，コンピュータで検索しやすい形に整理されたファイルがデータベースである．情報をデータベース化することにより，大量の情報のなかから目的とする情報を簡単に取り出すことができるようになる．医薬品の情報は膨大であり，その活用にはデータベースが不可欠である．インターネットが普及する以前は CD-ROM 版のデータベースが主流であった．現在では多くがネット上のデジタルコンテンツとして提供されており，更新頻度も高く最新の情報にアクセスすることができる．

入力した検索語とデータファイルを結び付け，必要な情報を取り出すしくみが検索システムである．Google に代表されるインターネットの検索エンジンも，検索エンジンがインターネット上のウェブサイトを直接検索しに行くわけではなく，いったん世界中のウェブサイトの内容をデータファイル化したものを検索している．以前は検索の専門家であるサーチャーが，システムごとに異なる検索コマンドを駆使してデータベースを検索していた．しかし，現在では多くのデータベースが検索語を入力するだけで検索結果が得られるようなインターフェースで提供されている．ただ，検索システムが異なれば同じ検索語で検索してもその結果は異なる．個々の検索システムのしくみと特徴を理解することは大切である．

b データベースの種類

データベースは蓄積される情報の形態によって，大きく「ファクトデータベース」と「文献データベース」に分類される．

(1)ファクトデータベース(ソースデータベース)

実験・観測データや統計データなど，事実を集積したデータベースで，加工されていない生の情報である．論文や記事の全文などの一次資料を集積したものもファクトデータベースの1つである．

(2)文献データベース(リファレンスデータベース)

学術論文の書誌事項や抄録を集積したデータベースで，学術論文を探すための情報が収載されている．このデータベースから原文を直接みることはできない．

また，文字や数値情報だけではなく，画像，音声，動画なども管理しているデータベースはマルチメディアデータベースともよばれる．

c 情報検索のキーワードの選択と検索式

(1)検索キーワード

データベースから必要な情報を探す際には，多くの場合手がかりとなる文字列(キーワード)により検索が行われる．キーワードの選択により検索結果は大きく異なってしまうため，調べたい情報を分析してキーワードを適切に設定する必要がある．「タミフルの構造式を調べる」のように正しい答えが存在することがわかっているものは検索が比較的容易であるが，「タミフルによる異常行動を調べる」のように網羅的な検索が求められる場合には，単に思いつくキーワードでやみくもに検索するだけではなく，論理演算子やトランケーションを使った効率的な検索が必要になる．また，同じ概念でも「たんぱく質」「タンパク質」「蛋白質」のように表記の違いによって検索結果が異なるため，キーワードの設定が重要である．

検索エンジンでの検索の場合，キーワードを工夫することにより目的の情報に素早く到達することができる．たとえば，言葉の意味や定義を調べたい場合に「○○○とは」と入力すると，その言葉の意味を説明して

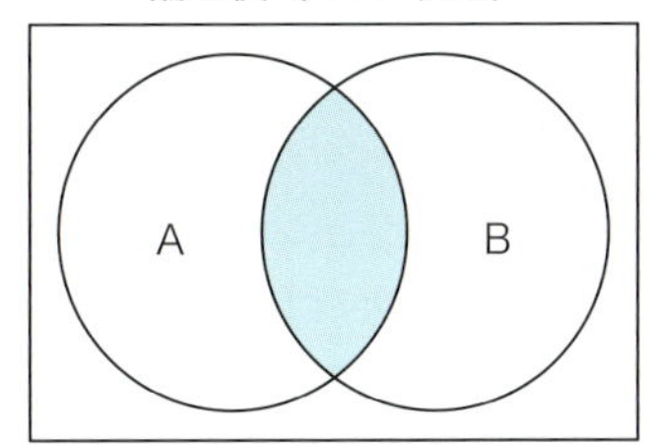

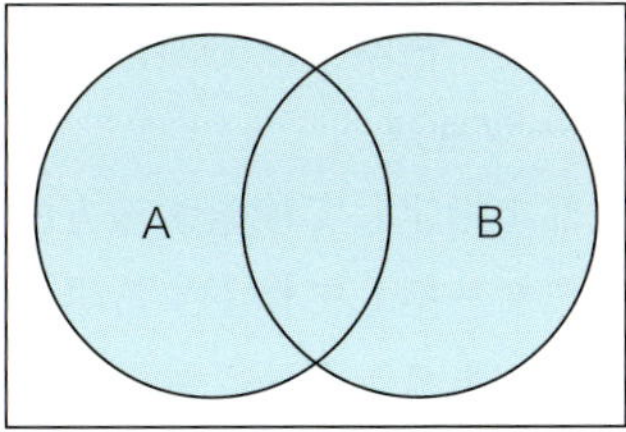

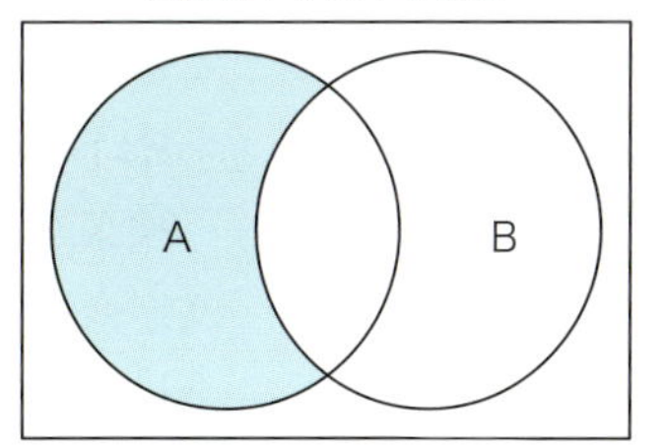

図 3･4 論理演算

いるページがヒットする．同様に，略語の正式名称を調べたい場合は「○○○は　の略」，難読用語の読み方を調べたい場合は「○○○は　と読む」とスペースをあけて入力するとよい．

また，検索結果からより適切なキーワードとなる同義語や関連語がみつかることがあるため，検索の結果をよく吟味することが重要である．みつかった新たなキーワードを使って検索し，吟味し，また検索する．これを繰り返すことにより目的とする情報に近づいていくことができる．

(2)情報検索の基本

1)検索式

検索の際に複数の検索語を使用する場合，検索語どうしの関係を指定する必要がある．その方法の1つが**論理演算**で，検索語を論理演算子で結合したものが検索式である．論理演算には，**論理積**，**論理和**，**論理差**がある(図 3･4)．論理演算子は検索システムによって少しずつ異なるので，利用する検索システムのヘルプ機能などであらかじめ確認しておく必要がある．

i)論理積(AND 検索)

入力した複数の検索語すべてを含む情報が得られる．検索結果が多すぎた場合に，情報を絞り込むことができる．演算子は「AND」「＊」「&」などが用いられる．検索エンジンでは，検索語の間にスペースを入れて検索語を並べることで AND 検索になる．

ii)論理和(OR 検索)

入力した複数の検索語のうち，少なくとも1つの検索語を含む情報が得られる．情報を網羅的に収集したい場合に使われる．演算子は「OR」「＋」「｜」などが用いられる．

iii)論理差(NOT 検索)

入力した複数の検索語のうち，先に入力した検索語を含み，NOT 以下の検索語を含まない情報が得られる．あるカテゴリに属する情報を除外して，情報を絞り込みたい場合に有効である．演算子は「NOT」「－」などが用いられる．

「AND」「OR」「NOT」の3つの論理演算子は，数式と同様に(　)でくくることによって，検索の優先順位を付けることができる．

2)トランケーション

検索語の一部を指定して検索する方法がトランケーションで，共通の文字列をもつ語を一括して検索する場合や，検索語自体があいまいな場合に使用される．トランケーションの記号として，「＊」や「？」が用いられる．「＊」は文字数を指定しない任意の文字列として使用される．一方，「？」は文字数を指定したい場合の任意の1文字として使用される．トランケーションには，「前方一致」「後方一致」「中間一致」「前後一致」の4つがある．

i)前方一致

文字列の後ろに「＊」を付けることにより，その文字列から始まる語をすべて検索する．英語などで，単数形・複数形や語尾変化などをまとめて検索することができる．

例)糖尿病＊　→　糖尿病食，糖尿病患者，糖尿病網膜症

ii)後方一致

文字列の前に「＊」を付けることにより，その文字列で終わる語をすべて検索する．

例)＊腎炎　→　慢性腎炎，腎盂腎炎，糸球体腎炎

iii)中間一致

文字列の前後に「＊」を付けることにより，その文字列を中間に含む語をすべて検索する．

例)＊高血圧＊　→　肺高血圧症，日本高血圧学会，妊娠高血圧症候群

iv)前後一致

文字列の中間に「＊」を挿入することにより，その文字列の中間が異なる語をすべて検索する．

例)臨床＊学　→　臨床薬剤学，臨床栄養学，臨床心理学

3)情報検索の効率

情報検索において，必要なのにヒットしなかった情報(漏れ)や必要がないのにヒットしてしまった情報(ノイズ)が生じる．漏れやノイズが発生せず，求めている情報がすべてヒットする検索が理想であるが，両者はトレードオフの関係にあり，漏れを減らせばノイズが増え，ノイズを減らせば漏れが増えてしまう．したがって情報検索の際に，広く漏れなく検索するという「網羅性」を優先させるのか，目的の情報をピンポイントでヒットさせる「適合性」を優先させるのかを明確にしておく必要がある．安全性情報は網羅性を優先させ，有効性情報は適合性を優先させるとよい．

(3)検索エンジンによる情報検索

医薬品に関する専門的で詳細な情報を得たい場合は，本章で示す医薬

品情報関連のデータベースを利用する．しかし，インターネット上にはデータベースとして目的をもって収集・蓄積された情報以外に，ウェブサイト上で自由にさまざまな形で発信されている情報がある．整理されることなく無秩序に公開されているこれらの情報については，検索エンジンを利用して検索する．

1）検索エンジンの種類と特徴

検索エンジンは，**ディレクトリ型検索エンジン**，**ロボット型検索エンジン**，**メタ検索エンジン**に分類される．

i）ディレクトリ型検索エンジン

ウェブサイトの情報を階層化されたさまざまなディレクトリ（カテゴリ）に分類し，データベースを登録している検索プログラムである．サイトのタイトルや説明が検索対象となるキーワード検索を行うか，検索サイトを分類しているカテゴリを順にたどって探す（カテゴリ検索）．手作業でサイト情報を収集し登録作業をすることから，急速なサイト数の増加に対応できなくなり，ディレクトリ型検索エンジンとしてスタートしたYahoo! JAPAN（https://www.yahoo.co.jp/）が2018年3月をもってディレクトリ型検索サービスを終了するなど，現在はロボット型検索エンジンが主流になっている．

ii）ロボット型検索エンジン

クローラ（crawler）とよばれているコンピュータプログラムが，自動的にウェブサイトを巡回してデータを収集しデータベースとしてサイト内全文を検索対象にする．検索キーワードを含むサイトを全部リストアップしてくれるため，網羅性という点では優れているが，ノイズも多く目的とするサイトを絞り込むのは難しい．代表的なロボット型検索エンジンにGoogle（https://www.google.co.jp/）がある．Googleはさまざまな検索機能を有しており，検索結果の表示の順番をリンク先の情報の質の高さなどを使って評価の高い順番に表示する（PageRank方式）などの工夫がなされている．

iii）メタ検索エンジン（横断検索エンジン）

入力されたキーワードを複数の検索エンジンに送信し，得られた結果を表示する検索エンジンで統合型と非統合型がある．統合型は複数の検索エンジンを同時によび出し，検索結果を1つのページに統合して表示する．非統合型は検索キーワードを入力して検索エンジンを選ぶと，そのサイトの検索結果が表示される．代表的な統合型メタ検索エンジンとしてRitlweb（https://www.ritlweb.com/）が，非統合型メタ検索エンジンとして検索デスク（https://www.searchdesk.com/）がある．

表 3･6　Google での検索オプション例

1. 特定のキーワードを含まないページを検索(NOT 検索)	除外するキーワードの前にマイナスを付ける ー〈キーワード〉
2. 入力したキーワードと完全に一致する情報だけを検索(フレーズ検索)	対象文字列をダブルクォーテーションで囲って検索する “〈キーワード〉” (長い文字列をキーワードとして検索すると，文章が分解され助詞を除いた単語による AND 検索が実行されてしまう)
3. タイトルにキーワードが含まれるページを検索	ページタイトルだけを検索対象として指定することができる キーワードが 1 つの場合　intitle：〈キーワード〉 キーワードを複数指定する場合　allintitle：〈キーワード A〉〈キーワード B〉
4. 本文にキーワードが含まれるページを検索	ページ本文だけを検索対象として指定する場合　intext：〈キーワード〉 本文中に指定したキーワードをすべて含むページを検索する場合 allintext：〈キーワード A〉〈キーワード B〉
5. 特定のサイト内に限定して検索	キーワードの最初に site：〈サイトの URL〉を入力する
6. ファイル形式を指定して検索	キーワードの最初に filetype：〈拡張子〉を入力する ※拡張子の例：PDF ファイル pdf　Word ファイル doc Excel ファイル xls　PowerPoint ファイル ppt (PDF 形式の文書や情報が欲しいといったような場合には，ファイル形式を指定して検索すると便利)
7. 特定のサイトにリンクしているページを検索	link：〈元となるサイトの URL〉と入力すると，そのサイトにリンクしているサイトが表示される
8. 特定のサイトに関連の深いサイトを検索	related：〈元となるサイトの URL〉で検索すると関連の深いサイトが表示される(特定のジャンルの情報を徹底的に調べる場合に，同様の情報を扱うサイトを複数調査したいときに有用)

2)検索エンジンでの検索オプション

検索エンジンでの検索では，調査したい事項に関連して思いつくキーワードを検索ボックスに入力して検索をする．キーワードがありふれた語句の場合，非常に多くのページがヒットする．そこで，スペースをあけ関連キーワードを追加することで情報を絞り込んでいくこと(AND 検索)が一般的である．

検索エンジンには，特定の部分だけを検索の対象にするなどのさまざまなオプションが備わっている．これを上手に活用することで，効率的に目的の情報に到達することができる．表 3･6 に検索エンジン Google での検索オプションを紹介する．

Google にはこのほかに，検索対象とするページの言語の選択やドメイン(com，gov，edu，co.jp，ac.jp)の指定，ページの最終更新日時の指定などもオプションとして用意されている．複数のオプションを同時に使用する場合は，検索オプションページから設定すると便利である．

3)インターネット上の情報評価

インターネット上では誰もが自由に情報発信ができるため，バイアスのかかった情報が提示される可能性がある．したがって，インターネット上で得られた医薬品情報については，その信頼性を十分評価する必要

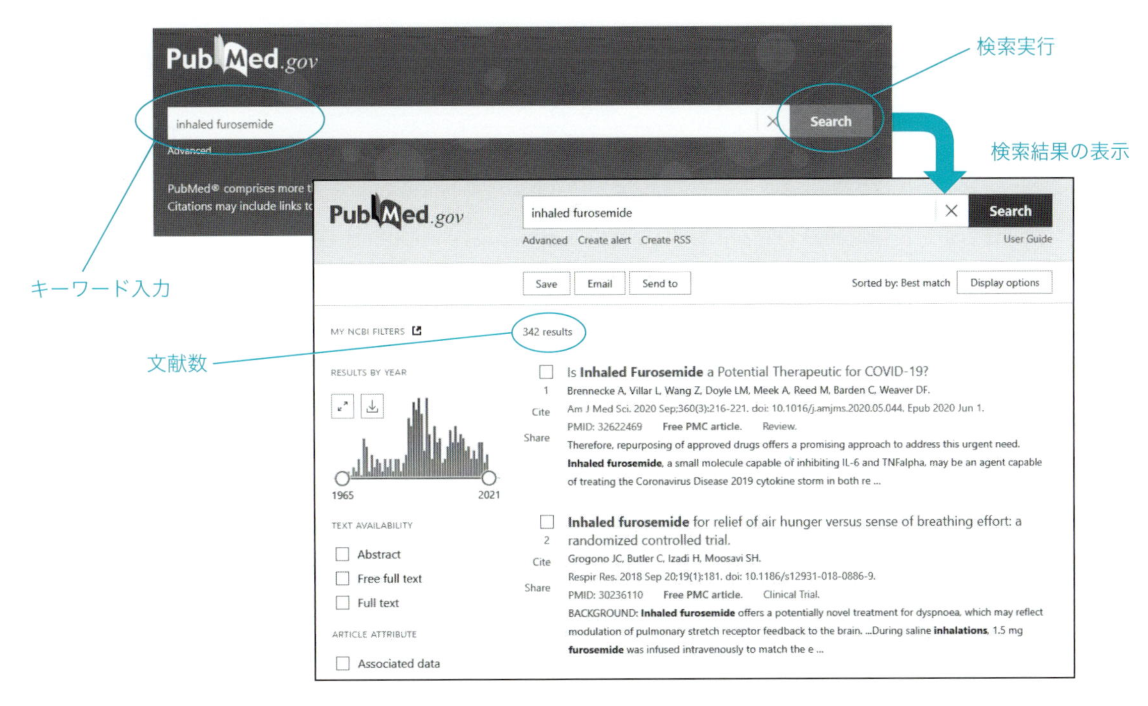

図 3·5 PubMed 検索結果画面
[PubMed(https://www.ncbi.nlm.nih.gov/pubmed/)(2021 年 9 月 1 日取得)より著者作成]

がある．評価の判断基準としては，

・情報の発信者(サイトの作成者)は誰であるか(個人か団体か，任意団体か公的機関か，営利目的か非営利目的か)．
・情報の根拠はどうか(出典が明示されているか)．
・情報更新の程度や頻度はどうか(最新の情報か)．

などがある．公的機関が提供した情報が正しいとは限らないが，責任の所在がはっきりしており，内容について直接確認することもできるので信頼性は高い．また，情報が疑わしいと感じた場合は，複数の情報源から情報を収集し突き合わせることが必要である．

d 医学・薬学論文の検索とキーワード・シソーラス

(1)基本的な文献検索方法

文献検索サイトの PubMed と医中誌 Web は日常よく利用するため，その使い方の基本を理解しておく必要がある．

1)PubMed

PubMedの検索画面で検索キーワードを検索ボックスに入力し Search ボタンをクリックすると，ヒットした文献数に続き，文献の書誌情報が関連度順(Best Match)に 10 件ずつ表示される(図 3·5)．結果画面右上の Display options から，表示形式，並び順，1 ページあたりの表示件数を変更することができる(図 3·6)．表示形式が「Summary」の場合，

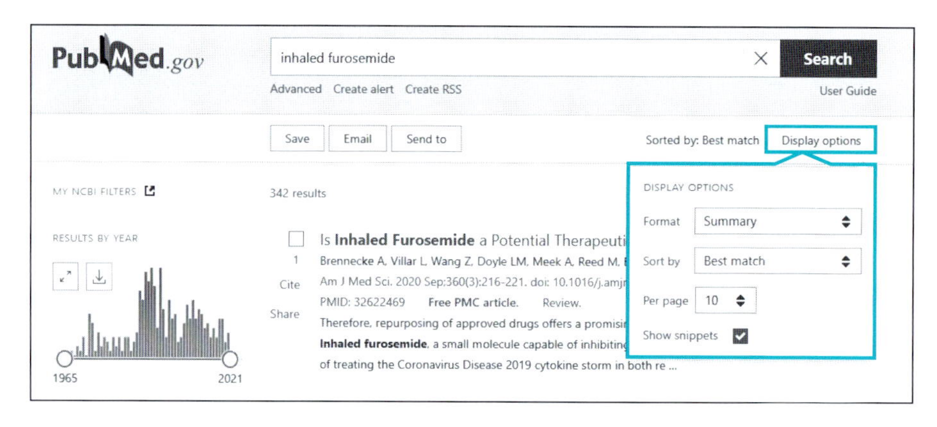

図 3･6　PubMed 検索結果表示方法の変更

[PubMed(https://www.ncbi.nlm.nih.gov/pubmed/)(2021 年 9 月 1 日取得)より著者作成]

抄録中から検索キーワードに関連の高い部分を抜き出して，書誌情報の下に表示される(スニペット表示).

文献タイトルが[　　]でくくられているものは，本文が英語以外の言語で書かれていることを示している．書誌情報の最後に本文が書かれた言語が記載されている．

文献数を絞りたい場合は，結果画面左側に現れるサイドバーのフィルター機能を利用する．たとえば，最新 5 年分の総説論文に絞りたい場合は，Publication date の 5 years と Article type の Review にチェックを入れる．サイドバーに項目が表示されていない場合は，Additional filters をクリックしメニューを表示させ，追加したい項目にチェックを入れ Show をクリックすると追加で表示される(図 3･7)．フィルターの種類として表 3･7 にあるものが用意されている．

結果画面上部の Save Email Send to ボタンで，それぞれ検索結果のダウンロード，メール送信，保存ができる(図 3･8)．

また，結果画面でタイトルをクリックするとその文献の抄録が表示される．フルテキストへのリンクがある場合は画面右側上部にアイコンが現れ，クリックするとリンクしている電子ジャーナルで本文を読むことができる(図 3･9)．

参考文献リストに記載されている論文を電子ジャーナルで入手できるか確認したい場合や書誌情報が曖昧な場合は，「Single Citation Matcher」の使用が便利である．文献の発行年・巻・号・最初のページの入力だけで絞り込めることが多い(図 3･10)．

2)医中誌 Web

論文検索画面(図 3･11)で検索キーワードを検索ボックスに入力し検索ボタンをクリックすると，検索式と文献数が表示され，その下に検索結果が新しいものから順に一覧表示される(図 3･12)．電子ジャーナルや関連データベースへのリンクがある場合は，書誌事項の下にアイコン

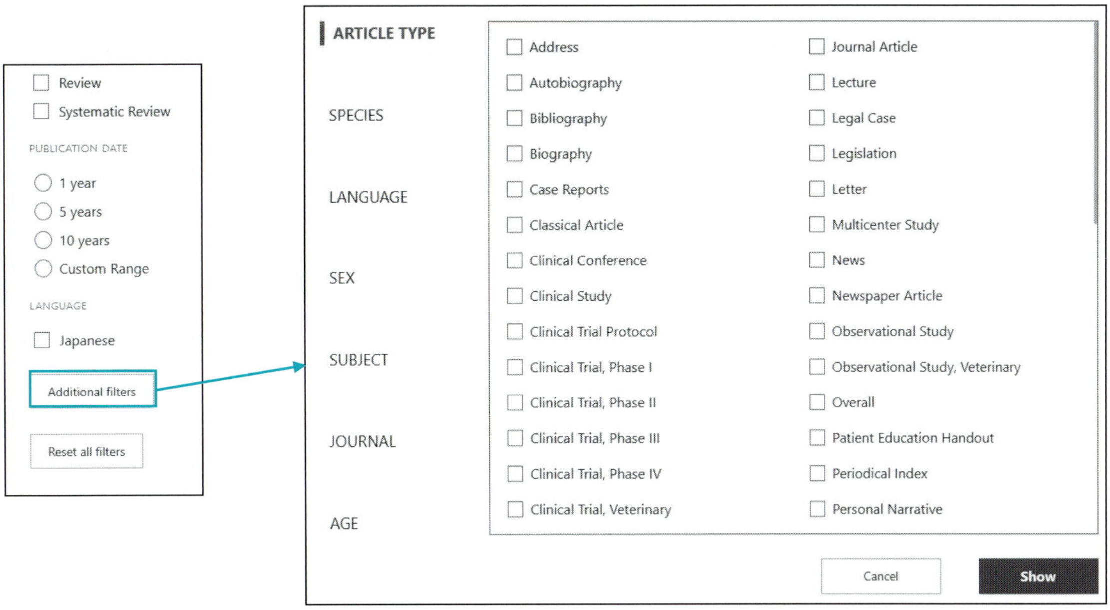

図 3･7　PubMed サイドバーへのフィルター機能（検索制限項目）の追加
［PubMed（https://www.ncbi.nlm.nih.gov/pubmed/）（2021 年 9 月 1 日取得）より著者作成］

表 3･7　検索制限項目

項　目	内　容
Article type	臨床研究，症例報告，メタアナリシス，ガイドライン，総説などの論文の種類について選択
Text availability	無料電子ジャーナルとして読めるものだけなどに限定
Publication date	最近 5 年間に出版された論文など，出版された期間を指定
Species	ヒト臨床試験か動物実験かの区別
Language	英語，フランス語，ドイツ語，日本語などの言語の指定
Sex	性別の選択
Subject	主題の限定を行う．主題はエイズ，腫瘍，補完医療，システマティックレヴューなど
Journal	主要誌，歯科関係誌，看護関係誌など，収載誌の限定を行う
Age	年齢の指定

が表示される．検索の際，検索ボックスの左にあるプルダウンメニューから検索項目を指定することができる．検索式では「検索語 / タグ」で表現される．タグの一覧を表 3･8 に示す．

文献の絞り込みは，検索前は検索ボックスの下に，検索後は検索履歴の左に表示される「絞り込み条件」で行う．どちらも最初は簡易表示になっているため，詳細な絞り込みをしたい場合は「すべて表示」をクリックし，絞り込み条件設定画面（図 3･13）を表示させて絞り込みたい項目にチェックを入れる．

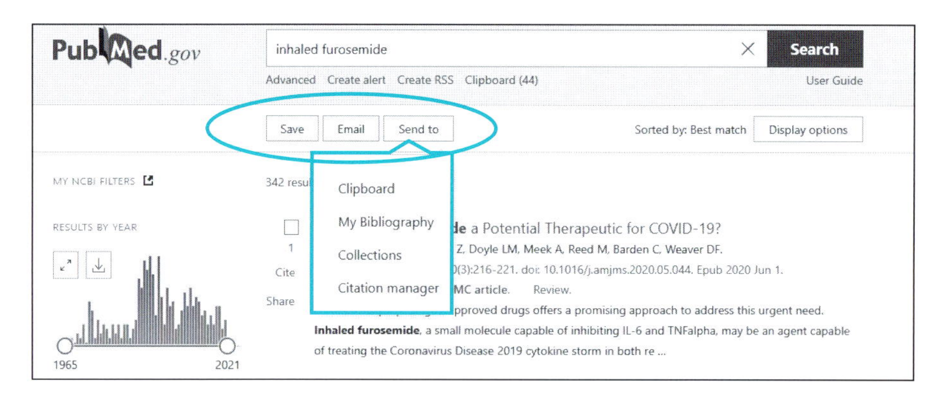

図 3･8　PubMed 検索結果の保存

[PubMed(https://www.ncbi.nlm.nih.gov/pubmed/)(2021 年 9 月 1 日取得)より著者作成]

図 3･9　PubMed 抄録画面

[PubMed(https://www.ncbi.nlm.nih.gov/pubmed/)(2021 年 9 月 1 日取得)より著者作成]

便利な機能として「履歴プラス検索」がある(図 3･14).これは検索結果を利用して論理演算検索を行うもので,検索したい履歴にチェックを入れ,演算子を選択し履歴プラス検索ボタンをクリックする.また,検索ボックスに「#1 and #2」のように検索式を直接入力することでも検索できる.

検索結果の保存機能としては,印刷,ファイルへのダウンロード,メール送信,クリップボードへの保存,文献情報管理ソフトなどへのダイレクトエクスポートがあり,検索結果画面上部のアイコンで操作する(図 3･12).

2022 年 4 月のリニューアルで,医療・医学関連のネットニュースなどの文章を入力し類似度が高い論文を検索することができる「ゆるふわ検

図 3･10　PubMed「Single Citation Matcher」画面
[PubMed(https://www.ncbi.nlm.nih.gov/pubmed/)(2021 年 9 月 1 日取得)より著者作成]

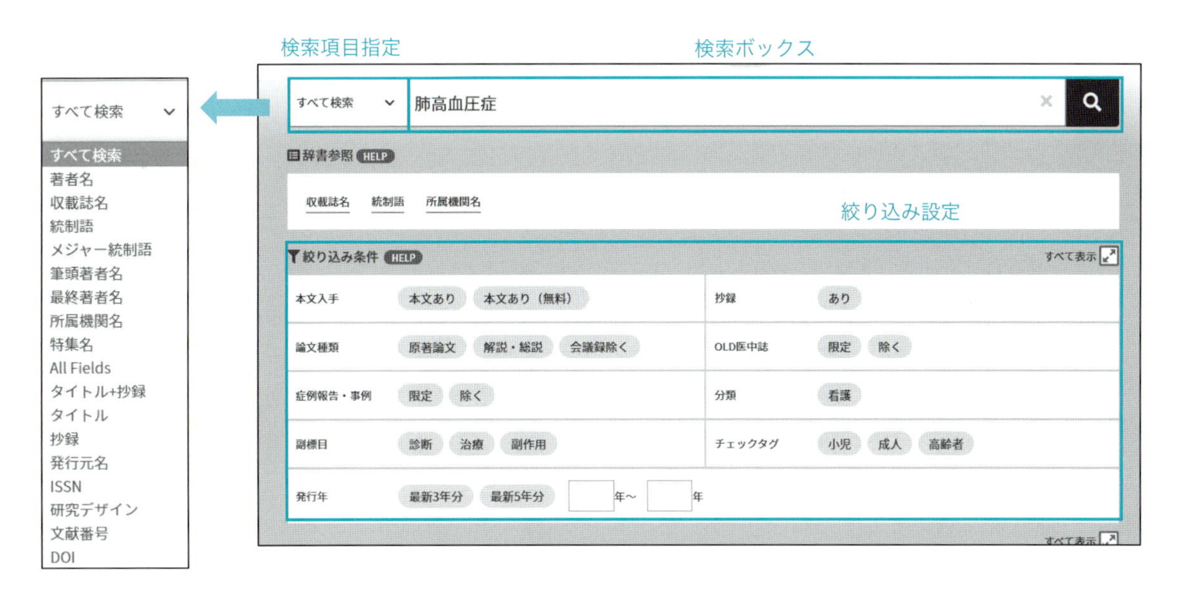

図 3･11　医中誌 Web 論文検索画面
[医中誌 Web(https://www.jamas.or.jp)(2022 年 5 月 10 日取得)，医学中央雑誌刊行会より許諾を得て転載]

索」や日本語による「PubMed 検索」などが追加された．

(2)シソーラス

情報検索の精度を上げるために，キーワードの関係を整理した辞書のことをシソーラス(thesaurus)とよぶ．同じ概念を表現するのに，「肺がん」「肺癌」「肺腫瘍」「肺悪性腫瘍」「肺悪性新生物」のように，論文によっ

図3・12　医中誌 Web 論文検索結果画面

[医中誌 Web(https://www.jamas.or.jp)(2022年5月10日取得)，医学中央雑誌刊行会より許諾を得て転載]

表3・8　医中誌 Web 検索項目タグ一覧

項目名	タ　グ	項目名	タ　グ	項目名	タ　グ	項目名	タ　グ
著者名	AU	筆頭著者名	FAU	All Field	AL	発行元名	PN
収載誌名	JN	最終著者名	LAU	タイトル＋抄録	TA	ISSN	IS
統制語	TH	所属機関名	IN	タイトル	TI	研究デザイン	RD
メジャー統制語	MTH	特集名	SP	抄　録	AB	文献番号	UI

て異なる用語が使用されることがある．その場合でも，同じ主題について書かれた論文を漏れなく効率的に検索できるように，文献データベースではシソーラスを作成している．論文を収録する際に，シソーラスのなかから論文の主題を表す適切な索引語を付与することにより，文字列の検索だけでは難しい網羅的な検索ができるようになる．

シソーラス用語間の関係として同義関係，階層関係がある．同じ概念を示す言葉(同義語)が複数ある場合，どれか1つが優先語(ディスクリプタ)と決められ，索引や検索に優先して使用される．検索システムでは，検索語が同義語として登録されている場合に自動的に優先語を検索式に

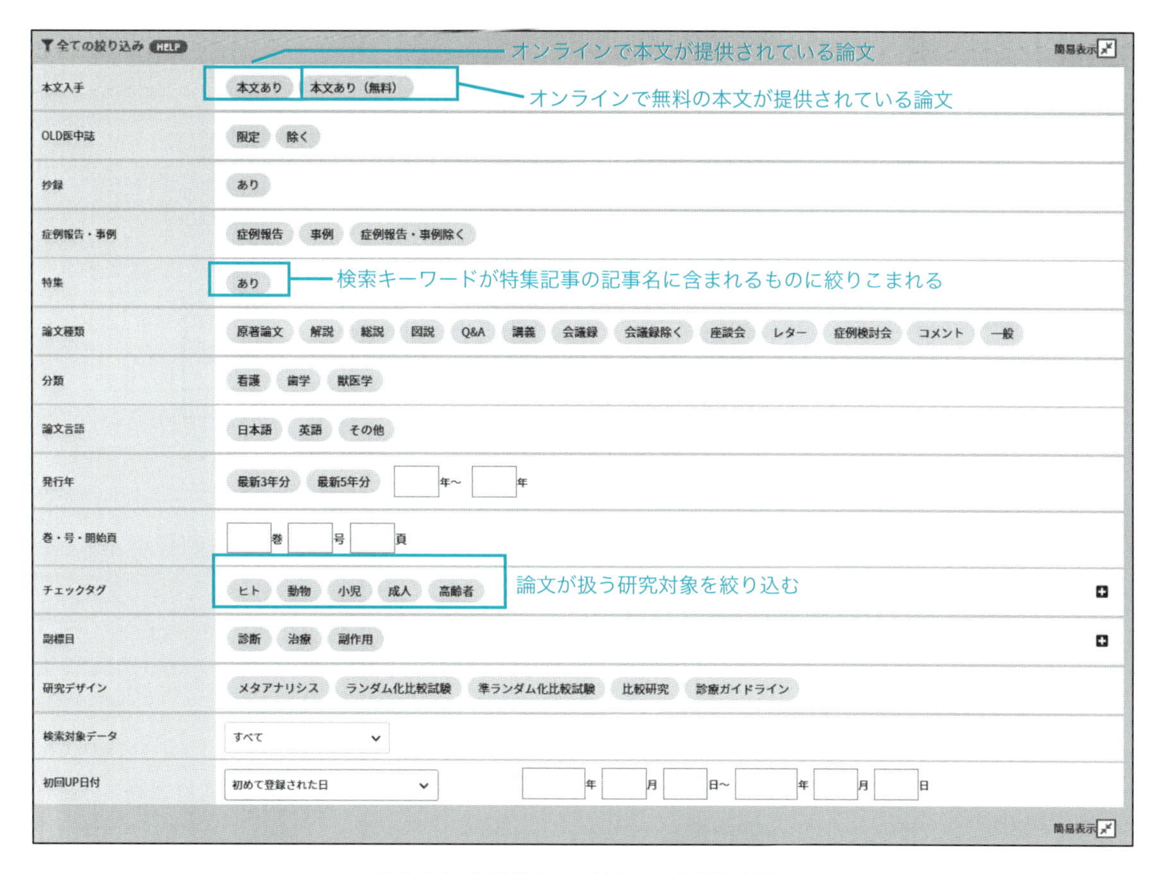

図 3・13　医中誌 Web 絞り込み条件設定画面
［医中誌 Web（https://www.jamas.or.jp）（2022 年 5 月 10 日取得），医学中央雑誌刊行会より許諾を得て転載］

検索履歴 HELP
#1　(肺高血圧症/TH or 肺高血圧症/AL) and (酸素吸入療法/TH or 酸素療法/AL)　770件
#2　(肺高血圧症/TH or 肺高血圧症/AL) and (Epoprostenol/TH or プロスタサイクリン/AL)　2,411件
#3　#1 and #2　204件
AND
履歴プラス検索

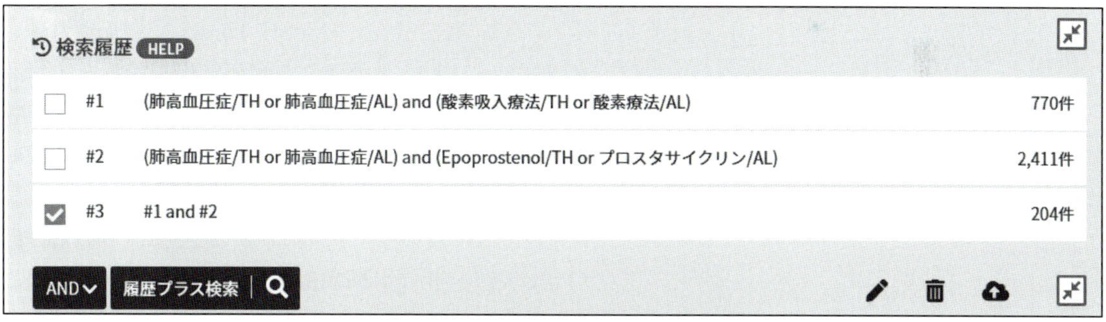

図 3・14　医中誌 Web 履歴プラス検索
［医中誌 Web（https://www.jamas.or.jp）（2022 年 5 月 10 日取得），医学中央雑誌刊行会より許諾を得て転載］

追加して検索が行われる（マッピング機能）．

また，同一カテゴリ内で概念の広いものから狭いものへと階層関係が決められており，上位概念の用語で検索すれば下位概念の用語は自動的に検索される．

PubMed と医中誌 Web ではシソーラスとして，それぞれ「MeSH

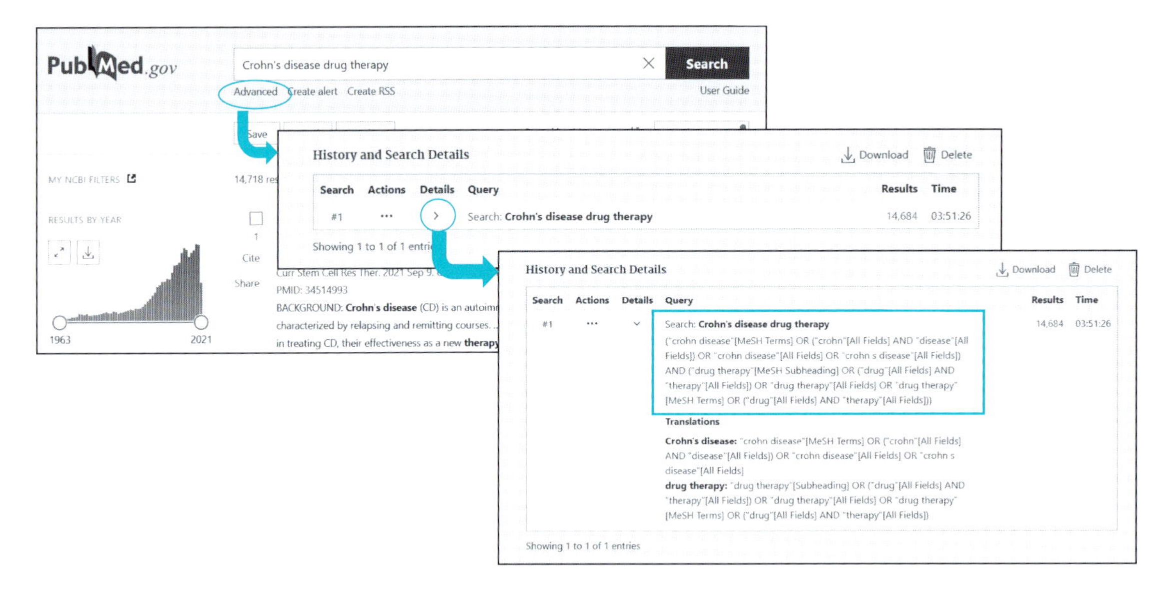

図 3･15　PubMed 自動マッピングによる検索式表示画面
[PubMed(https://www.ncbi.nlm.nih.gov/pubmed/)(2021 年 9 月 1 日取得)より著者作成]

(Medical Subject Headings)」と「医学用語シソーラス」が用いられている．MeSH は毎年，医学用語シソーラスは 4 年ごとに改訂される．

1)MeSH

PubMed では，検索ボックスにキーワードを入力し Search をクリックすると，PubMed 内部で自動的に適切な MeSH 用語に変換され検索される．検索ボックス下の「Advanced」をクリックし検索履歴の「History and Search Details」表示させ，「Details」の「＞」をクリックすると実行された検索式を参照できる(図 3･15)．[MeSH Terms]と付記されている単語が，入力したキーワードから変換された MeSH 用語である．また，[Subheading]というのは MeSH 用語の内容を限定するもので，「薬物療法」「有害作用」のように各用語に共通する大きな概念を表しており，MeSH 用語ごとに使用可能な Subheading が定められている．

検索結果を絞り込むための適切なキーワードがわからない場合には，MeSH データベースで MeSH 用語の階層構造を確認しながら検索することもできる．PubMed トップ画面の MeSH Database をクリックして移行した MeSH 画面でキーワードを入力し検索すると，キーワードに関連する MeSH 用語が表示される．用語をクリックすると，使用できる Subheading や同義語・異表記語リスト，階層構造が表示されるので，そのなかから検索目的に合致したものを選択することで，効率的な検索が可能となる(図 3･16)．

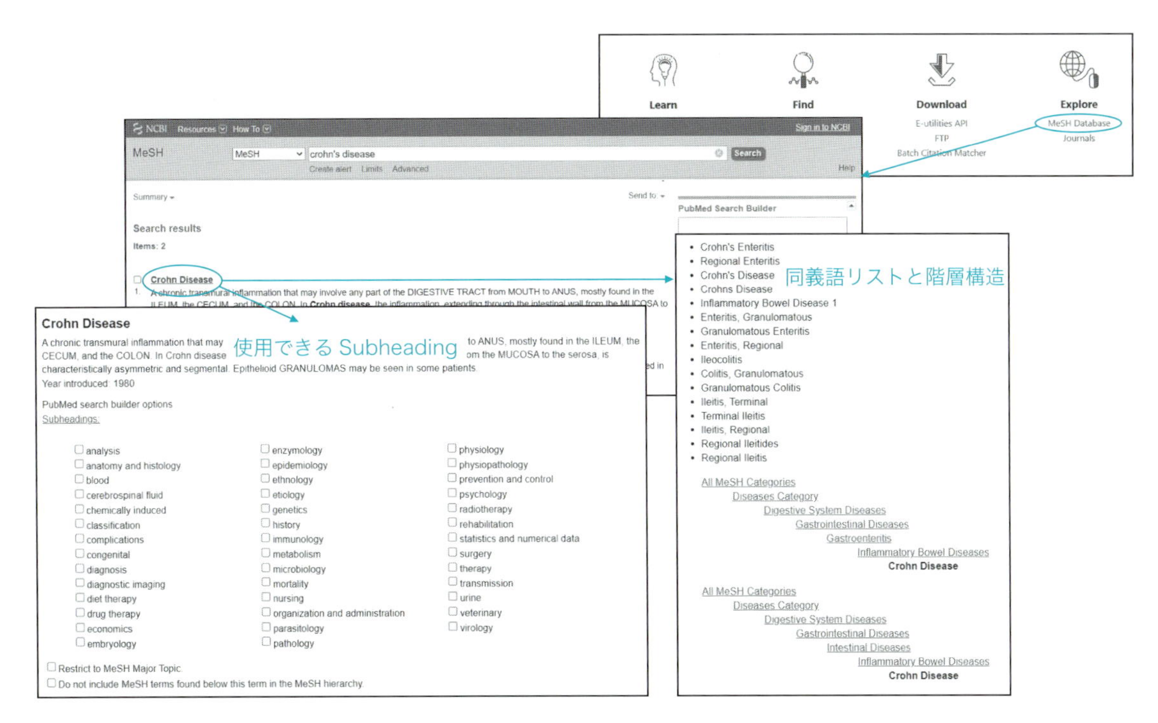

図 3･16　MeSH データベース
［PubMed（https://www.ncbi.nlm.nih.gov/pubmed/）（2021 年 9 月 1 日取得）より著者作成］

図 3･17　医中誌 Web シソーラスブラウザ画面
［医中誌 Web（https://www.jamas.or.jp）（2022 年 5 月 10 日取得），医学中央雑誌刊行会より許諾を得て転載］

図 3・18　副標目と階層構造

［医中誌 Web（https://www.jamas.or.jp）（2022 年 5 月 10 日取得），医学中央雑誌刊行会より許諾を得て転載］

2）医学用語シソーラス

医中誌 Web でも PubMed 同様，マッピング機能に加えシソーラスを参照しながらキーワードを探して検索することができる．検索画面上部の「シソーラスブラウザ」をクリックし，表示される検索ボックスにキーワードを入力する．検索ボタンをクリックすると，統制語（同義語から参照される語）とその種別（シソーラス用語または医中誌フリーキーワード）のリストが表示される（図 3・17）．そのなかから該当する用語にチェックを入れ「選択したキーワードで検索」をクリックすると検索結果が表示される．また，該当する用語をクリックし「キーワードの詳細情報を見る」を選択すると，そのキーワードで使用可能な副標目と階層構造をみることができる（図 3・18）．医中誌フリーキーワードは，シソーラス用語のようにカテゴリ分類と階層化はされていないが，索引として付与される用語である．

SBO・厚生労働省，医薬品医療機器総合機構，製薬企業などの発行する資料を列挙し，概説できる．

B 情報発信者による分類

ポイント

- 厚生労働省，医薬品医療機器総合機構（PMDA）など行政機関の提供する資料には，医薬品等安全性関連情報，医薬品・医療機器等安全性情報，医薬品の販売制度，日本薬局方，後発医薬品品質情報，使用上の注意の改訂情報，新医薬品承認審査概要，新医薬品再審査概要，副作用が疑われる症例報告に関する情報，承認情報などがある．
- 製薬企業などの提供する資料には，添付文書，インタビューフォーム，医薬品リスク管理計画，緊急安全性情報，安全性速報，医薬品等回収関連情報，医薬品安全対策情報，医療用医薬品製品情報概要などがある．
- 医薬品情報提供者として，製薬企業にはMRが，医薬品卸にはMSがいる．

❶ 厚生労働省など行政機関の提供する資料

ⓐ 厚生労働省

厚生労働省の医薬・生活衛生局から医薬品に関する情報が提供されている．

厚生労働省のウェブサイト（https://www.mhlw.go.jp/）→テーマ別に探す（図3･19①）→政策分野別に探す（図3･19②）→医薬品・医療機器（図3･19③）のサイトに緊急情報［医薬品等安全性関連情報（図3･19④），医薬品等回収関連情報］，トピックス，重要なお知らせが掲載されている．また，施策情報として医薬品の販売制度，日本薬局方（図3･19⑤），後発医薬品品質情報（図3･19⑥）などが掲載されている．

(1)医薬品等安全性関連情報

医薬品・医療機器→緊急情報［医薬品等安全性関連情報（図3･19④）］

重要なお知らせ，緊急安全性情報，重篤副作用疾患別対応マニュアル，医薬品等の適正使用に関するガイドラインなどがある．

(2)医薬品・医療機器等安全性情報（図3･20）

医薬品・医療機器→緊急情報（医薬品等安全性関連情報）→医薬品・医療機器等安全性情報（図3･19④）

厚生労働省において収集された副作用などの情報をもとに，医薬品・医療機器などのより安全な使用に役立つように，医療関係者に対して情報提供されるものである．原則として月1回発行される．この情報はPMDAのウェブサイト（https://www.pmda.go.jp/）からも入手できる．

(3)医薬品の販売制度

医薬品・医療機器→施策情報（医薬品の販売制度）

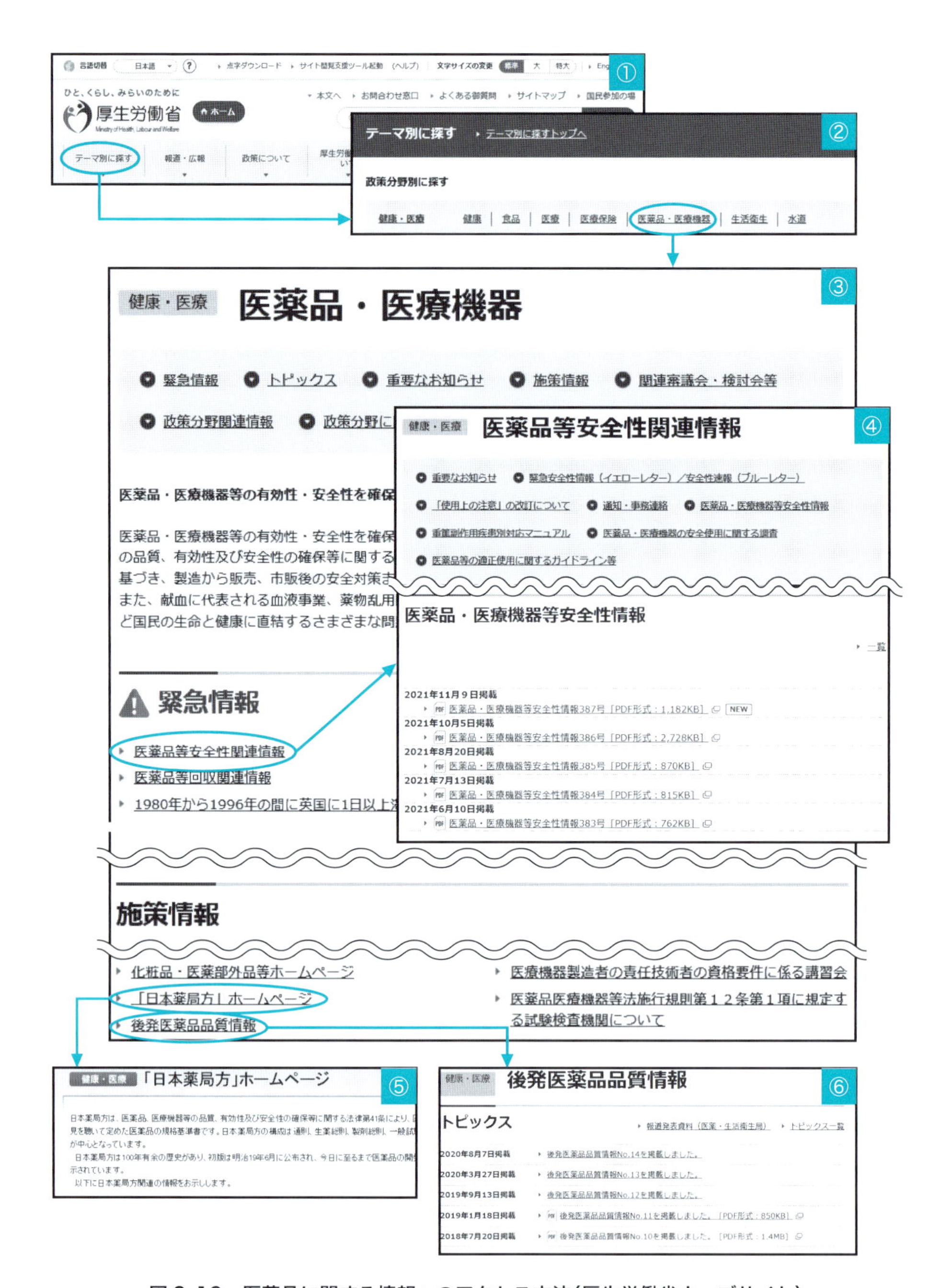

図 3・19　医薬品に関する情報へのアクセス方法(厚生労働省ウェブサイト)
[厚生労働省(https://www.mhlw.go.jp/)(2021 年 12 月 6 日取得)より著者作成]

一般用医薬品販売にかかわる医薬品医療機器等法・薬剤師法の改訂情報，一般用医薬品の分類リスト，インターネット販売，登録販売者制度などの情報である．

(4)日本薬局方

医薬品・医療機器→施策情報[「日本薬局方」ホームページ(図 3・19 ⑤)]

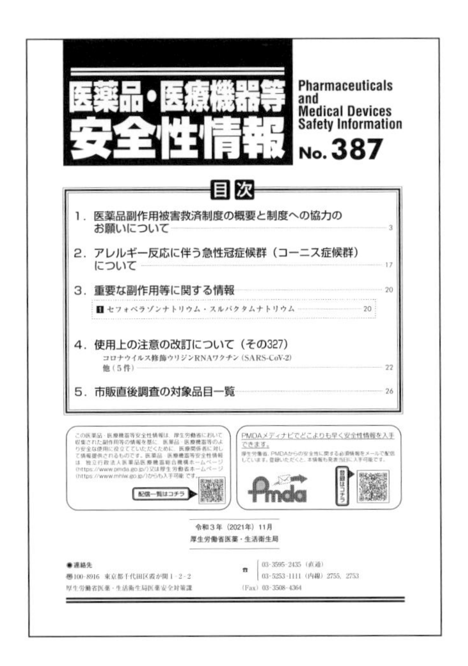
医薬品・医療機器等
安全性情報
Pharmaceuticals and Medical Devices Safety Information
No.387

目次

1. 医薬品副作用被害救済制度の概要と制度への協力のお願いについて ……3
2. アレルギー反応に伴う急性冠症候群（コーニス症候群）について ……17
3. 重要な副作用等に関する情報 ……20
   1 セフォペラゾンナトリウム・スルバクタムナトリウム ……20
4. 使用上の注意の改訂について（その327）
   コロナウイルス修飾ウリジンRNAワクチン（SARS-CoV-2）
   他（5件） ……22
5. 市販直後調査の対象品目一覧 ……26

PMDAメディナビでどこよりも早く安全性情報を入手できます。

令和3年（2021年）11月
厚生労働省医薬・生活衛生局

図 3・20　医薬品・医療機器等安全性情報
[厚生労働省医薬・生活衛生局：医薬品・医療機器等安全性情報 No.387，2021 より引用]

後発医薬品
品質情報
No.14
令和2年8月

編集・発行
厚生労働省
医薬・生活衛生局医薬品審査管理課

目　次

1. 第24回ジェネリック医薬品品質情報検討会（令和2年3月（書面）開催）結果概要 ……2
2. 後発医薬品の生物学的同等性試験ガイドラインの近代化と再構築 ……5

PMDA「ジェネリック医薬品相談窓口」（くすり相談）
受付時間：月曜日～金曜日（祝日・年末年始を除く）
午前9時～午後5時
電話番号：03-3506-9457
https://www.pmda.go.jp/safety/consultation-for-patients/0001.html

PMDAメディナビでどこよりも早く安全性情報を入手できます。
https://www.pmda.go.jp/safety/info-services/medi-navi/0007.html

「後発医薬品品質情報」は，厚生労働省のHPから入手可能です。
後発医薬品品質情報　検索
https://www.mhlw.go.jp/stf/seisakunitsuite/bunya/kenkou_iryou/iyakuhin/kouhatsu_iyakuhin/

図 3・21　後発医薬品品質情報
[厚生労働省医薬・生活衛生局：後発医薬品品質情報 No.14，2020 より引用]

医薬品医療機器等法第 41 条により，医薬品の性状および品質の適正化を図るため，厚生労働大臣が薬事・食品衛生審議会の意見を聴いて定めた医薬品の規格基準書である．構成は，通則，生薬総則，製剤総則，一般試験法および医薬品各条からなり，わが国で汎用されている医薬品が収載されている．

(5)後発医薬品品質情報(図 3・21)

医薬品・医療機器→施策情報[後発医薬品品質情報(図 3・19 ⑥)]

後発医薬品の品質に対するさらなる信頼性の確保のため，2008 年から国立医薬品食品衛生研究所にジェネリック医薬品品質情報検討会が設置された．その検討会の情報をはじめ，後発医薬品の品質に関する情報を提供している．

(6)使用上の注意の改訂情報

PMDA のウェブサイト→安全対策業務(図 3・22 ①)→情報提供業務(図 3・22 ②)→医薬品(図 3・22 ③)→注意喚起情報(図 3・22 ④)→使用上の注意の改訂指示情報(図 3・22 ⑤)

厚生労働省が製薬企業に対して指示した使用上の注意の改訂についての情報である．

b 医薬品医療機器総合機構（PMDA）

PMDA は，医薬品の副作用または生物由来製品を介した感染などによる健康被害の迅速な救済，医薬品などの品質，有効性および安全性の

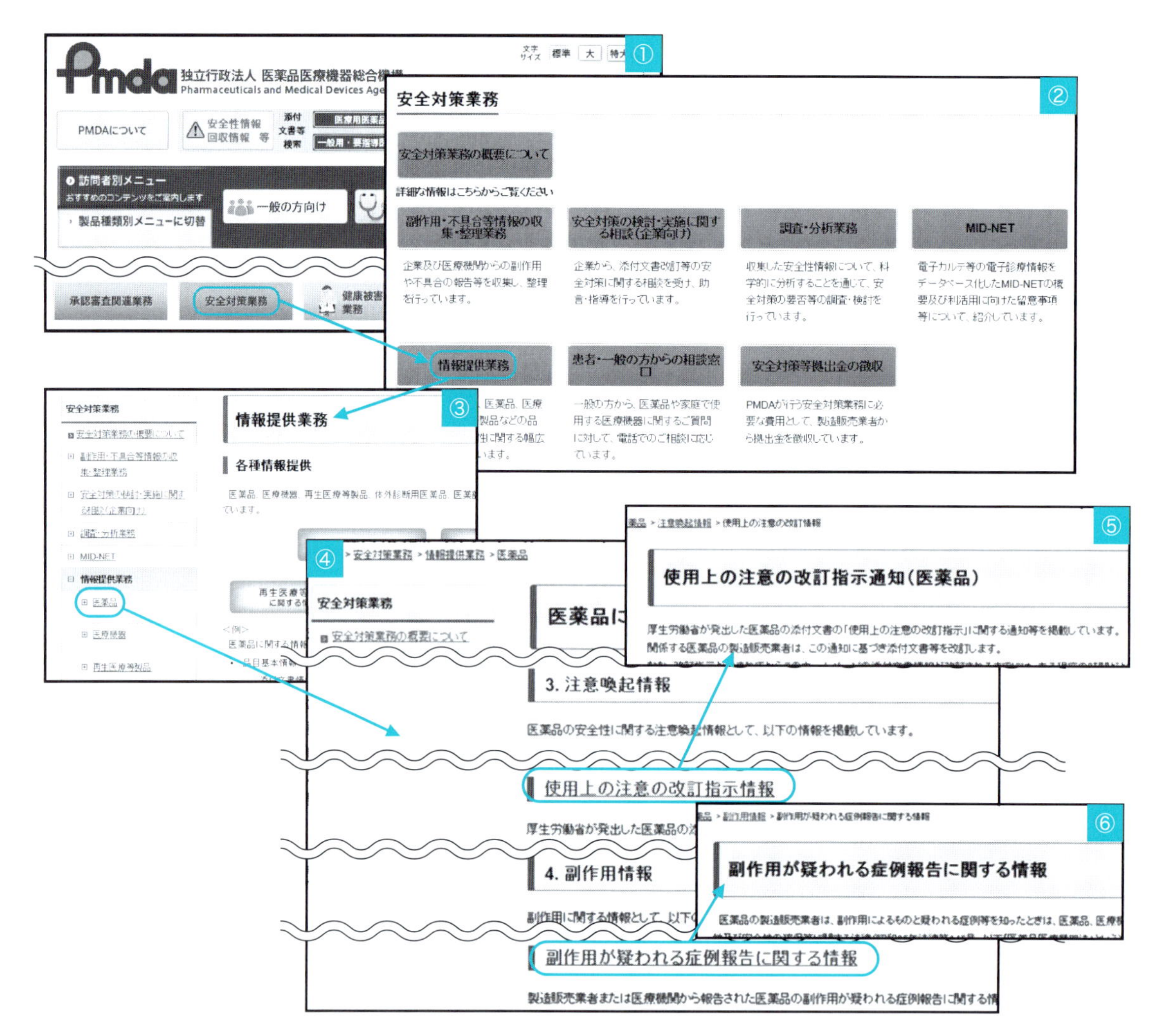

図3･22　使用上の注意の改訂指示情報と副作用が疑われる症例報告に関する情報へのアクセス方法(PMDAウェブサイト)
[PMDA(https://www.pmda.go.jp/)(2021年12月6日取得)より著者作成]

向上に役立つ審査などの業務を行い，国民保健の向上に役立つことを目的としている．

PMDAは医薬品・医療機器の品質，有効性・安全性に関する情報や，承認審査に関する情報をウェブサイトで提供している．厚生労働省や製薬企業の発信する情報もあわせて入手することができる．訪問者別メニューから「医療従事者向け」を選択すると，「医療従事者の方におすすめのコンテンツ」として，表3･9にあるような医薬品関連情報項目が掲載されている．PMDAのウェブサイトで多くの情報を得られるため，大いに活用していきたい．

ここでは，PMDAが作成，発信している副作用が疑われる症例報告に関する情報，承認情報(医薬品・医薬部外品)について説明する．

表 3・9 PMDA のウェブサイトで得られる医療従事者向けの主な医薬品関連情報項目

・添付文書情報(医療用医薬品，一般用医薬品，医療機器，再生医療等製品，体外診断用医薬品) ・医薬品リスク管理計画(RMP) ・医療従事者からの報告(副作用・不具合) ・副作用が疑われる症例報告に関する情報 ・不具合が疑われる症例報告に関する情報 ・重篤副作用疾患別対応マニュアル(医療従事者向け) ・医薬品副作用被害救済制度について(請求に必要な書類など) ・医療安全情報 ・審査報告書(医療用医薬品，一般用医薬品・要指導医薬品，医療機器)	・承認品目一覧(新医薬品，新医療機器) ・「医療上の必要性の高い未承認薬・適応外薬検討会議」における検討結果を受け保険適用される品目に関する情報 ・コンパニオン診断薬等の情報 ・治験関連情報 ・臨床評価に関するガイドライン(ICH ガイドラインなど) ・患者向けに作成されている文書等[患者向医薬品ガイド，ワクチン接種を受ける人へのガイド，緊急安全性情報・安全性速報(患者向け)，PMDA からの医薬品適正使用のお願い(患者向け)，医薬品副作用被害救済制度(一般の方向け)，重篤副作用疾患別対応マニュアル(患者・一般の方向け)]

(1)副作用が疑われる症例報告に関する情報

安全対策業務→情報提供業務→医薬品→副作用等情報(図 3・22 ④)→副作用が疑われる症例報告に関する情報(図 3・22 ⑥)

製薬企業は，副作用によるものと疑われる症例などを知ったときは，医薬品医療機器等法第 68 条の 10 第 1 項の規定に基づき，2004 年 4 月から PMDA に対して報告することが義務付けられた．そこで PMDA が受理した報告のすべてをラインリストとして公表している．この報告には医療機関などから厚生労働省へ報告された症例も含まれる．

(2)承認情報(医薬品・医薬部外品)

審査関連業務→承認審査業務→承認情報(図 3・23)

承認された医療用医薬品，一般用医薬品・要指導医薬品，医薬部外品などの情報が掲載される．

なお，1999 年度以降の医薬品などの承認審査や再審査の詳細は，それまでの新医薬品承認審査概要(summary basis of approval, SBA)[*4]，新医薬品再審査概要(summary basis of re-examination, SBR)[*5] に代わり，**審査報告書**[*6] として公開されている．審査報告書は，「医療用医薬品 情報検索」「一般用医薬品・要指導医薬品 情報検索」から検索することができる．

審査報告書は，医薬品の製造販売承認申請のために提出された申請資料の要点と，審査における主要な議論をまとめたものである．

医薬品の製造販売承認申請を行う者は，その前提として，医薬品製造販売業許可申請を都道府県に対して行い，許可を取得しなければならない．医薬品の製造販売承認申請が行われた際に，厚生労働大臣がその医薬品が医薬品医療機器等法の承認拒否事由には該当しないことを確認するための一連の作業が承認審査であり，それを行うのは PMDA である．

医薬品医療機器等法で定められている医薬品の承認申請のための提出書類は，①起原，発見の経緯，外国での使用状況などに関する資料，②物理的・化学的性質，規格・試験方法に関する資料，③原薬や製剤の安

*4 **SBA** 新医薬品の承認審査の概要について記載されたもので，わが国で開発され，情報公開の必要性が高い医薬品が対象とされていた．

*5 **SBR** 当該新医薬品の承認から再審査に至るまでの基礎資料および臨床にかかわる諸資料の概要である．再審査期間中に得られた安全性情報などの医薬品情報や，「使用上の注意」の改訂にまでは至らなかった情報を広く医療機関に提供し，適正使用の推進や再審査・再評価の透明化を目的としていた．

*6 **審査報告書** ☞p.32

コラム

新医薬品の製造販売承認申請時に製薬企業は膨大な資料を PMDA に提出し，そこで審査され，PMDA は審査報告書を作成し，厚生労働省に提出し，厚生労働省は審議結果報告書を作成する．製薬企業の提出した資料は，製薬企業により申請資料概要としてまとめられ，審査報告書・審議結果報告書とともに PMDA のウェブサイトで公開される．

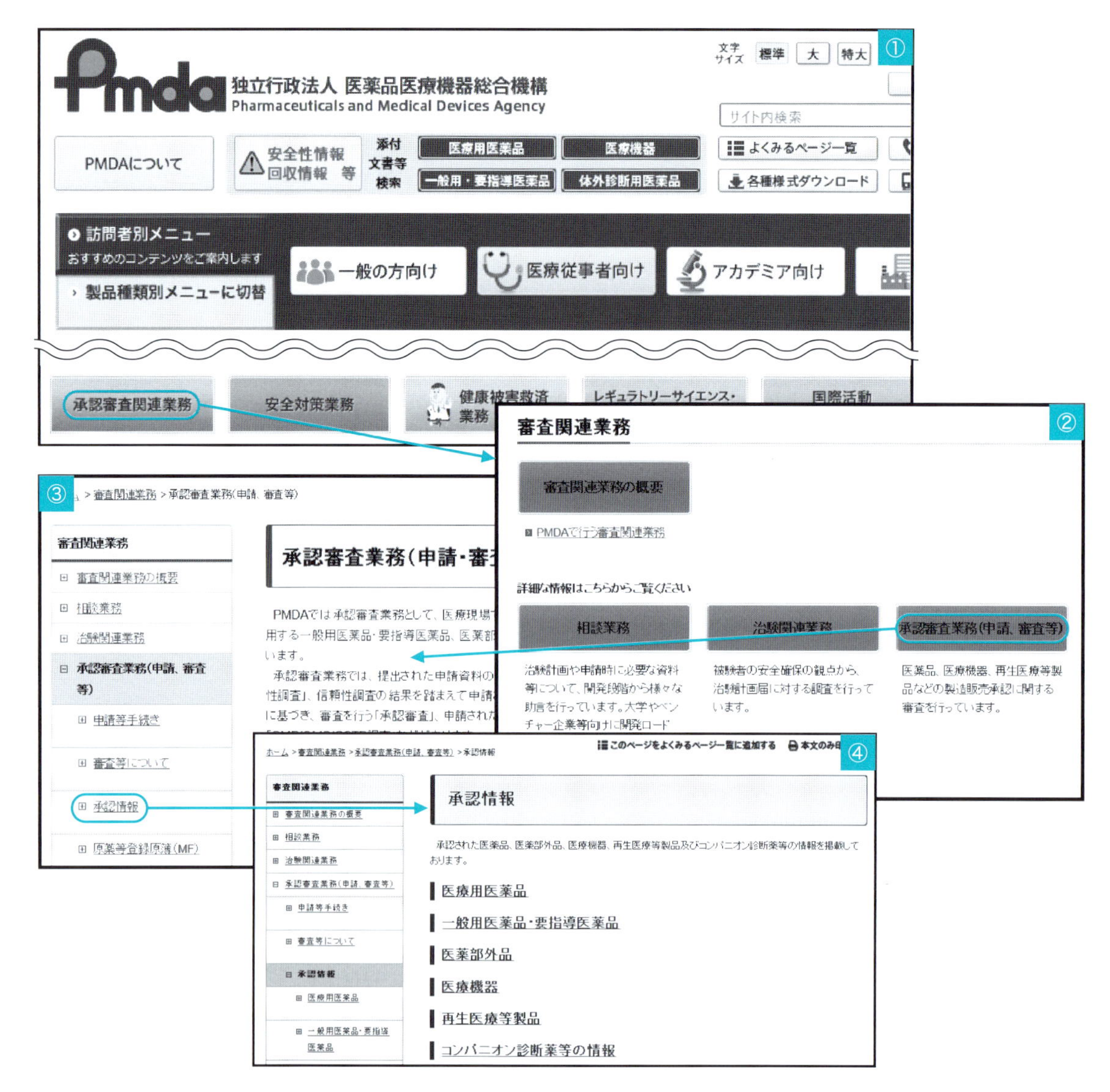

図 3･23　承認情報へのアクセス方法(PMDA ウェブサイト)
［PDMA(https://www.pmda.go.jp/)(2021 年 12 月 6 日取得)より著者作成］

定性に関する資料，④毒性試験の結果に関する資料，⑤薬理作用に関する資料，⑥吸収，分布，代謝，排泄に関する資料，⑦臨床試験の試験成績に関する資料などである(☞ p.26，表 2･2).

PMDA において承認申請書が受理されると，承認審査が行われる．新医薬品については，品質，非臨床，臨床，統計などの領域分野別の審査チームによる審査が行われ，各チームにより審査報告書が作成される．

❷ 製薬企業などの提供する資料

ⓐ 製薬企業

(1)添付文書

医薬品医療機器等法第52条の規定により医薬品に添付する文書として義務付けられている唯一の公的文書である．そのため，医薬品一包装単位ごとに添付されている．患者の安全確保と，その医薬品の適正使用のために，用法・用量，使用上の注意，副作用，薬物動態，薬効薬理などの基本情報が要約されている．市販後調査により新たに発覚した重要な情報により，記載内容は速やかに改訂される．「使用上の注意」は頻繁に改訂されるため，常に最新の添付文書[*7]をそろえておく必要がある．

*7 添付文書 ☞本章C，p.86

(2)医薬品インタビューフォーム(IF)

IF[*8]は添付文書を補完するもので，日本病院薬剤師会が策定した記載要領に基づき製薬企業が作成し提供するものである．

*8 IF(interview form) ☞p.97

(3)医薬品リスク管理計画(RMP)[*9]

*9 医薬品リスク管理計画(RMP) ☞p.136

安全対策業務→情報提供業務→医薬品→品目基本情報→医薬品リスク管理計画(RMP)→ RMP提出品目一覧(図3･24)

RMPは医薬品ごとに，①重要な関連性が明らかまたは疑われる副作用や不足情報(安全性検討事項)，②市販後に実施される情報収集活動(**医薬品安全性監視活動**[*10])，③医療関係者への情報提供や使用条件の設定などの医薬品のリスクを低減するための取り組み(**リスク最小化活動**[*10])をまとめた文書である(☞ p.39，図2･4)．

*10 医薬品安全性監視活動，リスク最小化活動 この活動には通常と追加の2種類がある．通常の活動とは副作用情報の収集，添付文書による情報提供である．追加の活動とは，医薬品の特性を踏まえ個別に実施される活動を指し，市販直後調査，使用成績調査，製造販売後データベース調査，製造販売後臨床試験，適正使用のための資料による情報提供などである．

このように医薬品の開発から市販後まで一貫したリスク管理を1つの文書にまとめることにより，医薬品のベネフィットとリスクを評価し，これに基づいて必要な安全対策を実施して，製造販売後の安全性が確保されることを目的としている．具体的には，調査・試験やリスクを減らすための取り組みの進捗状況についての定期的な評価が継続されるようにするために導入された．さらに，RMPを公表して，医療関係者と市販後のリスク管理の内容を広く共有することで，市販後の安全対策が充実することも期待されている．

2012年4月にRMPを作成するための指針および様式が厚生労働省医薬食品局安全対策課長・審査管理課長の連名通知にて発出された．新医薬品およびバイオ後続品については2013年4月1日以降製造販売承認申請された品目から適用されている．

(4)緊急安全性情報(イエローレター)(図3･25-1)

※2003年以前はすべて緊急安全性情報として作成されていたが，2004年からグレード分けとして安全性速報も作成されることとなった．

厚生労働省の指示あるいは製薬企業の自主的判断により，製薬企業が作成する資料である．安全性に関する緊急かつ重要な情報伝達を徹底させるため，製薬企業より医療関係者に直接配布またはダイレクトメール，FAX，電子メールなどを活用して伝達される．また，製薬企業は当該製品が納入されている医療機関に情報が届いていることを1ヵ月以内に確認する必要がある．あわせて，医療関係者と国民に広く同時に伝える

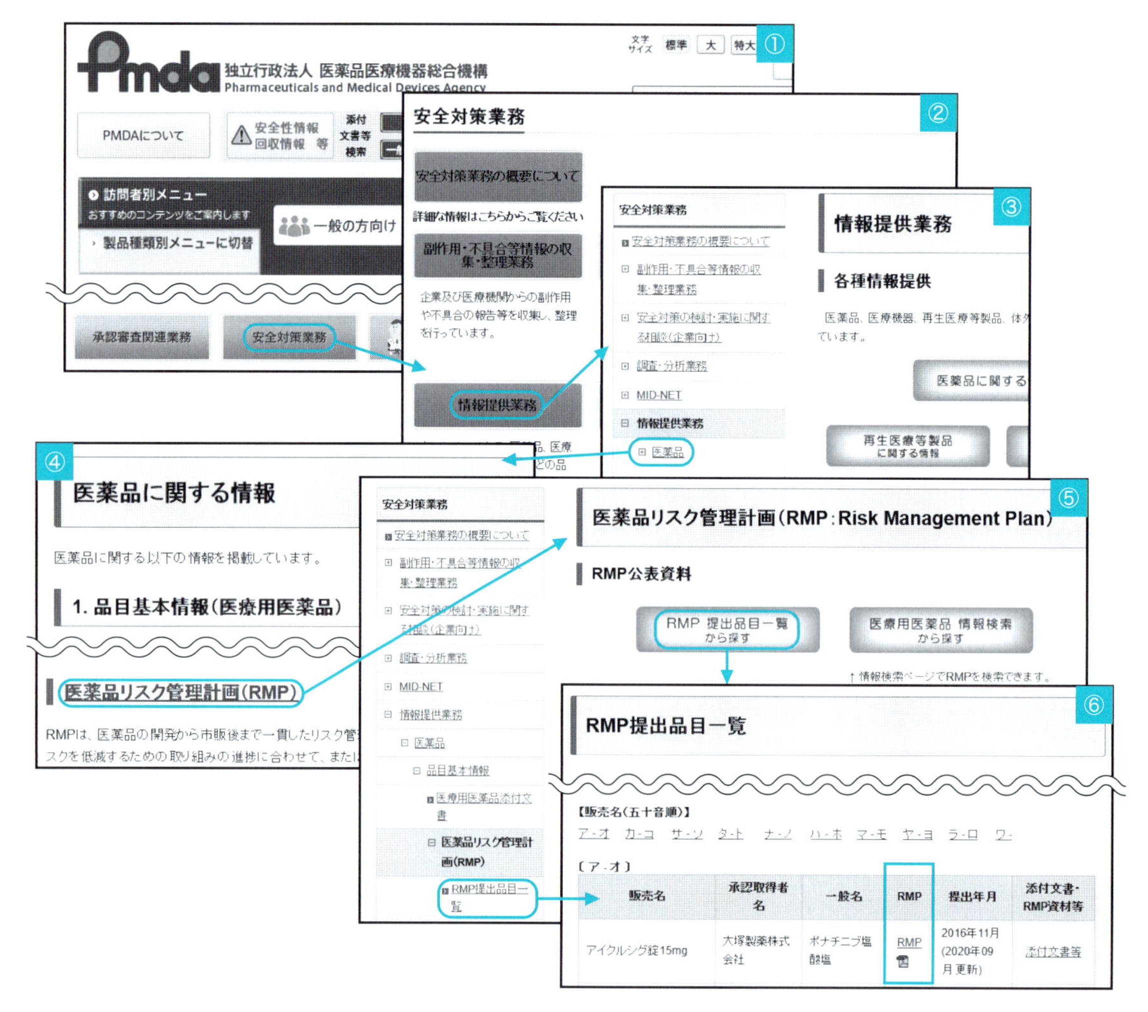

図 3･24　RMP 提出品目一覧へのアクセス方法(PDMA ウェブサイト)
[PMDA(https://www.pmda.go.jp/)(2021 年 12 月 6 日取得)より著者作成]

ため記者会見が行われる．黄色の用紙で厚生労働省により記載要領と様式が定められている．過去に発出された緊急安全性情報について表 3･10 に示す．

(5)安全性速報(ブルーレター)(図 3･25-2)

厚生労働省の指示あるいは製薬企業の自主的判断により，製薬企業が作成する資料である．医療関係者に対して一般的な使用上の注意の改訂情報よりも迅速な注意喚起が必要な場合や，適正使用のための対応を周知する必要がある場合に，「緊急安全性情報」に準じて医療機関に配布または電子メールなどで伝達される．一般向けの情報提供はその医薬品・医療機器の使用形態を踏まえ，必要に応じて行う．過去に発出された安全性情報について表 3･11 に示す．

(6)医薬品等回収関連情報

厚生労働省のウェブサイト→医薬品・医療機器→緊急情報[医薬品等

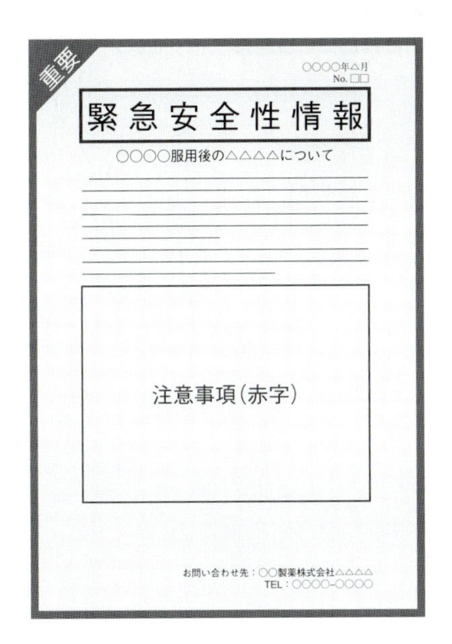

重要

○○○○年△月
No.□□

緊急安全性情報

○○○○服用後の△△△△について

注意事項(赤字)

お問い合わせ先：○○製薬株式会社△△△△
TEL：○○○○-○○○○

図 3・25-1　イエローレター(例)

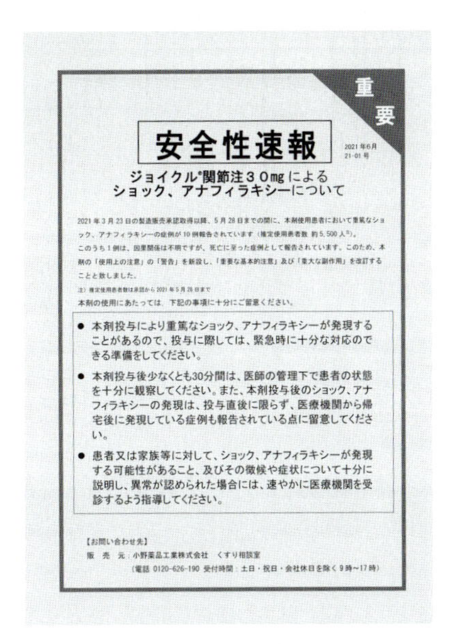

重要

安全性速報

2021年6月
21-01号

ジョイクル®関節注30mgによる
ショック、アナフィラキシーについて

2021年3月23日の製造販売承認取得以降、5月28日までの間に、本剤使用患者において重篤なショック、アナフィラキシーの症例が10例報告されています（推定使用患者数 約5,500人注)）。
このうち1例は、因果関係は不明ですが、死亡に至った症例として報告されています。このため、本剤の「使用上の注意」の「警告」を新設し、「重要な基本的注意」及び「重大な副作用」を改訂することと致しました。

注）推定使用患者数は承認から2021年5月28日まで

本剤の使用にあたっては、下記の事項に十分にご留意ください。

- 本剤投与により重篤なショック、アナフィラキシーが発現することがあるので、投与に際しては、緊急時に十分な対応のできる準備をしてください。
- 本剤投与後少なくとも30分間は、医師の管理下で患者の状態を十分に観察してください。また、本剤投与後のショック、アナフィラキシーの発現は、投与直後に限らず、医療機関から帰宅後に発現している症例も報告されている点に留意してください。
- 患者又は家族等に対して、ショック、アナフィラキシーが発現する可能性があること、及びその徴候や症状について十分に説明し、異常が認められた場合には、速やかに医療機関を受診するよう指導してください。

【お問い合わせ先】
販　売　元：小野薬品工業株式会社　くすり相談室
（電話 0120-626-190 受付時間：土日・祝日・会社休日を除く9時～17時）

図 3・25-2　ブルーレター
[ジョイクル®安全性速報，小野薬品工業株式会社および生化学工業株式会社より許諾を得て転載]

表 3・10　過去に発出された緊急安全性情報

年	内　容
2007	・タミフル®服用後の異常行動について
2003	・経口腸管洗浄剤ニフレック®による腸管穿孔および腸閉塞について ・ガチフロ®錠 100 mg(ガチフロキサシン水和物)による重篤な低血糖，高血糖について
2002	・抗精神病薬セロクエル®錠 25 mg，100 mg(クエチアピンフマル酸塩)投与中の血糖値上昇による糖尿病性ケトアシドーシスおよび糖尿病性昏睡について ・ラジカット®注 30 mg(エダラボン)投与中または投与後の急性腎不全について ・イレッサ®錠 250(ゲフィチニブ)による急性肺障害，間質性肺炎について ・パナルジン®錠・細粒(チクロピジン塩酸塩製剤)による重大な副作用の防止について ・抗精神病薬ジプレキサ®錠(オランザピン)投与中の血糖値上昇による糖尿病ケトアシドーシスおよび糖尿病性昏睡について
2000	・インフルエンザ脳炎・脳症患者に対するジクロフェナクナトリウム製剤の使用について ・ピオグリタゾン塩酸塩投与中の急激な水分貯留による心不全について ・尿酸排泄薬ユリノーム® 25 mg(ベンズブロマロン)による劇症肝炎について
1999	・パナルジン®錠・細粒(チクロピジン塩酸塩製剤)による血栓性血小板減少性紫斑病(TTP)について
1998	・ウィンセフ®点滴用投与中の痙攣，意識障害について ・オダイン®錠(フルタミド)による重篤な肝障害について
1997	・ノスカール®錠(トログリタゾン)による重篤な肝障害について ・抗菌処理カテーテルを使用した際に発生したアナフィラキシー・ショックについて ・CPI 社製ペースメーカーにおけるペーシング不全について ・カンプト®注，トポテシン®注(イリノテカン塩酸塩)と骨髄機能抑制について

表 3・11　2006〜2021 年に発出された安全性速報

年	内　容
2021	・ジョイクル®関節注 30 mg によるショック，アナフィラキシーについて
2019	・ベージニオ®錠 50 mg, 100 mg, 150 mg による重篤な間質性肺疾患について
2015	・ラミクタール®錠による重篤な皮膚障害について
2014	・ソブリアード®カプセル 100 mg による高ビリルビン血症について ・ゼプリオン®水懸筋注シリンジの使用中の死亡症例について ・月経困難症治療薬ヤーズ®配合錠による血栓症について
2013	・ケアラム® 25 mg/コルベット®錠 25 mg とワルファリンとの相互作用が疑われる重篤な出血について
2012	・ランマーク®皮下注 120 mg による重篤な低カルシウム血症について
2011	・プラザキサ®カプセル 75 mg, 110 mg による重篤な出血について
2010	・ビクトーザ®皮下注 18 mg のインスリン治療からの切り替えにより発生した糖尿病性ケトアシドーシス，高血糖について
2009	・ネクサバール®錠投与後の肝不全，肝性脳症について
2008	・ネクサバール®錠 200 mg による急性肺障害，間質性肺炎について
2006	・リツキサン®注 10 mg/mL, B 型肝炎ウイルスキャリアにおける劇症肝炎について

回収関連情報(図 3・26)]

回収される医薬品・医療機器は，健康への危険度の程度により以下の3つのクラスに分けられている．

クラスⅠ：その製品の使用などが，重篤な健康被害または死亡の原因となり得る状況．

クラスⅡ：その製品の使用などが，一時的な，もしくは医学的に治療可能な健康被害の原因となる可能性があるか，または重篤な健康被害のおそれはまず考えられない状況．

クラスⅢ：その製品の使用などが，健康被害の原因となるとはまず考えられない状況．

(7)医薬品安全対策情報(DSU)（図 3・27）

DSU(Drug Safety Update)は製薬企業が提供する添付文書の使用上の注意の改訂情報である．厚生労働省医薬・生活衛生局監修により，参加企業の改訂情報をまとめたものが年 10 回ほど発行され，医療機関に提供される．改訂内容は，重要度に応じて最重要，重要，その他の 3 段階に薬効分類ごとに記載されている．

(8)医療用医薬品製品情報概要(パンフレット)

医薬品の発売時，医薬品の適正使用の推進のため，製薬企業が作成する情報文書である．改訂版は随時作成される．警告・禁忌を明記し，科学的根拠に基づき，有効性・安全性に関する情報をあわせて記載するものである．

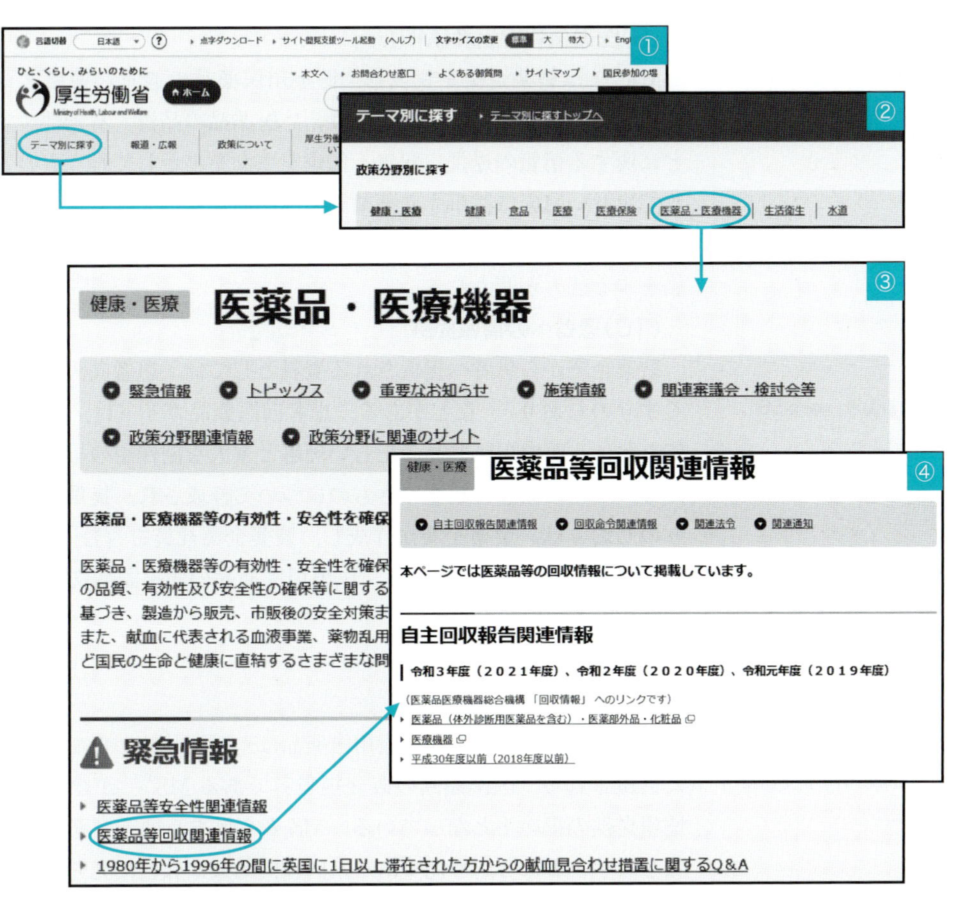

図 3･26　医薬品等回収関連情報へのアクセス方法（厚生労働省ウェブサイト）
［厚生労働省（https://www.mhlw.go.jp/）（2021 年 12 月 6 日取得）より著者作成］

2021. 12
No. 304
厚生労働省 医薬・生活衛生局 監修
DRUG SAFETY UPDATE
医薬品安全対策情報
―医療用医薬品使用上の注意改訂のご案内―
編集・発行　日本製薬団体連合会

図 3･27　医薬品安全対策情報
［厚生労働省医薬・生活衛生局（監），日本製薬団体連合会（編）：医薬品安全対策情報 No.304, 2021，日本製薬団体連合会より許諾を得て転載］

(9)医薬情報担当者(MR)

MR[*11] は製薬企業を代表し，医療用医薬品の適正な使用と普及を目的として，医療関係者に面接のうえ，医薬品の品質，有効性，安全性などに関する情報の提供，収集，伝達を主な業務として行うものと定義されており，臨床に従事する薬剤師の医薬品情報に大きく貢献する存在である．臨床薬剤師は MR から得る多くの医薬品情報に対して適正な評価をする能力が問われる．

*11　MR(medical representative)　☞p.20

(10)患者への情報提供

製薬企業から患者へ提供される資料としては，患者向医薬品ガイドやくすりのしおり[*12] などがある．患者向医薬品ガイドは，患者やその家族などに，医療用医薬品の正しい理解と重大な副作用の早期発見を促すため，とくに注意喚起すべきものについて作成され，提供される．くすりのしおりは，製薬企業が作成し，製薬企業社員を含む「くすりの適正使用協議会」が取りまとめる，医療用医薬品の服薬説明文書であり，薬剤師の服薬指導資料となる．

*12　くすりのしおり　☞p.58

b 医薬品卸

製薬企業で生産された医療用医薬品は，医薬品卸から病院や保険薬局に供給される．医薬品卸の販売担当者である MS[*13] が総合的な医薬品情報提供の担い手となっている．MS からはあらゆる製薬企業の製品情報を入手することが可能である．同種同効薬が数社で発売されている場合，各製薬企業の MR からの詳細な情報と医薬品卸の MS からの幅広い情報をともに入手することが，医薬品の適正使用につながる．

*13　MS(marketing specialist)　☞p.20

C 日常よく利用する医薬品情報源

SBO・医薬品添付文書(医療用，一般用)の法的位置づけについて説明できる．
・医薬品添付文書(医療用，一般用)の記載項目(警告，禁忌，効能・効果，用法・用量，使用上の注意など)を列挙し，それらの意味や記載すべき内容について説明できる．
・医薬品インタビューフォームの位置づけと医薬品添付文書との違いについて説明できる．

ポイント

- 医薬品添付文書(医療用，一般用)は法的根拠をもつ情報源であるが，それゆえにすべての情報は網羅しきれてはいない．
- 医薬品インタビューフォームは医薬品添付文書を補完する情報源であるが情報量が多く，その内容は十分吟味して活用する必要がある．

❶ 医療用医薬品添付文書

医療用医薬品添付文書(添付文書等記載事項)および後述する電子化された医療用医薬品添付文書(注意事項等情報)は，**医薬品，医療機器等の品質，有効性および安全性の確保等に関する法律(以下，医薬品医療機器等法)第 52 条と 68 条**で規定される医薬品情報源であり，製薬企業より提供される．新記載要領に基づく添付文書のイメージ図を図 3･28 に示す．

ⓐ 記載項目および順序（各項目の記載位置を図3・28に示した）

(1)作成または改訂年月（図3・28-①）

直近の変更箇所ならびに本書の変更回数を知ることができ，添付文書集などの差し替えに便利であるが，変更前の記述は載っていないので何がどのように変更になったのかまでは旧版と対比させて追わなければならない．

(2)日本標準商品分類番号（図3・28-②）

総務省が統計調査の結果を商品別に表示する場合の統計基準としているものであるが，現場では発注管理・在庫管理に活用されている．

(3)承認番号，販売開始年月日（図3・28-③）

薬価基準収載年月，再審査結果公表年月などは記載されない．

(4)貯法，有効期間（図3・28-④）

製剤が包装された状態での貯法と有効期間が記載される．

(5)薬効分類名（図3・28-⑤）

当該医薬品の薬効または性格を知ることができるが，正しく表すことができない場合は記載されていないこともある．

(6)規制区分（図3・28-⑥）

毒薬，劇薬，麻薬，向精神薬，覚醒剤，覚醒剤原料，習慣性医薬品および処方箋医薬品の区分を知ることができ，医薬品管理に活用される．

(7)名称（図3・28-⑦）

日本薬局方収載医薬品は局方名と任意で販売名が記載される．局方外医薬品は販売名と一般名が併記される．

(8)警告（図3・28-⑧）

致死的またはきわめて重篤かつ非可逆的な副作用が発現する場合，または副作用が発現する結果きわめて重大な事故につながる可能性があって，とくに注意を喚起する必要がある場合に本文文頭に記載される．注意喚起のために**赤枠・赤字**で記載される．**右上隅**に**逆L字**の**赤帯**が付される．

(9)禁忌（図3・28-⑨）

患者の症状，現疾患，合併症，既往歴，家族歴，体質，併用薬剤などからみて投与すべきでない患者が，警告に続けて記載される．注意喚起のために**赤枠・黒字**で記載される．

(10)組成・性状（図3・28-⑩）

組成については有効成分の名称およびその分量と添加物が記載される．性状には識別上に必要な色，味，におい，識別コード，pH，浸透圧比などが記載されるが，添加物については記載義務の有無によって必ずしもすべてが記載されるわけではない．

(11)効能又は効果（図3・28-⑪）

承認を受けた効能または効果が記載される．適応外使用についての記載はないので注意が必要である．

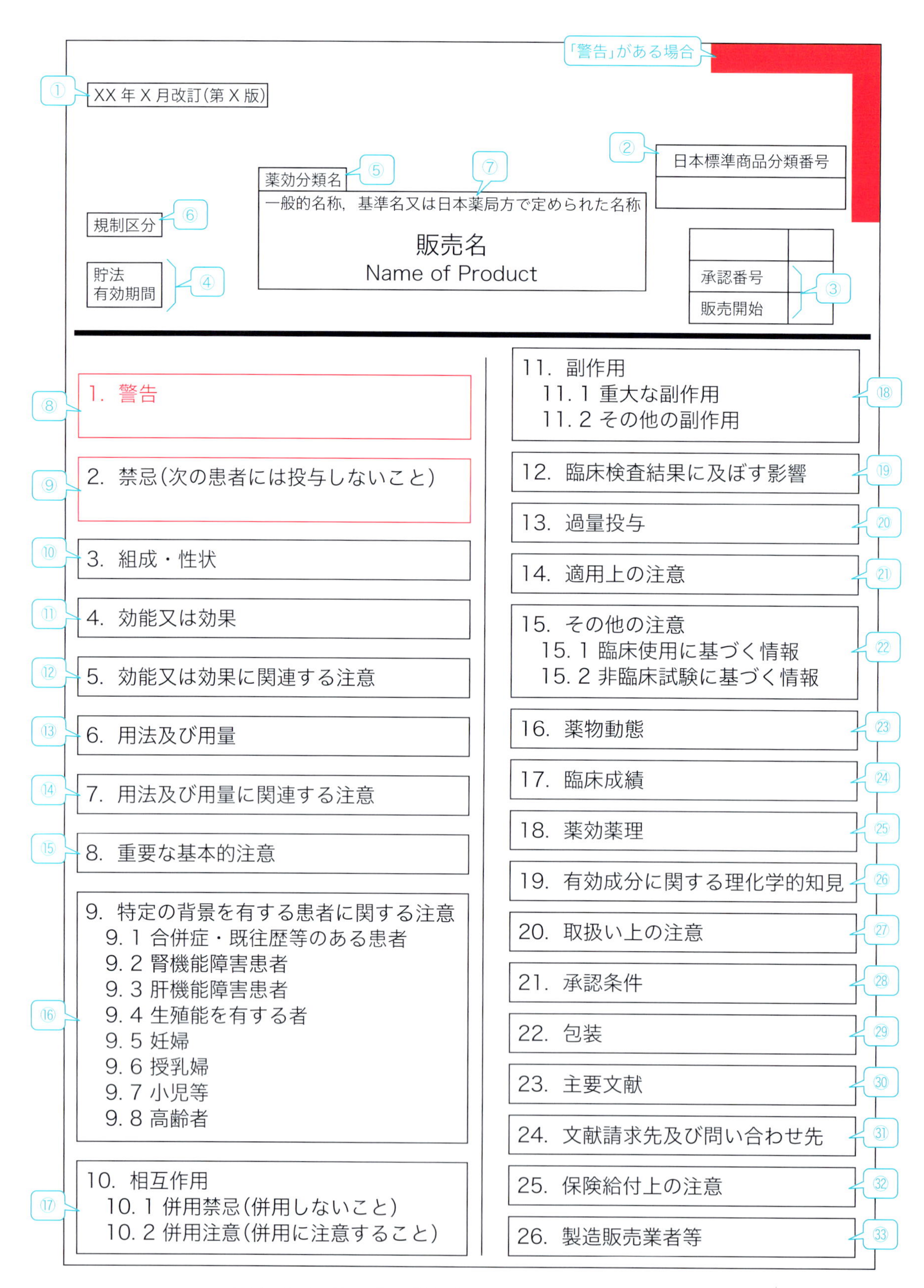

図 3·28　医療用医薬品添付文書の形式(2019年4月から適用)

[医療用医薬品の添付文書等の記載要綱について：平成29年6月8日，薬生発0608第1号，各都道府県知事あて厚生労働省医薬・生活衛生局長通知]

(12)効能又は効果に関連する注意(図 3・28-⑫)

承認を受けた効能または効果の範囲における患者選択や治療選択に関する注意事項が記載される.

(13)用法及び用量(図 3・28-⑬)

承認を受けた用法および用量が記載される．効能または効果に応じて用法および用量が定められているものはこれを書き分ける．適応外使用についての記載はないので注意が必要である．また,「適宜増減」についての解釈は定まっていないので増量処方は必ず確認すべきである.

(14)用法及び用量に関連する注意(図 3・28-⑭)

承認を受けた用法および用量の範囲であって，特定の条件下での用法および用量ならびに用法および用量を調節するうえでとくに必要な注意事項が記載される．具体的な投与期間に関する注意や併用療法などに関する事項も本項に記載される.

(15)重要な基本的注意(図 3・28-⑮)

重大な副作用の発生防止や早期発見のため定期的に行う検査，当該医薬品の投与前に実施すべき検査などが記載される.

(16)特定の背景を有する患者に関する注意(図 3・28-⑯)

「合併症・既往歴等のある患者」「腎機能障害患者」「肝機能障害患者」「生殖能を有する者」「妊婦」「授乳婦」「小児等」「高齢者」に関する注意事項が記載される.

(17)相互作用(図 3・28-⑰)

①ほかの医薬品を併用することにより，当該医薬品または併用薬の薬理作用の増強または減弱，副作用の増強，新しい副作用の出現または原疾患の増悪などが生じる場合で，臨床上注意を要する組み合わせが記載される．これには物理療法，飲食物などとの相互作用についても重要なものを含む.

②内容により措置概略として,「併用禁忌」と「併用注意」に分けて記載される(併用禁忌は禁忌の項にも記載され,「相互作用の項参照」と記載される).

③まず相互作用を生じる薬剤名・薬効群名があげられ，次に相互作用の内容(臨床症状，措置方法，機序，危険因子など)が記載される．また，相互作用の種類(機序など)が異なる場合には項を分けて記載される.

④併用禁忌の記載は一般名と代表的な販売名が併記される.

⑤表形式で記載される．併用注意では，場合により記述方式で記載されることがある.

(18)副作用(図 3・28-⑱)

①医薬品の使用に伴って生じる副作用などが「重要な副作用」と「その他の副作用」に区分されて記載される.

②「重大な副作用」では次の要領にのっとって記載される.

a)当該医薬品にとってとくに注意を要するものが記載される.

b）発現頻度は，できる限り具体的な数値が記載される．副詞によって頻度を表す場合には，「まれに（0.1%未満）」「ときに（5%以下）」など，数値の目安が併記される．

c）副作用の発現機序，発生までの期間，具体的防止策，処置方法などが判明している場合には，必要に応じて（　）書きされる．

d）初期症状（臨床検査値の異常を含む）があり，その症状が認められた時点で投与を中止するなどの措置をとることにより症状の進展を防止できることが判明している場合には，その初期症状が（　）書きされる．

e）海外のみで知られている重大な副作用については，原則として国内の副作用に準じて記載される．

f）類薬で知られている重大な副作用については，必要に応じて本項に記載される．

③「その他の副作用」では次の要領にのっとって記載される．

a）重大な副作用以外の副作用については発現部位別，投与方法別，薬理学的作用機序または発現機序別などに分類され，発現頻度を設定した表形式などで記載される．

b）海外のみで知られているその他の副作用についても，原則として国内の副作用に準じて記載される．

(19)臨床検査結果に及ぼす影響（図3･28-⑲）

医薬品を使用することによって，臨床検査値が見かけ上変動し，しかも明らかに器質障害または機能障害と結び付かない場合に記載される（器質障害または機能障害との関係が否定できない場合には，「副作用」の項に記載される）．

(20)過量投与（図3･28-⑳）

①過量投与の例があれば記載される．

②過量投与時（自殺企図，誤用を含む）に出現する中毒症状が記載され，適切な処置方法があればあわせて記載される．

(21)適用上の注意（図3･28-㉑）

投与経路，剤形，注射速度，投与部位，調製方法，薬剤交付時などに関し，必要な注意が標題を付けて記載される．

(22)その他の注意（図3･28-㉒）

①評価の確立していない文献，報告であっても重要な情報は要約され，「…との報告がある」と記載される．

②前記のいずれにも属さないが，必要な注意（たとえば，動物実験の毒性に関する記載必要事項など）は本項に記載される．

③データの根拠がある場合には腎機能・肝機能などの程度に応じた投与量・投与間隔の解説も記載される．

(23)薬物動態（図3･28-㉓）

ヒトでの吸収，分布，代謝，排泄に関するデータが記載される．これらのデータからその医薬品の消失経路(腎排泄型，肝排泄型)を把握できる．それらが得られない場合は補足的に動物実験の結果が記載される．

(24)臨床成績(図3･28-㉔)

精密かつ客観的に行われた臨床試験の結果について，投与量，投与期間，症例数，有効率などを承認を受けた用法および用量に従って記載される．

しかし，他剤との比較を記載する場合には，その対照が汎用医薬品であり，精密かつ客観的に行われた比較試験の成績がある場合のみ記載できる．

(25)薬効薬理(図3･28-㉕)

効能または効果を裏付ける薬理作用および作用機序が記載される．この記述は医薬品の併用療法が行われる場合，期待されるのは相乗作用なのか相加作用なのかの判断材料となる．動物実験の結果を用いる場合には動物種を，また *in vitro* 試験の結果を用いる場合にはその旨がそれぞれ記載される．

(26)有効成分に関する理化学的知見(図3･28-㉖)

一般的名称，化学名，分子式，化学構造式，核物理学的特性(放射性物質に限る)，性状などが必要に応じて記載される．ここに記載されているのはあくまでも「有効成分」に関するものであり，製剤としては添加物と塩を形成している場合でもそれらは記載されないので留意すべきである．

(27)取扱い上の注意(図3･28-㉗)

吸湿性，光分解性など，保管時，調剤時，投薬時に留意すべき事項がある場合に記載される．

(28)承認条件(図3･28-㉘)

承認にあたって試験の実施などの条件を付された場合には，その内容が記載される．

(29)包装(図3･28-㉙)

医薬品を発注する際は，ここに記載されている包装単位にのっとり行われる．

(30)主要文献(図3･28-㉚)

(31)文献請求先及び問い合わせ先(図3･28-㉛)

文献請求先にあっては，その氏名または名称および住所が記載される．ここに記載されている文献の入手については当該メーカーの医薬情報担当者(MRなど)が対応してくれる．

(32)保険給付上の注意(図3･28-㉜)

保険給付の対象とならない医薬品や効能または効果の一部のみが保険給付の対象となる場合はその旨記載される．投与期間制限のある場合など，保険給付上の注意がある場合に記載される．

(33)製造販売業者等(図3･28-㉝)

作成または改訂年月(版数)
貯法，取扱い上の注意等
規制区分
薬効分類名
販売名
日本薬局方等の名称
一般名
欧文名
日本標準商品分類番号
承認番号
薬価基準収載年月
販売開始年月
再審査・再評価結果の公表年月
効能・効果の追加承認年月
特定生物由来製品に関する記載
警　告
禁　忌
原則禁忌
組成・性状
効能または効果
効能または効果に関連する使用上の注意
用法および用量
用法および用量に関連する使用上の注意
使用上の注意
慎重投与
重要な基本的注意
相互作用
併用禁忌
原則併用禁忌
併用注意
副作用
重大な副作用
その他の副作用
高齢者への投与
妊婦，産婦，授乳婦などへの投与
小児などへの投与
臨床検査結果に及ぼす影響
過量投与
適用上の注意
その他の注意
薬物動態
臨床成績
薬効薬理
有効成分に関する理化学的知見
取扱い上の注意
承認条件
包　装
主要文献および文献請求先
投薬期間制限医薬品に関する情報
製造販売業者または輸入販売業者の氏名
または名称および住所

図 3･29　医療用医薬品添付文書の形式(2019 年 3 月まで適用)

上記のように医療用医薬品添付文書には有用な情報が記載されているが，記載面積が限られている(通例，A4 判 4 頁程度)ためすべてを網羅しきれてはいない．それゆえ，後述する医薬品インタビューフォームの活用も取り入れて医薬品情報業務を行っていくべきである．

b 記載項目の改正

2019 年 4 月 1 日から新記載要領が適用となった．ただし，2019 年 4 月 1 日時点ですでに承認されている医薬品の添付文書など，および承認申請中の医薬品の添付文書(案)については，2024 年 3 月 31 日までにできるだけ速やかに新記載要領に基づいた改訂を行うこととされた．図

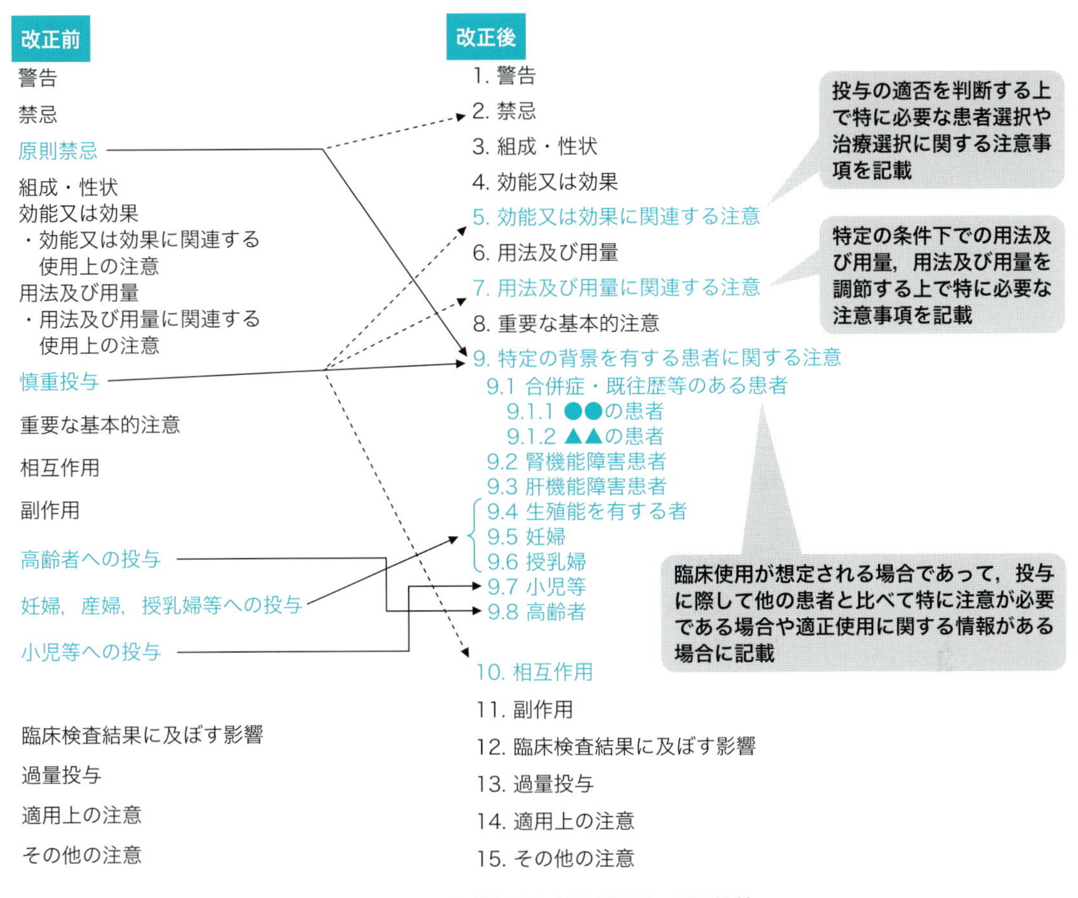

図 3･30　旧記載要領と新記載要領の項目比較

注　矢印は旧記載要領に基づく添付文書から改正記載要領に基づく添付文書への移行先を示しているが，これ以外の項への移行や，削除する例もあり得る．

［厚生労働省医薬・生活衛生局：医薬品・医療機器等安全性情報 No.344，2017 より引用］

3･29 に旧様式の添付文書のイメージを，図 3･30 に改正点を示す．

主な改正内容は次のとおりである．

(1)「原則禁忌」の廃止

「原則禁忌」は廃止し，「禁忌」または「特定の背景を有する患者に関する注意」の項へ記載する（「合併症・既往歴等のある患者」の項など）．

(2)「慎重投与」の廃止

「慎重投与」は廃止し，新設する「特定の背景を有する患者に関する注意」など，その他適切な項へ記載する（「合併症・既往歴等のある患者」の項など）．

(3)「高齢者への投与」「妊婦，産婦，授乳婦等への投与」「小児等への投与」の廃止

「高齢者への投与」「妊婦，産婦，授乳婦等への投与」「小児等への投与」は廃止し，新設する「特定の背景を有する患者に関する注意」の項内の適切な項へ記載する（「高齢者」「生殖能を有する者」「妊婦」「授乳婦」

「小児等」の項）．

（4）「特定の背景を有する患者に関する注意」の新設

「特定の背景を有する患者に関する注意」を新設し，同項に「合併症・既往歴等のある患者」「腎機能障害患者」「肝機能障害患者」「生殖能を有する者」「妊婦」「授乳婦」「小児等」「高齢者」の項を新設する．

（5）項目の通し番号の設定

「警告」以降のすべての項目に番号を付与，該当がない場合は欠番とする．

（6）「副作用」に記載する事項

副作用の始めに記載する概要について，ほかの項との重複などを考慮し，廃止する（副作用の概要は，主に臨床試験成績の抜粋であるため，臨床成績に原則統一する）．

c 添付文書の電子化

医薬品医療機器等法の改正により 2021 年 8 月より紙の添付文書は原則廃止され，電子的な方法で閲覧することが基本となった（経過措置 2 年）．これは最新の科学的知見に基づいた情報を紙媒体で提供することが困難なことと，添付文書がすべての製品に同梱されているのは紙資源の浪費につながっているとの指摘によるものである．

また，これを契機にこれまで「添付文書等記載事項」と定義されていたもの（前述 a 項参照）は「注意事項等情報」と呼称されることとなった．

（1）紙媒体などでの情報提供が必要な場合

下記の場合には，製造販売業者から紙媒体等での情報提供が今後も行われる．

①医薬品などを初めて購入する場合

②医薬品などの注意事項などの情報が変更された場合

③医薬関係者から求めがあった場合

（2）電子的な手法による閲覧方法

以下の 2 つの方法が一般的である．

①独立行政法人医薬品医療機器総合機構のホームページから閲覧する．

②「添文ナビ」の利用

医療従事者向けの無償アプリで，Apple 社および Google 社の各公式ストアから自分のモバイル端末にインストールし閲覧する．詳細については下記 URL を参照のこと．

・GS1 Japan「添文ナビ」（使用方法など）

（https://www.gs1jp.org/standard/healthcare/tenbunnavi/app/index.html）

なお，次の項で述べる一般用医薬品添付文書は，一般消費者が使用のつど，その内容を確認することができるようにする必要性が高いことから従来どおりの提供となる．

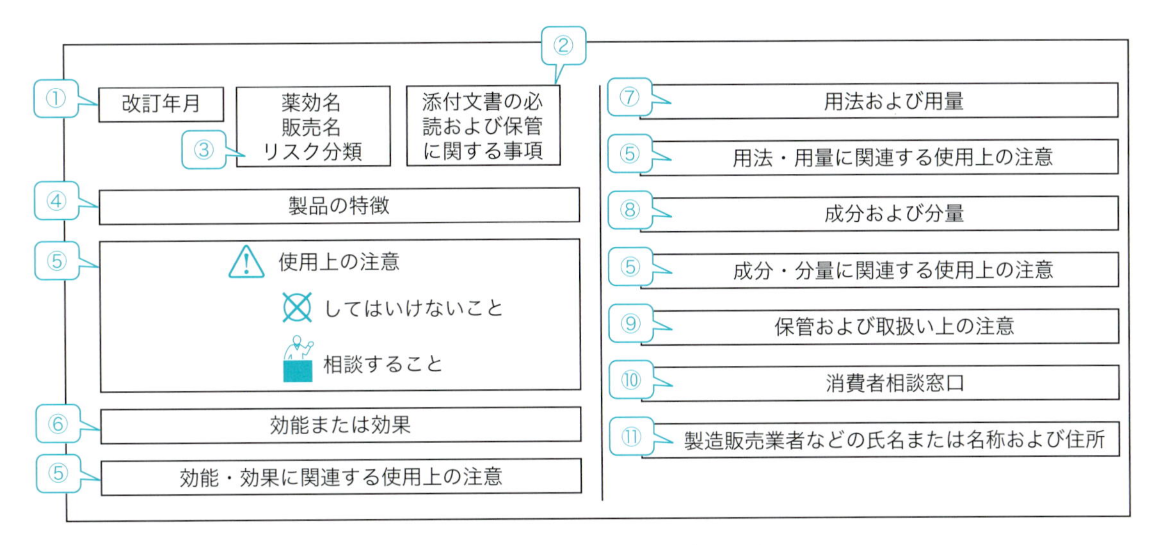

図 3･31　一般用医薬品添付文書の形式

❷ 一般用医薬品添付文書

医療用医薬品と同様に医薬品医療機器等法第 52 条と 68 条で規定される医薬品情報源である．また，一般市民が読むことを前提に作成されるため種々の工夫が施されている．その形式を図 3･31 に示す．

ⓐ 記載項目の内容（各項目の記載位置を図 3･31 上に示した）

(1)改訂年月（図 3･31-①）

重要な事項を変更した場合は，改訂年月を記載するとともに，改訂箇所が明示される．これにより臨床使用が広がるにつれ出現する新しい事象を把握することができる．また，添付文書集の差し替え業務などに利用できる．

(2)添付文書の必読および保管に関する事項（図 3･31-②）

添付文書の販売名の上部に，添付文書の必読および保管に関する注意が記載される．この事項は来局者への説明や医薬品管理に活用できる．

(3)薬効名，販売名およびリスク分類（図 3･31-③）

日本薬局方に収められていない医薬品においては，承認を受けた販売名が記載される．日本薬局方に収められている医薬品においては，日本薬局方で定められた名称を記載し，販売名がある場合は併記される場合もある．薬効名としては当該医薬品の薬効または性格を正しく表すことのできる名称が記載される．

(4)製品の特徴（図 3･31-④）

使用者が製品の概要を知るために必要な内容が簡潔に記載される．使用者の理解が深まるように症状と薬理作用が平易な言葉を用いて記載される．

(5)使用上の注意(図3･31-⑤)

①「使用上の注意」で効能または効果に関連する事項は，「効能または効果」の項目に続けて承認内容と明確に区別して記載される．ほかの記載事項にも共通するが，「太字」を活用し使用者の注意を引く記載となっている．

②「使用上の注意」で用法および用量に関連する事項は，「用法および用量」の項目に続けて承認内容と明確に区別して記載される．表にまとめることで文章量の軽減を図る場合もある．

③「使用上の注意」で成分および分量に関連する事項は，「成分および分量」の項目に続けて成分，分量および医薬品添加物の記載と明確に区別して記載される．

(6)効能または効果(図3･31-⑥)

承認を受けた効能または効果が記載される．ただし，承認を要しない医薬品においては，医学・薬学上認められた範囲内の効能または効果が記載される．使用者の理解を図るために病名ではなく「症状」で記載される．

(7)用法および用量(図3･31-⑦)

承認を受けた用法および用量が記載される．ただし，承認を要しない医薬品においては，医学・薬学上認められた範囲内の用法および用量が記載される．

(8)成分および分量(図3･31-⑧)

有効成分の名称(一般的名称のあるものについては，その一般的名称，有効成分が不明なものについては，その本質および製造方法の要旨)およびその分量ならびに医薬品添加物の名称が記載される．

(9)保管および取扱い上の注意(図3･31-⑨)

この記載事項は来局者への説明や医薬品管理に活用できる．

(10)消費者相談窓口(図3･31-⑩)

一般使用者からの当該医薬品についての相談に応じることのできる連絡担当部門の名称，電話番号，受付日時などが記載される．相談窓口は本来当該医薬品を販売した店舗があたるべきであるが，連絡がつかない場合やその他の使用者の便宜を考え記載される．

(11)製造販売業者などの氏名または名称および住所(図3･31-⑪)

製造販売業者の氏名または名称および住所が記載される．当該医薬品の販売を製造業者以外が行う場合など，必要に応じて販売業者の氏名または名称および住所もあわせて記載される．

一般用医薬品添付文書の一番の特徴は，情報伝達の相手が一般消費者(使用者)であることを考慮し，適宜図表(用法・用量)やイラスト[錠剤の取り出し方にPTP(press through package)シートや，服用時期に時計など]を用いての工夫が求められている．

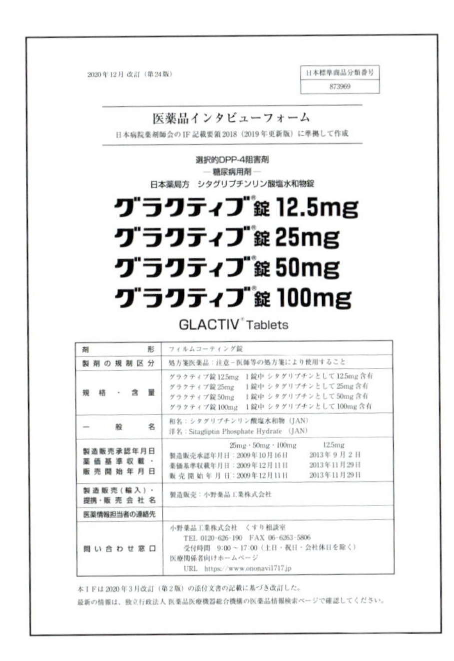

2020年12月 改訂（第24版）

日本標準商品分類番号
873969

医薬品インタビューフォーム

日本病院薬剤師会のIF記載要領2018（2019年更新版）に準拠して作成

選択的DPP-4阻害剤
—糖尿病用剤—
日本薬局方 シタグリプチンリン酸塩水和物錠

グラクティブ®錠 12.5mg
グラクティブ®錠 25mg
グラクティブ®錠 50mg
グラクティブ®錠 100mg

GLACTIV® Tablets

剤形	フィルムコーティング錠
製剤の規制区分	処方箋医薬品：注意－医師等の処方箋により使用すること
規格・含量	グラクティブ錠12.5mg 1錠中 シタグリプチンとして12.5mg含有 グラクティブ錠25mg 1錠中 シタグリプチンとして25mg含有 グラクティブ錠50mg 1錠中 シタグリプチンとして50mg含有 グラクティブ錠100mg 1錠中 シタグリプチンとして100mg含有
一般名	和名：シタグリプチンリン酸塩水和物（JAN） 洋名：Sitagliptin Phosphate Hydrate（JAN）
製造販売承認年月日 薬価基準収載・ 販売開始年月日	25mg・50mg・100mg　12.5mg 製造販売承認年月日：2009年10月16日　2013年9月2日 薬価基準収載年月日：2009年12月11日　2013年11月29日 販売開始年月日：2009年12月11日　2013年11月29日
製造販売（輸入）・ 提携・販売会社名	製造販売：小野薬品工業株式会社
医薬情報担当者の連絡先	
問い合わせ窓口	小野薬品工業株式会社 くすり相談室 TEL 0120-626-190 FAX 06-6263-5806 受付時間 9:00～17:00（土日・祝日・会社休日を除く） 医療関係者向けホームページ URL https://www.ononavi1717.jp

本IFは2020年3月改訂（第2版）の添付文書の記載に基づき改訂した。

最新の情報は、独立行政法人 医薬品医療機器総合機構の医薬品情報検索ページで確認してください。

図3･32 医薬品インタビューフォームの表紙(例)
[グラクティブ®医薬品インタビューフォーム，小野薬品工業株式会社より許諾を得て転載]

❸ 医薬品インタビューフォーム

医薬品インタビューフォーム(IF)は，**日本病院薬剤師会**が策定する記載要領に基づいて**製薬企業**が作成・提供する情報媒体である．医療用医薬品添付文書はその法的規制により記載面積も限られているため(おおむねA4判4頁程度)，記載されている情報は必要最小限に絞られている．IFはこれを補完し，薬剤師など医療関係者の医薬品情報収集に寄与している．その表紙の一例を図3･32に示す．

ⓐ 記載項目の内容

日本病院薬剤師会のIF記載要領2018は以下のとおりである．

(1)概要に関する項目

①開発の経緯：開発国・開発会社名，起原，構造上の改善点・特徴，有効成分の起原・本質，構造活性相関および新規の薬理作用が記載される．再審査，再評価が終了したものはその経過が記載される．本事項の記述より当該医薬品が開発された背景の概要を知ることができる．

②製品の治療学的特性・③製品の製剤学的特性：当該薬剤の有効性に関する特性，安全性に関する特性，ベネフィットとリスクのバランスを最適化するために必要な投与対象，投与方法などに関する特性を記載するとともに，製剤学的な工夫や特性，薬理学的な活性・選択性などに関する特性，治療上重要となる位置づけや特性，適正使用に関して周知すべき特性について記載される．なお，特性の記載にあたっては，当該特性がIFのどの項(頁)に詳述されているかわかるように注釈を付ける．ただし，製薬企業の宣伝色が入る場合があるため，中立的立場で本項の記述はとらえなければならない．

④適正使用に関して周知すべき特性：医薬品リスク管理計画(RMP)，追加のリスク最小化活動として作成されている資材，最適使用推進ガイドライン，留意事項通知の有無が記載される．

⑤承認条件および流通・使用上の制限事項：承認にあたって付された試験の実施などの条件，「使用に制限あり」とされている場合に具体的内容や必要な手続きが記載される．

⑥ RMP の概要：RMP の概要が記載される．

(2)名称に関する項目

①販売名：和名(製造販売承認を受けた販売名)，洋名(当該製薬企業が定めたもの)，名称の由来(由来が明らかな場合)が記載される．名称の由来は医療関係者への情報提供業務の際に活用できる．

②一般名：和名(命名法)，洋名(命名法)，ステム(stem)が記載される．

③構造式または示性式：有効成分のものなのか，製剤中に含有される成分のものなのかを判別する必要があるため留意が必要である．

④分子式および分子量

⑤化学名(命名法)または本質：化学名の末尾に命名法が併記される．

⑥慣用名・別名・略名・記号番号：抗菌薬や抗悪性腫瘍薬などで略号がある場合はその略号が記載される．記号番号については治験番号などが記載される．

(3)有効成分に関する項目

①物理化学的性質：外観・性状，溶解性，吸湿性，融点・沸点・凝固点，酸塩基解離定数，分配係数，その他の主な示性値が記載される．これらの値は利用価値の高いものなので，記載がない場合は当該企業の MR より情報を入手し追記しておくべきである．

②有効成分の各種条件下における安定性：温度・湿度・光・強制分解による生成物，溶液中での安定性試験成績，長期保存試験，苛酷試験および加速試験，相対比較などが製造販売指針の範囲内で記載される．苛酷試験で反応生成物が同定できた場合はその生成物についても記載される．

③有効成分の確認試験法，定量法：測定方法，分析方法が記載される．大学病院の試験室などで品質管理のために活用される．

(4)製剤に関する項目

※注射剤，外用剤については別規定あり．

①剤形：剤形の区別・外観および性状，製剤の物性，識別コード，pH・浸透圧比・粘度・比重・無菌の旨および安定な pH 域などが記載される．このなかで pH と浸透圧比についてはその表現がおおまかであるため注意して活用すべきである．

②製剤の組成：有効成分の含量，添加物，その他が記載される．前述のとおり，添加物については必ずしもすべてが記載されているわけではないので注意が必要である．

③添付溶解液の組成および容量：添付文書に準じて具体的に記載される．

④**力価**：抗菌薬の場合，力価の表示は化学物質全体によるか，または活性部分によっているかが記載される．

⑤**混入する可能性のある夾雑物**：夾雑物，分解物がある製剤は，それらがアレルギーなどの原因になる懸念があるため，その名称，性状などについて記載される．

⑥**製剤の各種条件下における安定性**：湿度，温度，光などに対する経時変化が記載される．無包装下の安定性の資料があればシャーレ(開放状態)などの条件も記載される．医薬品管理や一包化調剤時に有用な記載事項である．

⑦**調製法および溶解後の安定性**：ドライシロップ剤など用時溶解して使用する製剤の調製法および溶解後の安定性について室温などの条件別に記載される．使用可能期間を明示する必要がある場合も記載される．患者への薬剤交付時に活用できる記載事項である．

⑧**他剤との配合変化(物理化学的変化)**：試験方法および試験結果などが記載される．基礎的な配合変化の情報を記載し，具体的な情報は別資料などで提供される旨が記載される．注射剤に関しては pH 変動スケールで記載される場合と表形式で記載される場合がある．また，最近では目視できない配合変化も捉えるために不溶性微粒子試験の結果を掲載している場合もある．

⑨**溶出性**：錠剤またはカプセル剤の有効成分の溶出試験法と結果が記載される．大学病院の試験室などで品質管理に活用される．

⑩**容器・包装**

- チャイルドプルーフなど，使用に際して注意が必要な容器，あるいは特殊な製剤について具体的な取扱い方法を含めて記載される．画像を用いる場合もある．
- 形態，規格，製品に同梱される物の内容，数量について記載される．
- 輸液製剤の予備容量データを記載.気体を吸引せずに追加できる液量，置換して追加できる最大容量が明示される．
- 部位別に材質を記載．とくに廃棄に注意すべき情報がある場合には記載される．

⑪**別途提供される資材類**：提供可能な服薬(施用)補助器具やフレーバー，資材類の内容や請求法に関する情報などが記載される．

⑫**その他**：調整後注射液のフィルター通過性，点眼液の 1 滴の容量などの情報がある場合に記載される．

(5)治療に関する項目

①**効能または効果**：承認を受けた効能または効果が記載される．後発医薬品においては必ずしも先発医薬品と一致しない場合があるので留意する必要がある．

②**効能または効果に関連する注意**：該当事項があれば記載し，制限事項などを解説する．

③用法および用量：承認を受けた用法および用量が記載され，用法および用量の解説とその設定経緯・根拠が示される．

④用法および用量に関する注意：該当事項があれば記載し，制限事項などを解説する．

⑤臨床成績：承認申請資料および公表文献に基づき試験方法と試験結果の概要が記載される．

(6)薬効薬理に関する項目

①薬理学的に関連ある化合物または化合物群：同種同効品の上市状況が本記載事項から読み取れる．

②薬理作用：作用部位・作用機序，薬効を裏付ける試験成績，作用発現時間・持続時間が記載される．本記載事項は患者，医療関係者への医薬品情報伝達業務の根幹になる．

(7)薬物動態に関する項目

①血中濃度の推移：治療上有効な血中濃度，最高血中濃度到達時間，臨床試験で確認された血中濃度，中毒域，食事・併用薬の影響，母集団(ポピュレーション)解析により判明した薬物体内動態変動要因が記載される．当該医薬品を適用した患者のモニタリングに活用できる情報である．

②薬物速度論的パラメータ：解析方法，吸収速度定数，消失速度定数，クリアランス，分布容積が記載される．当該医薬品を適応した患者の用法・用量調節に活用される．

③母集団(ポピュレーション)解析：解析方法・パラメータ変動要因について記載される．

④吸収：バイオアベイラビリティ，吸収部位，経路，吸収率，腸管循環などについて記載される．

⑤分布：血液-脳関門通過性，血液-胎盤関門通過性，乳汁への移行性，髄液への移行性，その他の臓器への移行性，血漿タンパク結合率が記載される．妊婦，授乳婦へ配慮を行う場合や病巣存在部位を意識した医薬品選択を行う場合に活用される．

⑥代謝：代謝部位および代謝経路，代謝に関する酵素(CYPなど)の分子種，初回通過効果の有無およびその割合，代謝物の活性の有無および比率，活性代謝物の速度論的パラメータが記載される．薬物併用療法や当該医薬品を適用した患者の臓器障害を考慮する場合に活用される．

⑦排泄：排泄部位および経路，排泄率，排泄速度が記載される．肝・腎機能低下患者への医薬品選択時などに活用される．

⑧トランスポーターに関する情報

⑨透析などによる除去率：腹膜透析，血液透析，直接血液灌流など，透析の種類ごとに可能な範囲で記載される．透析患者への当該医薬品の適用や過量投与時・薬物中毒時に活用される．

⑩特定の背景を有する患者：合併症・既往歴のある患者，腎機能・肝

機能障害患者，生殖能を有する者，妊婦・授乳婦，小児，高齢者について記載される．

⑪**その他**

(8)安全性(使用上の注意など)に関する項目

①**警告内容とその理由**：添付文書に記載された，その根拠が記載される．以下②～⑤も同様である．

②**禁忌内容とその理由**(原則禁忌を含む)

③**効能または効果に関連する使用上の注意とその理由**

④**用法および用量に関連する使用上の注意とその理由**

⑤**重要な基本的注意とその理由**

⑥**特定の背景を有する患者に関する注意**：効能または効果などから臨床使用が想定される場合であって投与に際して他の患者と比べてとくに注意が必要な場合や，適正使用に関する情報がある場合に，注意事項やその判断根拠となる客観的情報が記載される．

合併症・既往歴のある患者，腎機能・肝機能障害を有する患者，生殖能を有する者，妊婦・授乳婦，小児，高齢者について記載される．

⑦**相互作用**：食物，嗜好品も含めて記載される．添付文書よりも詳細な記載があり，処方解析に活用される．

⑧**副作用**：副作用の概要，重大な副作用と初期症状，その他の副作用，項目別副作用発現頻度および臨床検査値異常一覧，基礎疾患別・合併症・重症度および手術の有無など背景別の副作用発現頻度ならびに処置方法が記載される．

⑨**臨床検査結果に及ぼす影響**

⑩**過量投与**：添付文書に準じて記載．参考資料があれば記載される．(8)⑧の記載とあわせて活用される．

⑪**適用上の注意**：投与する際に必要な注意，服薬指導などに関する事項があれば記載される．

⑫**その他の注意**：添付文書に準じて記載される．

(9)非臨床試験に関する項目

①**薬理試験**：薬効薬理試験，安全性薬理試験，その他の薬理試験が記載される．(6)の記載を裏付ける記載事項である．

②**毒性試験**：単回投与毒性試験，反復投与毒性試験，遺伝毒性試験，がん原性試験，生殖発生毒性試験，局所刺激性試験，その他の特殊毒性(光毒性，免疫毒性，依存性，抗原性など)が記載される．

(10)管理的事項に関する項目

①**規制区分**：製剤および有効成分別に規制区分が記載される．

②**有効期間**：添付文書に記載の有効期間が記載される．

③**包装状態での貯法**：添付文書記載に準じ，製剤の包装状態での貯法などが記載される．

④**取扱い上の注意点**：薬剤部門での取扱い上の留意点について，薬剤

交付時の取扱いについて（患者などが留意すべき必須事項など），調剤時の留意点について記載される．

⑤**患者向け資材**：作成されている場合，その名称などを示し，閲覧できる企業ウェブサイトURLが記載される．

⑥**同一成分・同効薬**：先発医薬品，一物二名称の製品名が記載される．

⑦**国際誕生年月日**

⑧**製造販売承認年月日および承認番号，薬価基準収載年月日，販売開始年月日**：販売名変更などに伴う変更履歴も記載される．

⑨**効能または効果追加，用法および用量変更追加などの年月日およびその内容**

⑩**再審査結果・再評価結果公表年月日およびその内容**：履歴も記載される．

⑪**再審査期間**

⑫**投薬期間制限医薬品に関する情報**：処方箋の投薬日数の確認に活用される．

⑬**各種コード**

⑭**保険給付上の注意**：保険適用に係る留意事項通知や保険外併用療法費の指定の有無についても記載される．

(11)文　献

①**引用文献**：肩番号付き文献について記載される．添付文書，インタビューフォームの作成にあたってその根拠となっている文献である．

②**その他の参考文献**：基礎および臨床などに関して参考となる文献が記載される．

(12)参考資料

①**主な外国での発売状況**：主な外国で発売されている国名，会社名，販売名，剤形，発売年，効能または効果，用法および用量，規格・容量などが記載される．わが国と承認事項が異なる場合にはその旨を記載し，承認事項と区別される．国際的な上市状況を知ることができる．

②**海外における臨床支援情報**：妊婦や小児への投与に関して海外での情報がある場合は記載される．日本人のデータがない場合などは有用なデータとなる．

(13)備　考

①**調剤・服薬支援に際して臨床判断を行うにあたっての参考情報**

②**その他の関連資料**

b 添付文書との記載項目の相違

医療用医薬品添付文書と医薬品インタビューフォームの記載項目の相違を表3･12に示した．また，同じ記載項目でもその記載内容や表現の比較についての例を図3･33，図3･34に示した．

このように添付文書をはるかに上回る豊富な情報が記載されているイン

表 3･12　主要記載項目の比較(医薬品インタビューフォーム vs. 医療用医薬品添付文書)

記載項目	IF	添付文書
1)概要に関する項目		
開発の経緯	○	(—)
製品の治療学的・製剤学的特性	○	(—)
適正使用に関して周知すべき特性	○	(—)
承認条件および流通・使用上の制限事項	○	(—)
RMP の概要	○	(—)
2)名称に関する項目		
販売名	○	○
一般名	○	○
構造式または示性式	○	○
分子式および分子量	○	○
化学名(命名法)又は本質	○	○
慣用名・別名・略名・記号番号	○	○
3)有効成分に関する項目		
物理化学的性質	○	△
有効成分の各種条件下における安定性	○	(—)
有効成分の確認試験法，定量法	○	(—)
4)製剤に関する項目		
剤形	○	○
製剤の組成	○	○
添付溶解液の組成および容量	○	○
力価	○	△
混入する可能性のある夾雑物	○	(—)
製剤の各種条件下における安定性	○	△
調製法および溶解後の安定性	○	△
他剤との配合変化(物理化学的変化)	○	△
溶出性	○	(—)
容器・包装	○	(—)
別途提供される資材類	○	(—)
その他	○	△
5)治療に関する項目		
効能または効果	○	○
効能または効果に関連する注意	○	○
用法および用量	○	○
用法および用量に関連する注意	○	○
臨床成績	○	○
6)薬効薬理に関する項目		
薬理学的に関連ある化合物または化合物群	○	(—)
薬理作用	○	○
7)薬物動態に関する項目		
血中濃度の推移	○	(—)
薬物速度論的パラメータ	○	△
母集団(ポピュレーション)解析	○	(—)
吸収	○	○
分布	○	○
代謝	○	○
排泄	○	○
トランスポーターに関する情報	○	(—)
透析等による除去率	○	(—)
特定の背景を有する患者に関する注意事項	○	○
その他	○	(—)
8)安全性(使用上の注意等)に関する項目		
警告内容とその理由	○	△
禁忌内容とその理由	○	△
効能または効果に関連する使用上の注意とその理由	○	△
用法および用量に関連する使用上の注意とその理由	○	△
重要な基本的注意とその理由	○	△
特定の背景を有する患者に関する注意事項	○	△
相互作用	○	○
副作用	○	○
臨床検査結果に及ぼす影響	○	○
過量投与	○	○
適用上の注意	○	○
その他の注意	○	○
9)非臨床試験に関する項目		
薬理試験	○	(—)
毒性試験	○	(—)
10)管理的事項に関する項目		
規制区分	○	○
有効期間	○	○
包装状態での貯法	○	○
取扱い上の注意点	○	○
患者向け資材	○	○
同一成分・同効薬	○	(—)
国際誕生年月日	○	(—)
製造販売承認年月日および承認番号，薬価基準収載年月日，販売開始年月日	○	○
効能または効果追加・用法および用量変更追加等の年月日およびその内容	○	△
再審査結果・再評価結果公表年月日およびその内容	○	△
再審査期間	○	○
投薬期間制限医薬品に関する情報	○	○
各種コード	○	○
保険給付上の注意	○	(—)
11)文献		
引用文献	○	○
その他の参考文献	○	(—)
12)参考資料		
主な外国での発売状況	○	(—)
海外における臨床支援情報	○	(—)
13)備考		
調剤・服薬支援に際して臨床判断を行うにあたっての参考情報	○	(—)
その他の関連資料	○	(—)

○：記載あり，△：記載はあるが内容が不十分と考えられる，(—)：記載なし

ジピリダモール静注液 10 mg「日医工」(添付文書)配合変化について

8. 適用上の注意
(1) 投与時
急速に静脈内注射をすると，特に高血圧のある患者において血圧が下がることがあるので，ゆっくり注射すること．
(2) 調製時
ジピリダモールの化学的性質により配合変化を起こしやすいので，他の薬剤との混合注射はしないこと．なおブドウ糖注射液とは混合注射が可能である．
(3) アンプルカット時
本品はワンポイントカットアンプルを使用しているので，アンプル枝部のマークを上にして反対方向に折ること．なお，アンプルカット時の異物の混入を避けるため，カット部をエタノール綿などで清拭しカットすること．

ジピリダモール静注液 10 mg「日医工」(インタビューフォーム)配合変化について

7. 他剤との配合変化(物理化学的変化)
(1) pH 変動試験
◆ジピリダモール静注液 10 mg「日医工」の ph 変動試験

試料	試料 pH	0.1 mol/L HCl(A)mL 0.1 mol/L NaOH(B)mL	最終 pH	移動指数	変化初見
ジピリダモール静注液 10 mg「日医工」	2.87	(A) 10.0 mL	1.19	1.68	−
		(B)　0.5 mL	4.94	2.07	黄色沈殿

図 3･33　添付文書とインタビューフォームの記載内容と表現の比較①

添付文書では抽象的な表現となっておりブドウ糖注射液以外の注射剤との配合変化について言及する資料とならないが，インタビューフォームでは pH 変動試験の結果が記載されておりブドウ糖注射液以外の注射剤との配合変化にも十分に言及できる資料となっている．
[ジピリダモール静注液 10 mg「日医工」添付文書・インタビューフォーム，日医工株式会社より許諾を得て転載]

リレンザ®(添付文書)作用機序について

3. 作用機序
ザナミビルは，インフルエンザウイルス表面に存在する酵素ノイラミニダーゼの選択的な阻害薬であり，A 型インフルエンザウイルスで知られている全てのサブタイプのノイラミニダーゼ及び B 型インフルエンザウイルスのノイラミニダーゼを阻害した．ウイルスノイラミニダーゼは新しく産生されたウイルスが感染細胞から遊離するのに必要であり，さらに，ウイルスが粘膜を通って気道の上皮細胞に接近するのにも必要である可能性がある．ザナミビルは細胞外から作用し，この酵素を阻害することで気道の上皮細胞から感染性のインフルエンザウイルスが遊離するのを阻害し，A 型及び B 型インフルエンザウイルスの感染の拡大を阻止すると考えられる．

リレンザ®(インタビューフォーム)作用機序について

(1) 作用部位・作用機序
作用部位は，インフルエンザウイルスのノイラミニダーゼである．
インフルエンザウイルスには，その表面にスパイク状のヘマグルチニン(HA)とノイラミニダーゼ(NA) が存在する．インフルエンザウイルスは，この HA と宿主細胞のシアル酸とを結合させ，宿主細胞内に侵入する．そして新たなウイルスを複製する過程を経て感染細胞から遊離し，次の宿主細胞へ結合することをくりかえすことにより，増殖し，感染を広げていく．
この増殖過程のうち，ウイルスが宿主細胞から遊離する際には，NA が HA とシアル酸との結合を切断する働きをする．ザナミビルは，このインフルエンザウイルスの NA の作用を特異的に阻害して，HA とシアル酸との結合の切断を妨げることにより，感染細胞からのウイルス粒子の遊離を阻害し，インフルエンザウイルスの感染の拡大を阻止する．
ザナミビルは A 型，B 型両方のインフルエンザウイルスのノイラミニダーゼを阻害する．
(ウイルスの構造模式図省略)

ザナミビルの作用機序

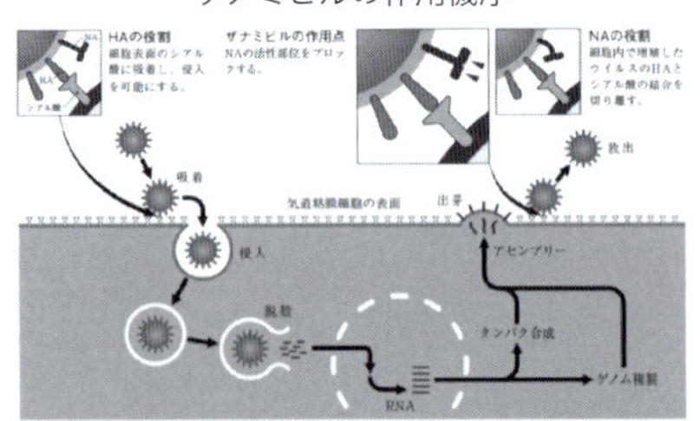

図 3･34　添付文書とインタビューフォームの記載内容と表現の比較②

添付文書では文章のみでの表現となっているが，インタビューフォームでは図を用いるなどの工夫を凝らし，利用する医療関係者の理解を支援するつくりとなっている．
[リレンザ®添付文書・インタビューフォーム，グラクソ・スミスクライン株式会社より許諾を得て転載]

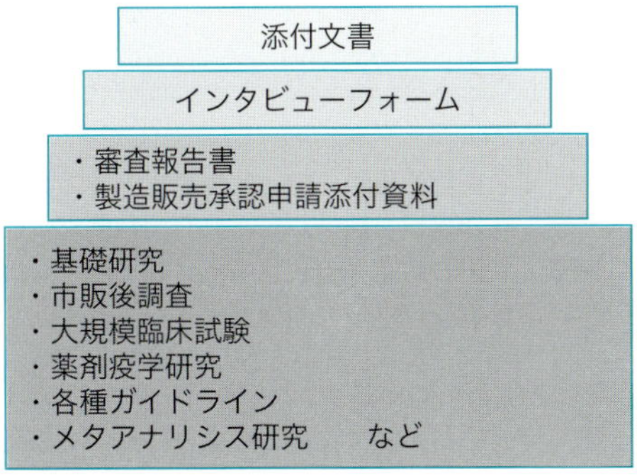

添付文書

インタビューフォーム

・審査報告書
・製造販売承認申請添付資料

・基礎研究
・市販後調査
・大規模臨床試験
・薬剤疫学研究
・各種ガイドライン
・メタアナリシス研究　　など

図 3･35 各種医薬品適正使用情報と添付文書・インタビューフォームの位置づけ

タビューフォームではあるが，弱点はやはり一製薬企業が義務としてではなく，あくまでも「日本病院薬剤師会」からの依頼に基づいて作成されているため，利用にあたっては注意も必要であるということである．現に，インタビューフォームがない医薬品も存在する．さらに，その製薬企業にとってネガティブと考えられるデータは「該当資料なし」と記載される場合が多い．そのような場合はインタビューフォーム作成の本来の主旨に立ち返り，当該企業のMRに薬剤師が直接質問しなければならない．文書では公表できなくても口頭(0次資料として)であればデータを入手することが可能な場合も多いからである．

最後に添付文書とインタビューフォームの立ち位置を図3･35に示した．添付文書とインタビューフォームは基礎研究，市販後調査，大規模臨床試験，薬剤疫学研究，各種ガイドライン，メタアナリシス研究などさまざまなデータに立脚しつつ，製造販売承認申請添付資料および審査報告書などの情報をも取り入れて作成されており，個々の医薬品に関する情報の集大成といえるものである．このことからも添付文書とインタビューフォームは日常よく利用する医薬品情報源であり，かつ医薬品情報業務の基本資料であることがわかる．

演習問題

①医薬品情報源の一次資料，二次資料，三次資料の分類について概説できる．
②医薬品情報源として代表的な二次資料，三次資料を列挙し，それらの特徴について説明できる．
③厚生労働省，医薬品医療機器総合機構，製薬企業などの発行する資料を列挙し，概説できる．
④医薬品添付文書（医療用，一般用）の法的位置づけについて説明できる．
⑤医薬品添付文書（医療用，一般用）の記載項目（警告，禁忌，効能・効果，用法・用量，使用上の注意など）を列挙し，それらの意味や記載すべき内容について説明できる．
⑥医薬品インタビューフォームの位置づけと医薬品添付文書との違いについて説明できる．
⑦目的（効能効果，副作用，相互作用，薬剤鑑別，妊婦への投与，中毒など）に合った適切な情報源を選択し，必要な情報を検索，収集できる．（技能）
⑧MEDLINE などの医学・薬学文献データベース検索におけるキーワード，シソーラスの重要性を理解し，検索できる．（知識・技能）

課題3-1

該当 SBO ①，② 実施方法 各自調査 難易度 ★☆☆☆☆

ツール 本書，講義資料

医薬品情報における一次資料，二次資料，三次資料について，具体的な該当例をあげて概説し，医薬品情報と加工度による分類について説明せよ．

課題3-2

該当 SBO ②，③ 実施方法 各自調査 難易度 ★☆☆☆☆

ツール インターネット（PMDA のウェブサイト）
注意点 医療関係者向け・一般（患者）向けに提供される医薬品情報の項目および内容における相同点・相違点を理解すること

PMDA のウェブサイトにおいて，一般（患者）向けおよび企業向けに提供される医薬品情報の項目をあげよ．また，医療関係者向けの情報項目と一般（患者）向けの情報項目における記載情報の相違点について概説せよ．

課題3-3

該当 SBO ⑦ 実施方法 各自調査，SGD 難易度 ★★☆☆☆

ツール 「今日の治療薬」などの医薬品集，インターネット（PMDA のウェブサイト：添付文書，患者向医薬品ガイド）
注意点 錠剤鑑別では，複数の規格がある製剤はとくに注意し，製品名のみではなく，有効成分，含有量まで特定すること

今朝入院してきた患者（45 歳男性）と面談していると，「これまでこの薬（『MSD717』と刻印されている白い円形の錠剤）を 1 日 1 回服用していたが，何の薬か？」と質問された．この持参薬を特定し，本患者にこの薬の効果と副作用，生活上の注意点について，説明する内容を簡潔に書け．

課題3-4

該当 SBO ④，⑤，⑥，⑦ 実施方法 各自調査，SGD 難易度 ★★★☆☆

ツール 添付文書，医薬品インタビューフォーム，インターネット，Top 100 Drugs Interactions（H&H Publications）など
注意点 三次資料の調査方法を考えること

医師は，細菌性気管支炎と診断した 20 歳男性に対して，シプロキサン®錠 200 mg を 1 回 1 錠，1 日 2 回の投与を計画した．しかし，本患者は気管支喘息があり，フルタイド®ディスカス®とテオドール®錠を現在使用し

ている．医師より「シプロキサン®錠との相互作用上の問題はないか？」と問い合わせがあった．

まず，これらの薬剤による薬物相互作用の有無を調査し，もし相互作用があるのであれば，その臨床症状と対処法に関して，三次資料を調査せよ．十分な回答が得られなかった場合には，どのようにすべきかについても検討せよ．

課題3-5　該当 SBO　④，⑤，⑥，⑦　実施方法　各自調査，SGD　難易度　★★★☆☆

ツール　添付文書，医薬品インタビューフォーム，インターネット（PMDA のウェブサイト，PDR.Net），妊婦・授乳婦に対する医薬品の情報源に関する書籍

注意点　FDA Pregnancy Category（FDA 薬剤胎児危険度分類基準），オーストラリア分類についても調査すること

ザナミビル水和物ドライパウダーインヘラー（リレンザ®）の催奇形性について，医師より問い合わせがあった．三次資料を利用して医薬品情報を検索する手順を考えた後，実際に調査し，医師に回答すべき内容を考察せよ．

課題3-6　該当 SBO　④，⑤，⑦　実施方法　各自調査，SGD　難易度　★★★★☆

ツール　添付文書，医薬品インタビューフォーム，インターネット（PMDA のウェブサイトなど），中毒・毒性に関する三次資料（書籍）

注意点　タイレノール®A の含有成分および含量を調べること

30 歳女性（体重 45 kg）が，5 時間前にタイレノール®A を大量に服用して自殺を図った（服用錠数は 50 錠）．家族が気づき，救急外来を受診した．タイレノール®A による中毒への対処方法について，医師より問い合わせがあった．

三次資料の範囲で医薬品情報を検索し，医師に回答すべき内容を考察せよ．

課題3-7　該当 SBO　①，②　実施方法　各自調査（宿題，レポートなど）　難易度　★★☆☆☆

ツール　インターネット，所属施設の図書館のウェブサイト

注意点　施設外からのアクセス方法も調査すること（VPN 接続が可能か，など）

所属施設（大学，病院）から使用可能な一次資料データベース（電子ジャーナルデータベース）と二次資料データベース（文献データベース）をリストアップせよ．

解答に向けてのヒント　所属施設の図書館のウェブサイトから張られているリンクを活用する．

課題3-8　該当 SBO　③，⑦　実施方法　各自調査（宿題，レポートなど）　難易度　★★☆☆☆

ツール　インターネット，ディレクトリ型検索エンジン

注意点　項目別にリストを作成すること

医薬品情報収集に役立つ医薬品情報関連サイトのリンク集を作成せよ．

解答に向けてのヒント　インターネット上で公開されている既存のリンク集も参考になる．

課題3-9　該当 SBO　⑦，⑧　実施方法　演習　難易度　★☆☆☆☆

2014 年 7 月に「脱法ドラッグ」から名称が変更になった「危険ドラッグ」による健康被害のうち，精神症状以外の中毒症状を調べたいと考えた．そのための検索式を作成せよ．

課題3-10　該当 SBO　⑦, ⑧　実施方法　演習　難易度　★★★☆☆
ツール　インターネット

患者より，皮膚科から顔と体幹に別々に塗布するようにキンダベート®軟膏とトプシム®軟膏が処方されたが，どちらを顔に塗布すればよいか忘れてしまったので教えて欲しいとの問い合わせがあった．調べて患者に回答せよ．

解答に向けてのヒント　外用ステロイド剤の強さのランキングと体の部位の違いによるステロイドの吸収率の違いを調べ考察する．

課題3-11　該当 SBO　⑦, ⑧　実施方法　演習　難易度　★★★☆☆
ツール　PMDA ウェブサイトの医療用医薬品情報検索

外来医師より，「しゃっくり」に適応のある薬剤を教えて欲しいとの問い合わせがあった．調べて回答せよ．

解答に向けてのヒント　「しゃっくり」は医学用語で別の言い方がある．

課題3-12　該当 SBO　⑦, ⑧　実施方法　演習　難易度　★★☆☆☆
ツール　インターネット

病棟医師より，緑膿菌に感受性が高く，母乳に移行しない点滴の抗菌薬を教えて欲しいとの依頼があった．調べて回答せよ．

解答に向けてのヒント　「抗菌薬インターネットブック」の薬剤特性検索を利用する．

課題3-13　該当 SBO　⑦, ⑧　実施方法　各自調査(宿題，レポートなど)　難易度　★☆☆☆☆
ツール　インターネット

来局患者が，近くの総合病院から「ブロー氏液」とよばれる院内製剤をもらったと話していた．「ブロー氏液」はどのような薬なのか調べよ．

課題3-14　該当 SBO　⑦, ⑧　実施方法　各自調査(宿題，レポートなど)　難易度　★★☆☆☆

バファリン®の製品名がついている一般用医薬品のなかで，解熱鎮痛成分にアスピリンが含まれていないものを調べよ．

課題3-15　該当 SBO　⑦, ⑧　実施方法　演習　難易度　★★★☆☆

PubMed で医薬品と喫煙の相互作用に関して書かれた英語の総説論文を検索し，最も有用だと考える論文を1つ示せ．

課題3-16　該当 SBO　⑦，⑧　実施方法　各自調査(宿題，レポートなど)　難易度　★★★★☆

糖尿病を合併した高血圧患者への降圧薬投与による死亡リスクの減少について，アンジオテンシン変換酵素(ACE)阻害薬とアンジオテンシンⅡ受容体拮抗薬(ARB)で比較したメタアナリシスの論文を検索せよ．

課題3-17　該当 SBO　③　実施方法　SGD　難易度　★★★☆☆

ツール　添付文書，インタビューフォーム，審査報告書，インターネット
注意点　インターネットを使用した場合は出典を明らかにすること

厚生労働省，PMDA，製薬企業が提供する資料の種類と特徴をまとめ，各機関・企業における情報の流れについて討議せよ．

課題3-18　該当 SBO　③　実施方法　各自調査　難易度　★★★☆☆

ツール　日本薬局方，インターネット
注意点　インターネットを使用した場合は出典を明らかにすること

日本薬局方の医薬品各条で得られる情報から，とくにここで何が確認できるかをまとめよ．

課題3-19　該当 SBO　③　実施方法　各自調査　難易度　★★★☆☆

ツール　添付文書，インタビューフォーム，審査報告書
注意点　インターネットを使用した場合は出典を明らかにすること

添付文書とインタビューフォームに留まらず，さらに承認情報からの審査報告書を読むことで得られる付加情報はどのようなものか，実際にツイミーグ®錠について読み比べて説明せよ．

課題3-20　該当 SBO　③　実施方法　各自調査　難易度　★★★☆☆

ツール　インターネット
注意点　出典を明らかにすること

ツイミーグ®錠について，医薬品リスク管理計画(RMP)を読み，「重要な特定されたリスク」をあげて，それぞれに対する医薬品安全性監視活動とリスク最小化活動の内容をまとめよ．

課題3-21　該当 SBO　③　実施方法　各自調査　難易度　★★☆☆☆

ツール　インターネット
注意点　出典を明らかにすること

医薬品等回収関連情報はクラスⅠ，クラスⅡ，クラスⅢに分けられるが，クラスごとに製品 (医薬品) を 1 つ選び，それらの製品特性と回収理由と具体的な健康被害についてまとめよ．

課題3-22　該当 SBO　③　実施方法　SGD　難易度　★★☆☆☆

ツール　本書

医薬情報担当者(MR)と医薬品卸販売担当者(MS)からの情報の違いについて，実際に情報を使用する際にどのような点について注意する必要があるか討議せよ．

課題3-23　該当 SBO　④，⑤　　実施方法　各自調査　　難易度　★☆☆☆☆

ツール　添付文書（医療用医薬品），インターネット
注意点　インターネットを用いた場合は，その出典を明らかにすること

医薬品医療機器等法第 52 条を読み，その記載事項についてパナルジン®錠 100 mg の実際の添付文書と照合せよ．

課題3-24　該当 SBO　④，⑤　　実施方法　各自調査　　難易度　★☆☆☆☆

ツール　添付文書（一般用医薬品），インターネット
注意点　インターネットを用いた場合は，その出典を明らかにすること

医薬品医療機器等法第 52 条を読み，その記載事項についてガスター® 10 の実際の添付文書と照合せよ．

課題3-25　該当 SBO　⑤　　実施方法　SGD　　難易度　★★☆☆☆

ツール　添付文書（医療用医薬品，一般用医薬品），インターネット
注意点　インターネットを用いた場合は，その出典を明らかにすること

医療用と一般用医薬品添付文書の記載事項と記載方法についての特徴を討議し，その利点・欠点を把握せよ．

課題3-26　該当 SBO　④，⑤　　実施方法　各自調査　　難易度　★★★☆☆

ツール　添付文書（医療用医薬品，一般用医薬品），インターネット
注意点　インターネットを用いた場合は，その出典を明らかにすること

課題 3-23，課題 3-24 で入手した添付文書をもとにそれぞれの改訂頻度，改訂項目について調査せよ（過去 5 年間）．またその調査結果に一定の傾向があるようであれば，その理由について考察せよ．

課題3-27　該当 SBO　⑥　　実施方法　各自調査　　難易度　★★★☆☆

ツール　添付文書（医療用医薬品），インタビューフォーム，インターネット
注意点　インターネットを用いた場合は，その出典を明らかにすること

各自において 1 つの医療用医薬品を指定し，その添付文書とインタビューフォームを対比して読み込み，なぜ日本病院薬剤師会が製薬企業に対してインタビューフォームの作成を依頼するに至ったのか，について考察せよ．

課題3-28　該当 SBO　⑤，⑥　　実施方法　SGD　　難易度　★★★★☆

ツール　添付文書（医療用医薬品），インタビューフォーム，インターネット
注意点　インターネットを用いた場合は，その出典を明らかにすること

課題 3-27 においての各自の考察を全員がプレゼンテーションを行い，その後「薬剤師が行う医薬品情報業務」について討議せよ．

課題3-29　該当 SBO　⑥　　実施方法　各自調査　　難易度　★★★☆☆

ツール　添付文書（医療用医薬品），インターネット

オイラックス®クリームに対するリドメックス®軟膏とリドメックス®クリームの混合性を調査し，混合により適している製剤はいずれであるのかを特定せよ．

課題3-30
該当 SBO ⑥，⑦　実施方法　各自調査　難易度 ★★★☆☆

ツール　インタビューフォーム，インターネット

腎機能低下(クレアチニンクリアランス：50 mL/min)患者が脂質異常症にてスタチン類が処方されることとなった．処方医はメバロチン® 5 mg あるいはリポバス® 10 mg のいずれかを処方したいと考えている．薬剤師としてはどちらの薬剤を推奨すべきかを特定せよ．

課題3-31
該当 SBO ⑤，⑥　実施方法　各自調査　難易度 ★★☆☆☆

ツール　添付文書(医療用医薬品，一般用医薬品)，インタビューフォーム

アレジオン®錠について，医療用医薬品添付文書，一般用医薬品添付文書，インタビューフォームを調査して，それぞれから得られる情報の違いを比較せよ．また，比較した結果に基づき，一般用医薬品販売時に注意すべき点を考察せよ．

課題3-32
該当 SBO ③，⑤　実施方法　各自調査，SGD　難易度 ★★★☆☆

ツール　添付文書，安全性速報(ブルーレター)
注意点　どのような事例に基づいてブルーレターが発出され，添付文書が改訂となったのかについても調査すること

ベージニオ®錠 50 mg について，発出されたブルーレターに基づき添付文書上で改訂された箇所を調査せよ．また，これ以降，この薬剤が処方された患者に対し，薬剤師としてどのようなことに注意しなければならないかを討議せよ．

課題3-33
該当 SBO ②，⑦　実施方法　各自調査　難易度 ★☆☆☆☆

ツール　添付文書，小児薬用量に関する書籍など
注意点　小児薬用量の推算式は 1 つではないので，可能な限り多くの方法で比較すること

メジコン®散の添付文書には小児薬用量が記載されていない．この薬剤を 1 歳(体重 10 kg)の男児に投与する際の投与量を，三次資料などを利用して求めよ．また，求め方の違いによる投与量の違いについても考察せよ．

課題3-34
該当 SBO ②，⑥　実施方法　各自調査　難易度 ★★★☆☆

ツール　添付文書，インタビューフォーム，その他三次資料など
注意点　一覧表に盛り込む情報についても各自で考えること

わが国で発売されている抗凝固薬および抗血小板薬について，出血リスクが高い手術時の休薬期間をまとめた外科医向けの一覧表を作成せよ．

課題3-35
該当 SBO ②　実施方法　各自調査　難易度 ★★☆☆☆

ツール　添付文書，インタビューフォーム，その他三次資料など
注意点　最新の情報を参照すること

脳梗塞にてワルファリンカリウム錠を服用している患者が TPN(total parenteral nutrition)から半消化態経腸栄養剤に変更することとなった．この際，どの栄養剤が適しているかについて医師から質問があった．

1)　半消化態経腸栄養剤(医薬品)をすべて抽出し，それぞれの成分や特徴，適応の違いなどについて調査せよ．
2)　この患者に適した栄養剤を選択し，それを選んだ理由とともに回答せよ．

課題3-36 該当SBO ⑤，⑦ 実施方法 各自調査，SGD 難易度 ★★★★☆

ツール 添付文書，インタビューフォーム，その他三次資料

注意点 各自調査を行い，調査後にグループ討議を行うこと．調査にあたっては，必ず情報源を明記せよ．情報源については，信頼性の高いものを選ぶこと

ソリブジン事件とはどのような事件かを調べよ．さらに，この事件は社会にどのような影響を与えたか，添付文書を例にあげて具体的に説明せよ．

課題3-37 該当SBO ③ 実施方法 各自調査，ロールプレイ 難易度 ★★★☆☆

ツール イエローレター，ブルーレター，添付文書，インタビューフォーム

注意点 各自調査を行い，調査後にロールプレイを行う

A班：「タミフル®服用後の異常行動について」配付されたイエローレターを読んで，タミフル®が処方された患者(8歳男児)の父親(29歳，会社事務員)にその内容と注意点をわかりやすく説明せよ．

B班：「月経困難症治療剤ヤーズ®配合錠による血栓症について」配付されたブルーレターを読んで，ヤーズ®が処方された患者(26歳女性，会社事務員)にその内容と注意点をわかりやすく説明せよ．

ロールプレイ後：それぞれの説明を聞いた後，薬剤師役の学生によかった点，悪かった点をそれぞれフィードバックせよ．

課題3-38 該当SBO ② 実施方法 各自調査 難易度 ★★☆☆☆

ツール 添付文書，インタビューフォーム，その他副作用に関する三次資料

注意点 患者に対して直接説明する言葉で考えること

頸椎ヘルニアにて，以下の処方薬を服用し始めた患者が，急に口唇や眼瞼，舌が大きく腫れて，喉が詰まるという症状を訴えた．これは何に由来する症状であるか，その根拠ならびに症状への対処法を説明せよ．

プレガバリンカプセル75 mg 1回1カプセル(1日3カプセル) 1日3回(朝・昼・夕食後)：疼痛に対して処方

トラマドール塩酸塩 / アセトアミノフェン配合錠 1回1錠(1日4錠) 1日4回：疼痛に対して処方

セレコキシブ錠100 mg 1回1錠(1日2錠) 1日2回(朝・夕食後)：疼痛に対して処方

レバミピド錠100 mg 1回1錠(1日3錠) 1日3回(朝・昼・夕食後)：潰瘍予防のために処方

ラベプラゾールナトリウム錠20 mg 1回1錠(1日1錠) 1日1回(朝食後)：潰瘍予防のために処方

ゾルピデム酒石酸塩錠5 mg 1回1錠(1日1錠) 1日1回(就寝前)：不眠症に対して処方

メコバラミン錠500 μg 1回1錠(1日3錠) 1日3回(朝・昼・夕食後)：神経障害に対して処方

課題3-39 該当SBO ②，⑦ 実施方法 各自調査 難易度 ★★☆☆☆

ツール 錠剤識別ハンドブック，治療薬マニュアルなど

注意点 疾患だけでなく，疾患の程度や状況まで推測できるとよい

患者(70歳，女性)が，以下の識別記号がついた錠剤を持参して入院した．この記号から医薬品を特定し，この処方がどのような疾患に対して出されたものかを推測せよ．

・DLI 40（錠剤）
・TJN ONE 1.0（錠剤）
・MSD 712（錠剤）
・KRH 102（カプセル）
・TZ 174（錠剤）

課題3-40 該当 SBO ②，⑧ 実施方法 各自調査 難易度 ★★★☆☆

ツール PDR，RxList など
注意点 信頼性の高い情報源を参照すること

国内で未発売医薬品である「ロシグリタゾン」を処方されている米国人の患者が来院したので，この薬の詳細について教えて欲しいと医師から問い合わせがあった．

この問い合わせに対して回答するとともに，わが国で処方する場合の代替薬を選択し，その代替薬に変更するにあたっての注意点を考察せよ．

課題3-41 該当 SBO ②，③ 実施方法 各自調査，ロールプレイ 難易度 ★★☆☆☆

ツール PMDA のウェブサイト，化粧品メーカーのウェブサイトなど
注意点 各自調査を行い，調査後にロールプレイを行う

ドラッグストアにて，患者が以下の相談をしてきた．

「ある化粧品会社の美白化粧品を使ったら，白斑ができたというニュースをみた．心配になって調べたところ，自分がここのドラッグストアで購入した化粧品にも，同じ成分が含まれていたので心配だ．」

1) この患者が心配している化粧品の成分は何か，この化粧品に対し，その後どのような対応がなされたかを調査せよ．
2) 薬剤師として，この患者に対して行うアドバイスを考察し，ロールプレイを行え．

課題3-42 該当 SBO ② 実施方法 各自調査 難易度 ★★☆☆☆

ツール 添付文書，インタビューフォーム，注射薬の配合変化に関する書籍など
注意点 根拠をもって回答すること

看護師より，「エルネオパ NF 1 号輸液注」の TPN ラインの側管から「ドルミカム®注射液」を投与しても問題ないかどうかについて質問があった．これに回答せよ．

課題3-43 該当 SBO ②，③ 実施方法 各自調査 難易度 ★☆☆☆☆

ツール 添付文書，インタビューフォーム，オピオイドローテーション・緩和ケアに関する書籍など
注意点 投与量だけでなく，投与間隔など実際に変更する際に必要な情報をすべて提供すること

オキシコンチン® TR 錠 20 mg を 1 日 2 回(1 日 40 mg)服用中の患者がいるが，副作用が重篤なため，フェンタニル貼付剤に変更したい．投与量や投与間隔などを含めてどのように変更すればよいか具体的に回答せよ．

また，フェンタニル貼付剤以外のオピオイドに切り替える場合の投与量や投与間隔についても調査せよ．

課題3-44 該当 SBO ②，⑦ 実施方法 各自調査 難易度 ★☆☆☆☆

ツール 日本中毒情報センターのウェブサイト，中毒に関する書籍など
注意点 洗濯用洗剤にもさまざまな種類があることを踏まえて調査すること

5 歳男児が洗濯用洗剤を誤って服用して来院した．どのような処置を行えばよいか回答せよ．

課題3-45　該当SBO　②　実施方法　各自調査　難易度　★☆☆☆☆

ツール　添付文書，インタビューフォーム，副作用に関する書籍など
注意点　患者に対して直接説明して理解できるような表現とすること

メトホルミン錠をはじめて服用することとなった糖尿病患者に対し，乳酸アシドーシスの危険性や対処法をわかりやすく説明せよ．なお，患者は軽度～中等度の腎機能障害(クレアチニンクリアランス：45 mL/min)があるため，乳酸アシドーシスの危険性が高いことがわかっている．

課題3-46　該当SBO　②，⑦，⑧　実施方法　各自調査　難易度　★★★☆☆

ツール　PubMed，医薬基盤・健康・栄養研究所の健康食品データベース
注意点　信頼性の高い情報源を用いて調査すること

ワルファリンとニンニクの間に相互作用があるかどうか，またあるとすればどのような相互作用かについてPubMedなどを用いて検索し，文献を調査して回答せよ．

課題3-47　該当SBO　②，⑥，⑦　実施方法　各自調査　難易度　★★★☆☆

ツール　添付文書，インタビューフォーム，PubMedなど
注意点　血中濃度と血糖抑制効果は，必ずしも比例関係ではないので，血中濃度の情報のみで判断しないこと

1年ほどの間，ミグリトール錠を服用している患者がいるが，食直前ではなく，食後に服用していたという．ミグリトールを食後に服用した場合も血糖抑制効果はあるのかについて調査せよ．

また，調査の結果に基づいて，この患者にミグリトール錠の服用方法や注意点を指導せよ．

課題3-48　該当SBO　②，⑦　実施方法　各自調査　難易度　★★★☆☆

ツール　動脈硬化性疾患予防ガイドライン，一次資料
注意点　最初からPubMedで検索するのではなく，ガイドラインの引用文献から調査する

『動脈硬化性疾患予防ガイドライン2017年版』には，「日本食パターンの食事は，動脈硬化性疾患の予防に推奨される」と示されている．このガイドラインの記述の根拠となった一次資料を調査し，どのような食生活が，どのように有効であるか，その内容を具体的に調査せよ．

医薬品情報の評価

A 医薬品情報の信頼性と妥当性

SBO・医薬品情報の信頼性，科学的妥当性などを評価する際に必要な基本的項目を列挙できる．
・臨床試験などの原著論文および三次資料について医薬品情報の質を評価できる．（技能）
・臨床研究論文の批判的吟味に必要な基本的項目を列挙し，内的妥当性（研究結果の正確度や再現性）と外的妥当性（研究結果の一般化の可能性）について概説できる．

ポイント

- 医薬品情報の質を評価する観点として，信頼性，科学的妥当性，新規性，具体性などがある．
- 個々の情報の質を評価するには，それぞれの情報の作成過程や作成者の背景などを理解する必要がある．
- 一般に，一次資料など情報の加工度が低いほど新規性は高いが信頼性は低く，逆に三次資料など加工度が高いほど新規性は低いが，信頼性は高い．
- 査読を受けている論文は，ある程度信頼性や妥当性は確保されていると考えられるが，臨床で用いる場合には批判的吟味をして活用する．
- 論文の批判的吟味にあたって内的妥当性と外的妥当性を評価する．内的妥当性の評価では，研究結果の正確度と再現性について，それぞれバイアス・ズレや偶然性・ぶれの度合いを検討する．外的妥当性の評価では，統計学的な有意差が臨床的に意味のある大きさなのか，その結果が一般化できるかどうかの度合いを検討する．

❶ 医薬品情報の評価に必要な基本的事項

a 情報の質と情報の評価

情報技術が進み，社会にはさまざまな情報が溢れている．また，インターネットなどでの情報検索も日常的に行われるようになってきたが，当然のことながら，ただ情報量が多ければよいのではない．限られた時間で適切な判断を下すには，質の高い情報を選択して活用する必要がある．その選択のために情報の評価が必要である．情報の質を左右するのは以下のような観点である．

①信頼性，確実さ
②科学的妥当性，論理の正しさ
③新規性，独自性，新しさ
④具体性，明快さ，わかりやすさ　　など

これらの点から情報の質を評価するには，それぞれの情報の作成過程や作成者の背景などを理解する必要がある．

実際に情報を評価する場合には，判断を求められている状況や条件を勘案して総合的に評価することが必要である．それは，背景が異なれば，その情報がもつ結果の重み付けなどが異なり，同じ情報であってもそれに対する評価は異なることがあるためである．たとえば，いわゆる基礎研究の領域では新規性や独自性などの要素が重んじられるが，個々の患者に適用したいときには，古くても類似の研究結果が集積していて確実な情報が重視されることが多い．

b 情報の加工度と情報の質

一般に，情報の新規性と信頼性は「トレードオフ（trade-off）」の関係（一方を求めると，もう一方を犠牲にせざるを得ない関係）にある．一次資料など情報の加工度が低いほど新規性が高いが信頼性は低く，逆に一次，二次，三次と加工度が高いほど新規性は低いが，多くの人の評価を経て信頼性は高くなる（図4･1）．それぞれの資料について，新規性と信頼性，双方を見積もって利用する．

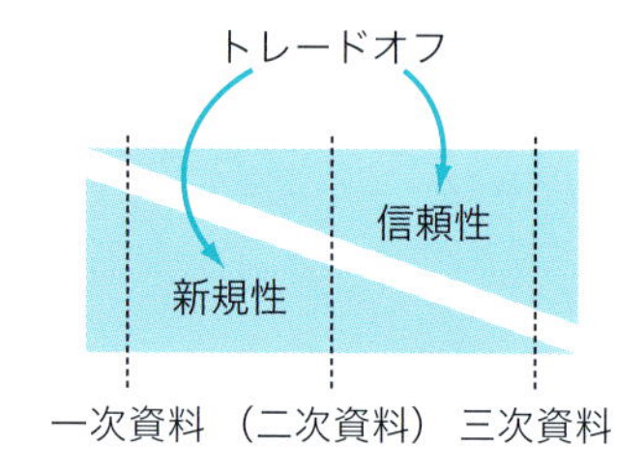

図4･1　情報の新規性と信頼性の関係

c 情報の公正性

公正で中立な立場の結果や意見であるかどうかは，信頼できる情報かどうかを評価するためのポイントの1つである．

情報の作成者が，特定の利害関係がある事柄についてデータを作成したり意見を述べたりする場合に，適正さが損なわれる可能性がある．

コラム

利益相反（COI）

利益相反（conflict of interest, COI）とは，利益関係により公正かつ適正な判断が損なわれること，またそれを疑われかねない状態のことをいう．

COIの例としては，まず経済的なものが考えられる．たとえば論文の著者が，研究の成果に関連する企業の株を保有している場合に株価が上がるような研究結果を導くケース，研究費の提供を受けている場合にその提供者に有利な評価を下すようなケースなどである．また，自分が専門とする治療法についてより高く評価したり，ライバルの成果には厳しい評価を下したりすることが懸念される．判断の結果によって自分の研究者としての地位が影響を受ける場合などにも判断の適正さが歪められることがある（アカデミックCOI）．一方，個人的なCOIだけでなく，学会などの組織についてもCOIの状況が生じ得る．

COIがあること自体が問題なのではなく，それによって研究の倫理性や科学性が損なわれるかどうかが問題である．無意識のうちに判断の偏りが生じることがあるため，本人の意思のみでは限界がある．対策としては，COIの状況を本人が開示する，第三者が審査する，さまざまな立場の人の合議により利害のバランスをとる，などが考えられる．

近年では学会での発表や論文投稿の際に，演者や筆者がCOIの状態の開示を求められるようになっている．COIについて開示がされているかどうかや，開示されている内容を加味して情報の評価を行う．

自分が手にした情報の質を評価する際には，その情報の作成者・筆者の**利益相反**(COI，☞コラム)も考慮することが必要である．

❷ 種々の情報源の評価

一次資料，二次資料，および三次資料の評価の要点を表4·1にまとめて示した．以下，種々の情報源の評価について述べる．

a 学術雑誌の評価

(1)発行の背景

学術論文を掲載する雑誌には学会が編集発行する学会誌と一般の出版社が発行する商業誌があるが，新しい知見を含んだいわゆる原著論文は学会誌に掲載されることが多い．これらの学術雑誌については発行の継続年数や巻数(信頼性があるかどうか)，発行部数(読者が多いことは客観性が高いといえる)，発行間隔(新しい情報かどうか)などを評価の指標にすることができる．

(2)査 読

多くの場合，学会誌はまずその所属学会員のための研究発表の場であり，おのおのの雑誌の編集方針に沿って，掲載する論文の審査制度(査読[*1])がある．学会員のなかから審査員が選ばれ，学会員どうしの審査

*1 査読のポイント
・目的が明示されているか
・その目的に応じた新しい結果が含まれているか
・論理的に正しいか
・読者にとって価値ある内容を含んでいるか
・表現が簡潔でわかりやすいか
・学術用語が適切に用いられているか
・倫理的配慮がされているか
・COI が開示されているか
など

表4·1 情報の質の評価の要点

情報源	評価の主な観点	客観的指標の例*
一次資料	●学術雑誌 発行機関(専門学会，経済的に中立か) 査読があるか 被引用回数が多いか ●個々の論文 新しい情報か 掲載誌の信頼性はどうか 目的，研究デザイン，実験，解析方法 引用文献(一次資料主体，新しいものが含まれるか)	 発行継続年数，発行部数 発行間隔 査読者数 インパクトファクター 掲載年 引用文献数，引用文献の掲載年
二次資料	専門分野は何か その分野の一次情報源を網羅しているか データの内容は豊富か 古い情報が含まれているか 新しい情報が含まれているか	 掲載誌数 検索項目数，レコード数 データの収載開始年 更新頻度
三次資料	著者がその分野で評価されているか 引用文献や索引が充実しているか 発信元が個人か，団体か，公の機関か	改訂数 発行年

*場合により評価が異なることがある．たとえば，必ずしも引用文献数が多ければよいということではない(研究されていない領域や研究者が少ない領域は，論文の絶対数が少ないため数だけでは評価しにくい)．

表4・2　臨床試験の原著論文の批判的吟味の要点

	主な要点
内的妥当性 (結果の正確さ，再現性)	1. 研究デザイン 2. 被験者の選択，割り付け 3. 症例数の設定 4. 評価指標 5. 追跡率，追跡期間 6. 結果，データ解析
外的妥当性 (結果の一般化の可能性)	1. 臨床的意義(有用性) 2. 個々の患者への適応の可能性

(peer review)が行われる．そのような査読を経た論文は一般に信頼性が高い．また，査読者が複数のほうが客観性が高いといえる．

なお，学会発表の抄録は最新の情報ではあるが，査読がない場合も多く，また信頼性や正確さを判断するための情報が少ないため，実際に臨床に適用するには注意を要する．

(3)インパクトファクター

インパクトファクターは，個々の雑誌のその分野での影響度を表す1つの指標である．ある特定の1年間において，その雑誌の過去2年間の掲載論文が，ほかの論文にどれくらい頻繁に引用されているかを算出した値であり，個々の論文の評価指標ではないことに注意する．同分野の雑誌どうしの比較はできるが，引用の傾向や頻度は分野ごとに異なるため，異なる分野の雑誌のインパクトファクターは比較できない．また，総説は引用されやすいので，レビュー誌はインパクトファクターが高い傾向があることに注意する．数字が導かれる過程(計算式)を理解したうえで，それらの数字を解釈することが大切である．

b 一次資料：個々の論文の評価

個々の論文については，その信頼性や科学的妥当性を，強い点と弱い点，双方の点で客観的に検証する．

臨床試験結果の原著論文などは，通常掲載時に査読を受けているため，判断の根拠として客観性，信頼性がある程度確保されていると考えられるが，限界がある．よって臨床で用いる場合にはその批判的吟味(critical appraisal)[*2]を行うことが勧められる．批判的吟味にあたって内的妥当性(internal validity)[*3]と外的妥当性(external validity)[*4]を評価するが，それぞれ表4・2に示したような要点がある．

(1)内的妥当性(表4・2)

臨床試験の原著論文の内的妥当性とは，その結果の科学的妥当性や信頼性のことをいう．

不確実さの原因である誤差にはバイアス[*5]（偏り，ズレ）と偶然性(ぶれ)がある．ズレの少なさが妥当性(正確さ)である．一方，ぶれの少な

*2　批判的吟味　☞p.199

*3　内的妥当性　☞p.199

*4　外的妥当性　☞p.199

*5　バイアス　研究計画，実施，解析および結果の評価に関連する因子の影響により，測定値と真の値に系統的な差を生じることをいう．臨床試験中の逸脱によって起こる運営上のバイアスや，統計上の原因によって起こる統計的バイアスがある(☞p.239)．

さが信頼性(再現性)であり，確実な結果であるかどうかを指す．以下のような点について評価を進める．

研究デザインによるエビデンスの強さのレベルは7章A表7･1(☞ p.199)を参照されたい．バイアスが入り込む余地が少ないデザインほど妥当性が高い．無作為化比較試験(ランダム化比較試験，randomized controlled trial, RCT)は，対照群を置き無作為割り付けを行って効果を比較するため，バイアスが少なく妥当性は高い．RCTを複数集めて行うメタアナリシスが最も強いエビデンスであるといえる．

また，バイアスを避けるために無作為化(ランダム化)や盲検化(マスク化)が適切に行われているかどうか，評価する．論文の「方法(methods)」のなかに表現されていることを読み取り，バイアスが生じる可能性がないか検討する．評価指標は客観的かつ再現性があるものほど望ましい．

さらに，症例数や研究期間など実験計画や管理は適正か，統計学的に正しい処理が施されているかなども評価する．症例数が多いほど統計学的な有意差が得られやすいことを考慮に入れる必要がある．

脱落[*6]率は低いほうがよく，追跡率はおよそ80％以上が望ましい．

*6 **脱落** 何らかの理由で，試験計画で予定した最終観察まで継続ができなかった被験者をいう．

(2)外的妥当性(表4･2)

臨床試験の原著論文の外的妥当性とは，その結果の一般化の可能性(generalisability)のことをいう．臨床試験で得た知見を，その試験の被験者からより広い患者集団やより広い医療の場へ外挿することができる程度である．

小さな差でも症例数を多くすれば，統計学的に有意な差として検出す

コラム

臨床問題の定式化：PECOまたはPICO

個々の臨床論文を読むときには，取り上げられている研究テーマすなわち臨床上の問題(clinical question)について，以下に示すような事項の頭文字をとりPECOまたはPICOを意識しながら読み取っていくと，論文全体をうまく把握することができ，その後の批判的吟味も論理立てて行いやすい．

観察研究(observational study)［要因曝露を人為的に決定(介入)せずに疾病発生などの状況を観察する方法］では

Patients	誰を対象に
Exposure	何(どんな要因)があると
Comparison	何と比べて(対照群 control)
Outcomes	どのような結果になるか(評価指標)

介入研究(interventional study)(研究者の介入により要因曝露を決定し，その違いにより疾病発生の状況が変化するかどうかを調べる方法)では

Patients	誰を対象に
Intervention	どんな介入を行い
Comparison	何と比べて(対照群 control)
Outcomes	どのような結果になるか(評価指標)

ることができる．

統計学的な有意差が示された場合でも，その差の大きさが臨床的に意味のある大きさなのか考える必要がある．絶対指標である絶対リスク減少(ARR)や治療必要数(NNT)（☞p.123, p.245）も用いて評価する．

c 二次資料

表4･1に示したように，二次資料の評価は，どの分野の一次資料を集積しているか，その分野の一次情報源をどれだけ網羅しているか(掲載誌数)，データの内容(検索項目数，レコード数)，データの更新頻度などの観点から行うことができる．医学領域ではMEDLINE，医学中央雑誌(主に和文)などは網羅性が高く，評価は定まっている．

d 三次資料：医薬品添付文書

医薬品添付文書の記載は医薬品医療機器等法の適用を受ける．製薬企業から提供される情報のなかで，信頼性が高いものといえる．副作用情報や適応拡大など随時改訂がなされるため，紙面の場合には最新の版かどうか，確認する必要がある．

e 三次資料：医薬品インタビューフォーム

医薬品インタビューフォームは製薬企業により医薬品ごとに作成され，初版が新薬発売時に提供される．病院薬剤師が医薬品の評価を行うために必要な内容が一定の形式で記載された情報であり，同一成分の医薬品や同種同効薬の比較評価にも利用することができる．医薬品添加物や特許にかかわることなど，記載されない内容がある点を考慮する．不足する情報は，製薬企業へのインタビューや，引用文献に記載されている情報源にあたって補足する．医薬品添付文書と比較すると改訂される頻度は低いため，いつ作成されたものかに注意する(表紙の左上に記載がある)．

f 三次資料：種々の書籍など

どのような背景の筆者や編者により書かれたものなのかを検討する．COIについても考慮を要する．教科書などは版数が多いもの，出版年，わかりやすさなどが評価の指標になる．

g 診療ガイドライン

診療ガイドラインは，診療上重要な，ある医療行為(薬物治療を含む)について，その時点の臨床論文を系統的・網羅的に検索・収集し評価(システマティックレビュー，☞p.126, p.235)を行って推奨の度合いを示した資料である．各専門領域の学会で作成されることが多い．

個々の診療ガイドライン自体も第三者により評価を受け信頼性を検証

することが勧められている．その評価基準の1つにAGREE Ⅱ（Appraisal of Guidelines for Research & Evaluation Ⅱ）がある．これはガイドラインに関する国際的研究班であるAGREE共同計画により作成されたチェックリストであるが，その評価項目は以下の6つの観点からなる（①対象と目的，②利害関係者の参加，③作成の厳密さ，④提示の明確さ，⑤適用可能性，⑥編集の独立性）．たとえば「ガイドライン全体の目的が具体的に示されている」「患者の価値観や好みが十分に考慮されている」「エビデンスの選択基準が明確に記載されている」など，計23項目あり，最終的に全体評価が示される．

医学や医療の進歩により推奨レベルは大きく変化する可能性があるので，診療ガイドラインの作成時期，つまり情報の新しさの評価が必須である．利用するときには，最新の版を用いる．

わが国の診療ガイドラインセンターであるMinds（Medical Information Network Distribution Service）は，国内で発行されたガイドラインを評価・選定してウェブサイトで公開している［Minds ガイドラインライブラリ（https://minds.jcqhc.or.jp/）］．

h インターネット情報

インターネット上には医学・医療・健康関連情報がいわば洪水のように溢れており，学術情報（専門的な情報）だけでなく，非学術情報も多数ある．それぞれのウェブサイトの開設目的も営利，非営利，趣味などさまざまである．いつでも誰でも書き替えられるウェブサイト内の情報は，最新の情報が得られる可能性が大きい反面，故意に誤った情報が書き込まれることもあり得る．このような事柄を考慮して情報を評価し，活用することが大切である．

・ウェブサイトの開設者が明示されているか．
・その開設者の公共性はどうか．
・情報の作成方法や引用元が示されているか．
・改訂日と改訂箇所の情報が示されているか．
・COIはどうか（物品の販売を目的としているウェブサイトなど）．

以上の点なども，そのウェブサイトの客観性や正確さを判断する手がかりになる．

英国には，一般消費者がインターネットの健康情報を利用する際のよりどころとなるように，公的な評価制度がある（The Information Standard）．この評価を受けて基準を満たしたウェブサイトは認証マークが表示できる．

より確実な情報かどうかを判断するには複数のウェブサイトやほかの情報源にあたって検討するようにする．

SBO・臨床研究の結果（有効性，安全性）の主なパラメータ（相対リスク，相対リスク減少，絶対リスク，絶対リスク減少，治療必要数，オッズ比，発生率，発生割合）を説明し，計算できる．（知識・技能）
・病院や薬局において医薬品を採用・選択する際に検討すべき項目を列挙し，その意義を説明できる．
・医薬品情報にもとづいて，代表的な同種同効薬の有効性や安全性について比較・評価できる．（技能）

B　医薬品の有効性の評価

ポイント

- 薬の効果を示す指標には，相対リスクや相対リスク減少などの相対指標と，絶対リスクや絶対リスク減少などの絶対指標がある．
- 相対リスク（RR）は，非曝露群と曝露群での発生割合の比で，小さいほど曝露の効果が大きい．信頼区間（通常 95% CI）が 1 をまたいでいなければ有意差があると評価できる．
- 相対リスク減少（RRR）は，曝露による発生割合の比の減少 1 − RR をいう．
- 絶対リスク（AR）は，対象集団の全人数のうち，ある結果が発生した人の割合をいう．
- 絶対リスク減少（ARR）は，非曝露群の発生割合から曝露群での発生割合を引いた値である．
- 治療必要数（NNT）は，ARR の絶対値の逆数 $\left(\frac{1}{\mathrm{ARR}}\right)$ で求められる．1 人のイベント発生を抑制するのに何人の治療が必要かを示す指標で，これが小さいほど治療効果は大きい．
- 治療効果の相対指標について統計上の有意差があっても臨床的には大きな効果でないこともあるため，ARR のような絶対指標で臨床上の意義を評価する必要がある．
- 新薬採用時は，添付文書やインタビューフォーム，大規模臨床試験の論文などを用い，既存の同種同効薬と作用機序，作用の強さ，作用時間，奏効率などで有効性の比較評価を行う．

❶ 医薬品の有効性評価のための基礎知識

医薬品の価値・有用性は，有効性と安全性の両面から評価（benefit-risk evaluation）が必要である．さらに，これに加えて経済性（cost-benefit evaluation）や品質，使用感，利便性，信頼性など多面的な価値が問われる．

まず有効性の評価について述べるが，薬の効果を示す指標には，「割り算」で導かれる相対指標と，「引き算」で導かれる絶対指標がある．これらの指標については 7 章に詳しい記述があるので参照されたい（☞ p.244）．

a　相対指標

(1)相対リスク(RR)

RR（relative risk）とは，非曝露群での発生割合に対する曝露群での発生割合の比をいう．相対危険度，発生割合比，リスク比（risk ratio）と

薬剤 A

	生存率（%）	死亡率（%）
曝露あり（治療群）	80	20
曝露なし（対照群）	60	40

相対指標　$RR = \frac{20}{40} = 0.5$

$RRR = 1 - RR = 1 - 0.5 = 0.5$

絶対指標　$ARR = 40 - 20 = 20$ (%)

$NNT = \frac{1}{ARR} = \frac{1}{0.2} = 5$

薬剤 B

	生存率（%）	死亡率（%）
曝露あり（治療群）	99	1
曝露なし（対照群）	98	2

相対指標　$RR = \frac{1}{2} = 0.5$

$RRR = 1 - RR = 1 - 0.5 = 0.5$

絶対指標　$ARR = 2 - 1 = 1$ (%)

$NNT = \frac{1}{ARR} = \frac{1}{0.01} = 100$

図 4･2　薬剤の効果を示す指標の算出例

薬剤 A と薬剤 B でおのおの n 年間治療したときの死亡率を例として示した．これらのケースでは，相対指標が同じでも絶対指標は大きく異なる．臨床上の有効性を評価する場合には，絶対指標も検討する必要がある．

もいう．RR が小さいほど曝露の効果が大きく，1 より大きい場合は服用によりリスクが高まることを示すものである．信頼区間（通常 95% CI）が 1 をまたいでいなければ有意差があると評価できる．

(2) 相対リスク減少（RRR）

RRR（relative risk reduction）とは曝露による発生割合の比の減少をいい，1 − RR で求められる．曝露により発生割合が増加する場合には RR − 1 で求められ，これを相対リスク増加（relative risk increase, RRI）という．

b 絶対指標

(1) 絶対リスク（AR）

AR（absolute risk）とは発生割合（リスク），つまり対象集団の全人数のうち，ある結果が発生した人数の割合をいう．

(2) 絶対リスク減少（ARR）

ARR（absolute risk reduction）とは非曝露群の発生割合から曝露群での発生割合を引いた値である．リスク差（risk difference）ともいう．

(3) 治療必要数（NNT）

NNT（number needed to treat）は ARR の絶対値の逆数 $\left(\frac{1}{ARR}\right)$ で求められる．治療必要人数ともいう．1 人のイベント発生を抑制するのに何人の治療が必要かを示す指標であり，この値が小さいほど治療の効果は大きい．

c 各指標の算出と評価

図 4･2 に，薬剤 A と薬剤 B による治療の効果についてそれぞれ n 年間調査した場合を例に示した．両者の相対指標である RR や RRR はおのおの等しいが，ARR や NNT などの絶対指標は大きく異なる．死亡率 40% の疾患の死亡率を 20% にするのと，死亡率 2% の疾患の死亡率を 1% にするのとでは，その薬物療法の臨床上の評価はおのずと異なるはずである．

＊7　PICO ☞p.119，コラム

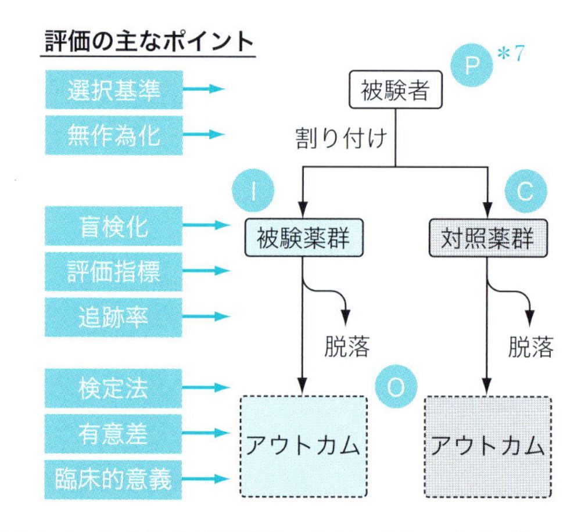

図4･3　無作為化比較試験における評価の主なポイント

治療効果やリスクの大きさは，相対指標である比を用いて有意差があるかどうか検討されることが多いが，絶対指標，つまりARRのような差の指標も考慮に入れて臨床上の効果の大きさを評価する必要がある．統計学的に有意な差があっても，必ずしも臨床的に意味のある差があるとはいえないことに注意する．

❷ 有効性に関する医薬品情報の評価

a 一次資料の評価と活用

2つの薬剤の治療効果の比較は，無作為化比較試験(RCT)などで検討される．図4･3にRCTの大まかな流れと各過程における評価の主なポイントを示した．

これらの臨床試験で結果に有意差がないということは，「効果が同等」ということではない．統計学的に帰無仮説が棄却されないということであるが，これは有意差を示す十分な証拠がないということが示されるだけである．統計学的に差がないことを示すのは非常に難しい．2つの治療を比較するには，①優越性が検討される場合と，②同等性・非劣性が検討される場合がある．

①優越性試験(superiority trial)：被験薬が比較薬(プラセボまたは実薬)よりも臨床的に優れることを示すことを主な目的として研究が組み立てられる．

②同等性試験(equivalence trial)・非劣性試験(non-inferiority trial)：被験薬が比較薬(プラセボまたは実薬)よりも臨床的に劣らないことを示すことを主な目的として研究が組み立てられる．

最終的に結論は，前項「c. 各指標の算出と評価」に示したように外的妥当性を評価する必要がある．ARRやNNTを算出して臨床上の意義を検討する．

希少疾病用医薬品など十分な被験者を集めることが難しい場合は有意水準を緩く設定することなどもあり得る．

b 審査報告書[*8]

審査報告書から，新医薬品の承認審査時の有効性評価について専門家の意見を知ることができる．臨床試験の限界5つのTOOs(☞ p.36)を理解したうえで評価結果を読む必要がある．PMDAのウェブサイトからダウンロードできるので有効性の評価に積極的に用いたい．

審査報告書は(1)および(2)の2部構成でA4判100ページにも及ぶ膨大な資料である．日本病院薬剤師会では『病院薬剤師業務への審査報告書の利活用について』と題する資料をまとめている．そこでは活用のポイントとして，まず表4･3に示す審査報告(1)の構成を理解し，「4. 臨床に関する資料」の「(iii)有効性および安全性」の部分を重点的に読み，自らの医薬品評価の“確かめ算”として専門家の意見を参考にすることが勧められている(もちろん通読を否定するものではない)．

表4･3　審査報告(1)の内容

Ⅰ. 申請品目：申請時の効能・効果，用法・用量
Ⅱ. 提出された資料の概略および審査の概略
　1. 起原・発見の経緯・外国における使用状況等
　2. 品質に関する資料
　3. 非臨床に関する資料
　　(i)薬理
　　(ii)薬物動態
　　(iii)毒性
　4. 臨床に関する資料
　　(i)生物薬剤学試験および関連する分析法
　　(ii)臨床薬理：薬物動態，薬物相互作用，QT延長リスク　など
　　(iii)有効性および安全性
Ⅲ. 適合性調査結果

*8 審査報告書 ☞ p.32，79

c 製薬企業からの情報の評価と活用

添付文書やインタビューフォームは記載項目が定められており，異なる製剤間の比較評価に活用できる．表4･4にインタビューフォームの有効性に関する記載項目を示した．

一方，製薬企業から提供されるパンフレット類には有効性が非常にわかりやすく示されている．一般的にはネガティブな情報は掲載されにくいことも考慮のうえ，有効性と安全性のバランスをとって評価に利用することが大切である．ポジティブな結果でも *in vitro* の実験や動物実験ではないか，人種の差はないか，限られた病態を対象にした結果ではないか，などの批判的吟味を行う．生じた疑義は原著論文にあたって確認する必要がある．

❸ 医療施設における有効性情報の比較評価

a 複数の一次資料の総合評価

臨床上で生じた疑義について文献検索を行い複数の論文が得られた場

表 4･4　有効性に関連する主なインタビューフォーム記載項目

Ⅰ．概要に関する項目	1．開発の経緯 2．製品の特徴および有用性
Ⅴ．治療に関する項目	1．効能または効果 2．用法および用量 3．臨床成績 (1)臨床効果 (2)臨床薬理試験：忍容性試験 (3)探索的試験：用量反応探索試験 (4)検証的試験 1)無作為化並行用量反応試験 2)比較試験 3)安全性試験 4)患者・病態別試験 (5)治療的使用 1)使用成績調査・特別調査・市販後臨床試験 2)承認条件として実施予定の内容または実施した試験の概要
Ⅵ．薬効薬理に関する項目	1．薬理学的に関連ある化合物または化合物群 2．薬理作用 (1)作用部位・作用機序 (2)薬効を裏付ける試験成績

合，それぞれ読んでみると研究結果・結論は必ずしも一致するとは限らない．そのようなときは，どうしたらよいだろうか．以下，診療ガイドライン作成などの際に行われるシステマティックレビューの考え方を紹介する．複数の論文の結果をまとめて，1つの結論や評価を下したいときに参考にできる．

システマティックレビューの過程では，治療法などあるテーマについて網羅的に文献検索が行われ，個々の文献が批判的吟味された後，その結果をまとめ，最終的にそのテーマの推奨レベル[たとえば，強く勧められる(A)，勧められる(B)，勧められるだけの根拠が明確でない(C)，行わないよう勧められる(D)，など]が決定される．この推奨レベルは以下のような要素を総合的に評価して決定される．

①エビデンスレベルはどうか．

②エビデンスの数と，結論のばらつきはどうか．

③臨床的な有効性の大きさはどの程度か．

④臨床上の適応性はどうか．

⑤副作用などの害や経済性についてのエビデンスはあるか．

b 院内採用薬の選定

多くの病院では院内採用薬を定めており，院内の薬事委員会などの審議を経て決定されることが一般的である．表 4･5 にその論点の例を示すが，これらを総合的に議論して採用薬が決定される．とくに近年では医療安全や経済的な理由から，採用品目は一定の方針のもとに適正数を

表 4・5　院内採用薬を決定する際の評価項目の例

臨床エビデンス ・有効性 ・安全性 新規性 ・薬理作用 ・適応症 ・剤形 品　質	診療ガイドラインへの収載 経済性 ・価格 ・薬剤経済分析 医療安全上の問題 ・名称類似 ・外観類似 ・操作性	当該施設の特性 ・投与対象患者数 ・年齢層 院内採用品目数 ・全体 ・同種同効薬

保つように定期的に見直しを行っている施設も多い．このようにして院内採用医薬品集に掲載される品目，すなわち院内採用薬は管理される．その際には同種同効薬間での有効性の比較評価は必須であり，前項(☞ p.126)に示したような観点で行う．後述「D. その他の評価（医薬品適正使用のための評価）」の項も参照して欲しい(☞ p.140)．

(1)新薬の採用

新薬が発売されたときに採用を検討する場合には，有効性については審査報告書，添付文書やインタビューフォームのほか，大規模臨床試験の原著論文などを評価する．既存の同種同効薬と作用機序，作用の強さ，作用時間，奏効率などの比較評価を行う．

(2)後発医薬品やバイオ後続品の採用

先発医薬品を**後発医薬品**に，あるいは先行バイオ医薬品を**バイオ後続品（バイオシミラー）**(☞ p.35)に採用変更する場合には，先発品との製剤学的な同等性のほか，安定供給が図れるか，医薬品情報提供の体制が整っているか，なども考慮される．

バイオ後続品については，その化学構造が先行バイオ医薬品とまったく同じわけではないことに注意する．有効性に差が生じる可能性がないかどうか，糖鎖など先行バイオ医薬品との構造上の差異や薬物動態，副作用の差異などを把握することも重要である．

(3)フォーミュラリーの策定

フォーミュラリー（formulary）とは，使用する医薬品の選択基準や使い方に関する情報も含んだ処方医薬品集のことをいう．1つの医療施設で策定される場合だけでなく，グループ施設や地域の複数の施設で共通のものがつくられることもある．使用する医薬品をあらかじめ比較検討して限定し，標準的な使い方を定めることにより経済性や医療安全などの面で医薬品の適正使用を図ることができる．

フォーミュラリー策定には，各学会の診療ガイドラインなども参考に，治療対象疾患の複数の薬物治療法について，有効性の比較はもとより安全性や費用，使用医薬品の品質，入手や保管，使いやすさなどを総合的に比較評価する必要がある．また感染症治療薬などは耐性菌が生じないよう使用法が考慮される．新たな治療薬の導入や疾病構造の変化などに応じて，情報を再評価し，フォーミュラリーを定期的に見直す(これをformulary managementという).

c その他

ほかに有効性情報の比較評価が必要な場面は，がんレジメン審査，クリニカルパスに導入する医薬品の決定，治験受け入れの際の審査など，多数ある．それぞれ添付文書やインタビューフォーム，治験の場合には治験実施計画書などを用いるほか，できる限り関連の原著論文を参照して評価する.

SBO・病院や薬局において医薬品を採用・選択する際に検討すべき項目を列挙し，その意義を説明できる.
・医薬品情報にもとづいて，代表的な同種同効薬の有効性や安全性について比較・評価できる.（技能）

C 医薬品の安全性の評価

ポイント

- 医薬品の安全性評価が行われるプロセスには，非臨床試験，臨床試験，製造販売後調査(市販後調査)，医療施設における医薬品の安全性情報の取扱いと医薬品の安全管理があげられる.
- 臨床試験では，ヒトでの有効性・安全性と有用性が評価される．とくに第Ｉ相試験は健常者のボランティアを対象に安全性に重点を置いた評価が行われる．第Ⅲ相試験では，患者を対象に有効性・安全性の評価，さらに副作用プロファイルが作成される.
- 医薬品として臨床で使用されてからは，製造販売後調査により安全性が評価される．製造販売後調査には，①市販直後調査，②再審査制度と安全性定期報告，③再評価制度，④副作用・感染症報告制度がある.（4本柱あるいは，①を別に扱い3本柱とよばれている）
- 医薬品安全管理責任者は，病院などに法律で設置が義務付けられており，医薬品情報室と連携しながら，施設内における医薬品の採用，指示，調剤，管理，使用などのすべてのプロセスにおける安全性確保のための業務を行う.
- 医療施設における医薬品の安全性評価項目としては，重篤な副作用，相互作用などの薬物そのものの安全性評価のほか，リスクマネジメント的視点からの評価も重要である.

❶ 医薬品の安全性を評価するしくみの概要

「医薬品の安全性」とは，「薬を用いたときに有害な事象を生じさせない性質」と言い換えることができる．医薬品の安全性が確保されるためには，医薬品の開発時はもとより，市販後も継続的に安全性が評価される必要がある(図4·4).

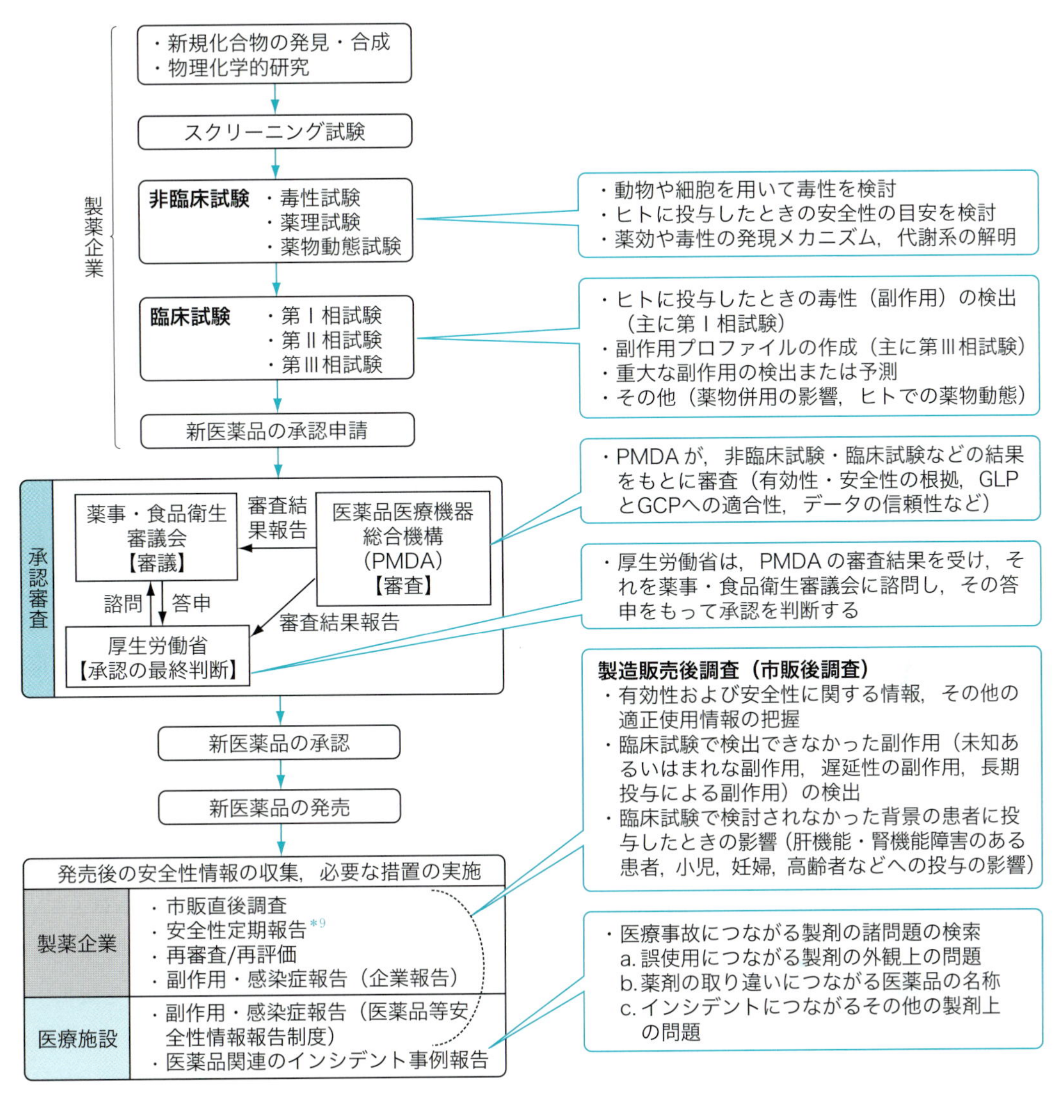

図 4･4 医薬品開発から臨床使用までの流れと安全性確保のためのしくみ

a 医薬品開発における安全性評価

スクリーニング試験などにより医薬品の候補となった化学物質は，動物や細胞を用いた**非臨床試験**により，毒性(安全性)，薬効・薬理作用，薬物動態特性などが検討，解明される．非臨床試験で有効性と安全性が証明された物質のみが治験薬として次の段階に進む．**臨床試験**では，対象者を3段階に変えながら，ヒトに投与したときの有効性と安全性が検証される．

b 医薬品の承認審査

医薬品としての有効性，安全性，有用性について十分なデータがそろえば厚生労働大臣に医薬品の**製造販売の承認申請**が行われる．承認申請

*9 **定期的ベネフィット・リスク評価報告** 現行版の安全性定期報告は，2013年に省令で施行された「定期的ベネフィット・リスク評価報告(PBRER)」である(☞p.37)．旧版の「定期的安全性最新報告(PSUR)」がもっぱら医薬品の安全性のみに言及してあったのに対して，PBRERはリスク評価を医薬品のベネフィットと関連付けて考えた方がより有益であるという視点でまとめられている(本書ではPBRERとPSURを区別せずに安全性定期報告と記載する)．

のために提出された書類は，医薬品医療機器総合機構(PMDA)により詳細に評価，審査される．ここでは申請書の添付データがGLPやGCP[*10]を遵守して科学的，倫理的に適正に実施されたかどうか，有効性，安全性，有用性を示す十分なデータがそろっているかなどについて専門員により厳密に審査される(承認審査)．審査結果は厚生労働省に報告され，厚生労働省はその通知書をもって薬事・食品衛生審議会に諮問する．薬事・食品衛生審議会は，医学，薬学などの学識経験者からなり，ここでの詳細な審議ののち，厚生労働大臣により医薬品の製造販売が承認される．別途，薬価が算定され，医薬品として市販される．

*10　GLP, GCP　☞p.10

c 製造販売後調査における安全性評価

市販後は，治療的使用により臨床試験とは桁違いの多数の患者に用いられるので，その使用状況や副作用発生状況を詳細に調査することにより，広範かつ有益な安全性情報が入手できる(製造販売後調査，☞p.133)．医薬品の安全性に関しては，臨床試験で検出できなかったまれな副作用の検出や，臨床試験で検討できなかったさまざまな条件の患者に投与したときの影響などの有益な情報が得られる．

d 医療施設における安全性評価

医療施設における医薬品の安全性評価にかかわる業務としては，まず，副作用モニタリングと医薬品安全性情報の取扱いがあげられる．医薬品の安全性情報の取扱いには，医薬品情報室(医薬品情報管理室ともいう)が中心的な役割を担う．医薬品情報室は，医薬品の開発時や研究時の安全性情報を収集・評価し，院内採用薬の採用に重要な情報を提供するとともに，採用後は，最新の安全性情報を入手・評価・整理し，医薬品安全管理責任者(☞コラム)と連携のもと，適時，必要な部署に安全性情報を周知する[*11]．

医療施設においては，リスクマネジメント的観点(医療安全的観点)からの評価も重要である．たとえば，製剤の外観(容器の形状や配色，ラベルなど)や医薬品の名称が，医療事故などの原因となることがあるが，これらの潜在的な製剤の危険性は，施設内のインシデント[*12]報告とその原因分析で明らかになることが少なくない．つまり，医療施設におい

*11　医薬品情報の提供　☞p.157

*12　インシデント(医療インシデント)　患者の診療やケアにおいて本来あるべき姿から外れた行為や事態のことであり，医療上の事故，ヒヤリ・ハット事例，医療行為の合併症の総称(施設によっては，インシデントをヒヤリ・ハット事例と同義として扱っている)．その際，医療者の過失の有無は問わない．近年，多くの医療施設でインシデント報告制度が整備されており，院内で発生したインシデントが逐次報告され，医療安全の確保と医療の質の改善に役立てられている．

コラム

医薬品安全管理責任者

医療法の規定により病院などに必ず1名設置される．医薬品に十分な知識を有する医師，歯科医師，薬剤師の資格を有するものから選任され，院内における医薬品の安全管理・適正使用に関するすべての事項を取扱う．具体的には，①医薬品の安全使用のための業務に関する手順書の作成，②従業員に対する医薬品の安全使用のための研修の実施，③医薬品の業務手順書に基づく業務の実施，④医薬品の安全使用のために必要となる情報の収集，その他医薬品の安全管理を目的とした改善のための方策を実施する．

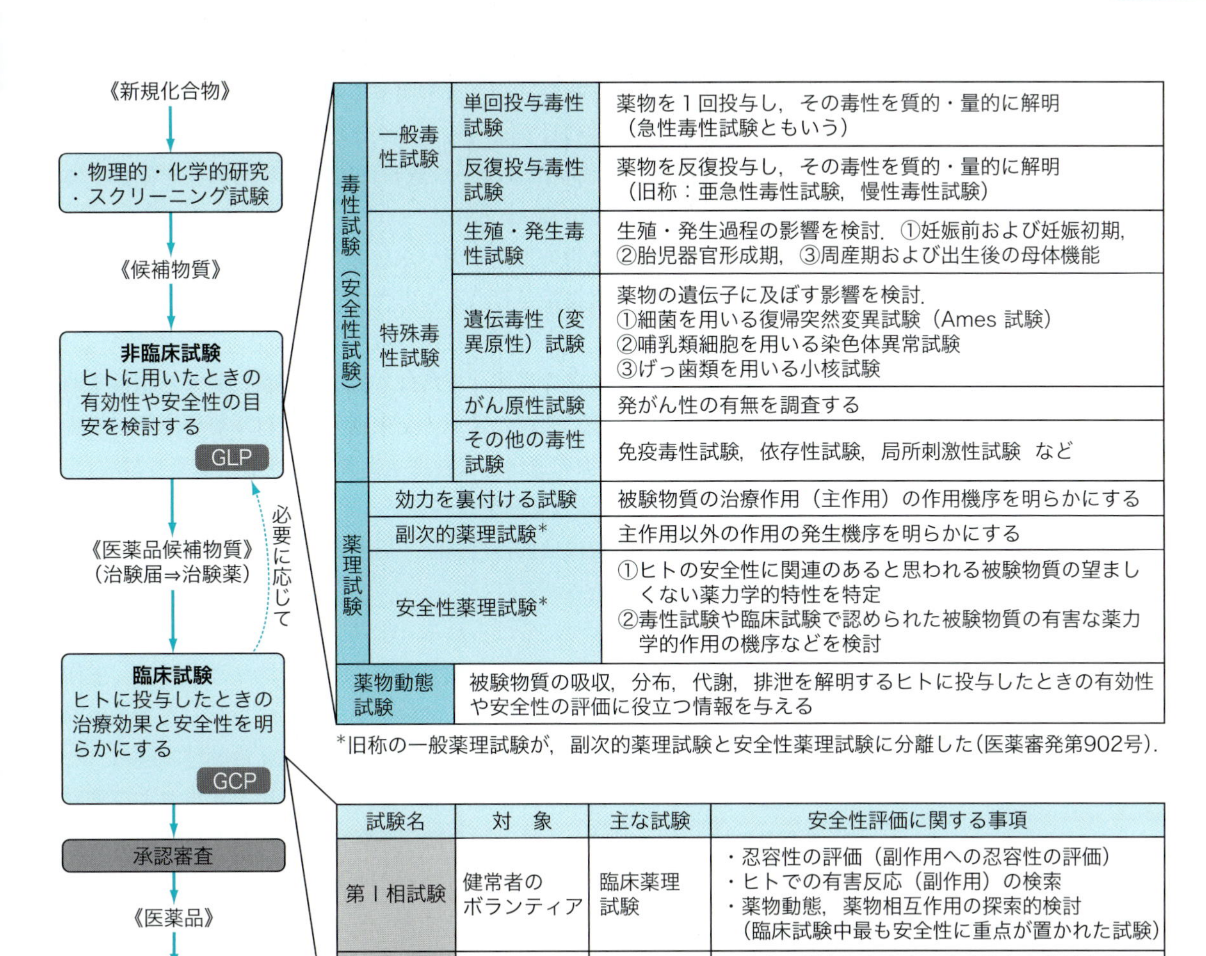

毒性試験（安全性試験）	一般毒性試験	単回投与毒性試験	薬物を1回投与し，その毒性を質的・量的に解明（急性毒性試験ともいう）
		反復投与毒性試験	薬物を反復投与し，その毒性を質的・量的に解明（旧称：亜急性毒性試験，慢性毒性試験）
	特殊毒性試験	生殖・発生毒性試験	生殖・発生過程の影響を検討．①妊娠前および妊娠初期，②胎児器官形成期，③周産期および出生後の母体機能
		遺伝毒性（変異原性）試験	薬物の遺伝子に及ぼす影響を検討．①細菌を用いる復帰突然変異試験（Ames 試験）②哺乳類細胞を用いる染色体異常試験 ③げっ歯類を用いる小核試験
		がん原性試験	発がん性の有無を調査する
		その他の毒性試験	免疫毒性試験，依存性試験，局所刺激性試験 など
薬理試験	効力を裏付ける試験		被験物質の治療作用（主作用）の作用機序を明らかにする
	副次的薬理試験*		主作用以外の作用の発生機序を明らかにする
	安全性薬理試験*		①ヒトの安全性に関連のあると思われる被験物質の望ましくない薬力学的特性を特定 ②毒性試験や臨床試験で認められた被験物質の有害な薬力学的作用の機序などを検討
薬物動態試験			被験物質の吸収，分布，代謝，排泄を解明するヒトに投与したときの有効性や安全性の評価に役立つ情報を与える

*旧称の一般薬理試験が，副次的薬理試験と安全性薬理試験に分離した（医薬審発第902号）．

試験名	対　象	主な試験	安全性評価に関する事項
第Ⅰ相試験	健常者のボランティア	臨床薬理試験	・忍容性の評価（副作用への忍容性の評価） ・ヒトでの有害反応（副作用）の検索 ・薬物動態，薬物相互作用の探索的検討（臨床試験中最も安全性に重点が置かれた試験）
第Ⅱ相試験	少数の患者	探索的試験	・患者に投与したときの安全性と有効性を検討 ・第Ⅲ相試験に行くための用法・用量を検討
第Ⅲ相試験	多数の患者	検証的試験	・安全性（副作用）プロファイルの確立 ・有効性の証明・確認 ・リスク・ベネフィット評価

図 4･5　医薬品の開発過程における安全性評価

ては，これらの医薬品に関するインシデント報告も医薬品の安全性情報として重要な意味をもつ．インシデント報告は，医療上の広範な好ましくない出来事全般が含まれるので，過量投与や不適切な薬剤の併用事故，アナフィラキシーショック，その他の副作用情報もインシデントとして報告されることが少なくない．したがって，医薬品の安全性確保においては院内の医療安全管理部門（医療安全管理室など）との連携が不可欠である（後述，☞図 4･6）．

❷ 医薬品開発における安全性評価（図 4･5）

ⓐ 非臨床試験

非臨床試験は，物理的・化学的研究やスクリーニング試験などの探索的研究で医薬品候補となった物質を，細胞や動物に投与して，その毒性や薬効・薬理作用，薬物動態などを解明する試験である．ヒトに用いたときの有効性や安全性の目安を明らかにすることを目的とする．遵守規範は，GLP であり，試験が正確かつ適正に実施され信頼性を確保するための規範が示されている(☞ p.10)．

一般毒性試験は，薬物の毒性を調べる最も基本的な試験である．動物に薬物を 1 回または反復投与し，その毒性を質的あるいは量的に解明する(**単回投与毒性試験**，**反復投与毒性試験**)．

特殊毒性試験は，特定の毒性，または，特定の部位に対する毒性を明らかにする試験である．薬物の生殖・発生過程に及ぼす影響を調べる**生殖・発生毒性試験**, 薬物の遺伝子に及ぼす影響を調べる**遺伝毒性試験**(**変異原性試験**)，発がん性の有無を調べる**がん原性試験**などがある．また，依存性が疑われる物質には**依存性試験**，局所に適用する製剤には**局所刺激性試験**が個別に実施される．

薬理試験は大きく 3 つに分けられる．①**効力を裏付ける試験**は，薬効(主作用)の作用機序を解明する試験である．②**副次的薬理試験**は，主作用以外の作用の発生機序を解明する試験だが，ヒトに投与したときの副作用の予測に重要な情報を与えることがある．③**安全性薬理試験**は，ヒトに投与したときに発生し得る望ましくない薬理作用を検出および予測するために，あるいは，毒性試験や臨床試験で認められた被験物質の有害な薬理作用の機序などを検討するために実施される試験であり，重要な安全性情報を多数与える．

薬物動態試験は，被験物質の吸収，分布，代謝，排泄を解明するために実施されるが，薬理試験や毒性試験における薬物の投与量を設定する際に役立つ情報を与える．また，ヒトに投与したときの有効性や安全性の評価に役立つ情報を与える．

b 臨床試験

臨床試験は，非臨床試験で有効性，安全性が確認された医薬品候補物質をヒトに投与し，ヒトでの有効性，安全性，有用性を検証する試験である．第Ⅰ相から第Ⅲ相の 3 段階で試験が実施される．遵守規範は，GCP であり，臨床試験における被験者の人権を守り，倫理的，科学的に実施するための規範が示されている(☞ p.10)．

第Ⅰ相臨床試験は，健常者ボランティアを対象に実施される．ヒトでの有害反応の検索，忍容性の検討，薬物相互作用の検討など，安全性に重点を置いた試験である．

第Ⅱ相臨床試験は，限定的な患者を対象に実施される．治療効果の探索を主な目的としており，用法・用量などが検討される．

第Ⅲ相臨床試験は，多数の患者を対象に，治験薬の有効性，安全性を検証する試験である．

❸ 市販後における医薬品の安全性評価

市販後における医薬品の安全性を評価する仕組みとして**製造販売後調査**[*13]（**市販後調査**：post marketing surveillance, **PMS**）がある．製造販売後調査は，製造販売承認を得た医薬品が市販された後に製薬企業が実施する調査であり，限られた条件下で実施された第Ⅲ相臨床試験までの結果を補う目的で実施される．つまり，市販後は，さまざまな背景をもつ多数の患者に長期間使用されるので，第Ⅲ相臨床試験で検出できなかったまれな副作用の検出や長期投与の影響，合併症あるいは併用薬のある患者での影響，さらに小児，妊婦などへの投与による影響などの貴重な安全性情報を収集することができる．

製造販売後調査は，新医薬品を対象とする「①市販直後調査」および「②再審査制度（安全性定期報告を含む）」，すべての医薬品を対象とする「③再評価制度」，安全性モニターの「④副作用・感染症報告制度」の四本柱から構成されている（市販直後調査を別枠として扱い三本柱ということもある）．また，④の「副作用・感染症報告制度[*14]」には，「企業報告制度」「感染症定期報告制度」「医薬品・医療機器等安全性情報報告制度」「WHO国際医薬品モニタリング制度」の4つの報告制度が含まれる（☞第2章B市販後に得られる情報）．

製造販売後調査における具体的な内容は，GPSP（good post-marketing study practice：製造販売後調査・試験の実施の基準）省令とGVP（good vigilance practice：製造販売後安全管理の基準）省令に示されている（表4･6）．

*13 製造販売後調査（市販後調査）
☞ p.37

*14 副作用・感染症報告制度
☞ p.42

❹ 医療施設における医薬品の安全性評価

a 医療施設における医薬品安全性評価の目的

医療施設における医薬品の安全性評価の目的は，以下のとおりである．

①医薬品開発時のデータ，承認審査，再審査などの結果，関連する一次資料などを評価し，安全性が担保されていない医薬品を採用しない．

②副作用や相互作用の危険度を評価し，施設内スタッフに必要な注意喚起を行う．

③製剤の外観や名称などから誤使用の危険性を評価し，施設内スタッフおよび使用者に必要な注意喚起を行う．

④その他，適正使用のための情報を収集，評価し，必要な情報を院内に周知する．

⑤施設内の副作用モニタリングを徹底し，重大な副作用などを確実に把握，評価し，必要な対策をとるとともに，必要に応じて厚生労働省に報告する．

⑥医薬品に関連するインシデント情報を入手，解析し，再発防止対策を立案し実施する．

表4･6　市販後における医薬品の安全性を評価するための制度と関連する省令

対象	安全性を評価するための制度・調査等	関連基準(省令)	本書関連頁
新医薬品	①製造販売後調査(市販直後調査)	GVP	p.39
	②再審査制度(安全性定期報告を含む)		p.37
	・使用成績調査(一般使用成績調査, 特定使用成績調査, 使用成績比較調査)	GPSP	p.41
	・製造販売後データベース調査	GPSP	p.41
	・製造販売後臨床試験(第Ⅳ相臨床試験)	GPSP・GCP	p.42
	[医薬品リスク管理計画：RMP(後述)]	GVP	p.38, 81, 137
全医薬品	③再評価制度		p.37
	・使用成績調査(一般使用成績調査, 特定使用成績調査, 使用成績比較調査)	GPSP	p.41
	・製造販売後データベース調査	GPSP	p.41
	・製造販売後臨床試験(第Ⅳ相臨床試験)	GPSP・GCP	p.42
	④副作用・感染症報告制度	GVP	p.42
	・企業報告制度		p.42
	・感染症定期報告制度		p.45
	・医薬品・医療機器等安全性情報報告制度		p.43
	・WHO 国際医薬品モニタリング制度		p.45

b　医薬品の安全性評価における医薬品情報室の役割

医薬品の安全性情報は，医薬品安全管理責任者[*15]と情報共有のもと，医薬品情報室が中心的役割を担う．つまり，厚生労働省や医薬品医療機器総合機構(PMDA)，製薬企業，医薬品卸などから提供される医薬品安全性情報などは，すべて医薬品情報室に収集される．施設内で発生した重大な副作用などは，主治医あるいは担当薬剤師を通して医薬品情報室に報告される．医薬品に関連するインシデント報告は，院内の医療安全管理者[*16]に報告される．一般に院内インシデント報告を集計すると，医薬品関連のインシデントが全体の$\frac{1}{4}$～$\frac{1}{3}$を占める．これらの医薬品関連のインシデントの解析や再発防止対策の立案には，医療安全管理者，医薬品安全管理責任者および医薬品情報室との連携が不可欠である．医薬品情報室は，このようにして収集した医薬品安全性情報を，分析・評価し，それを整理し，保管する．そして適時，情報提供先のニーズに合わせて情報を加工し，必要な部署(あるいは施設全体)に情報を提供する．なお，医薬品安全性情報は，いつでも必要に応じて利用可能にしておくためにデータベース化しておくことが望ましい(医薬品安全性情報等データベース)．この医薬品安全性情報等データベースを駆使して，安全対策の立案や院内外への情報提供に利用する．

医薬品情報室に収集された医薬品安全性情報のうち，重大あるいはま

＊15　**医薬品安全管理責任者**
☞p.130，コラム

＊16　**医療安全管理者**　インシデントや事故の発生原因などを解析し，再発防止対策を立案する役割を有する．

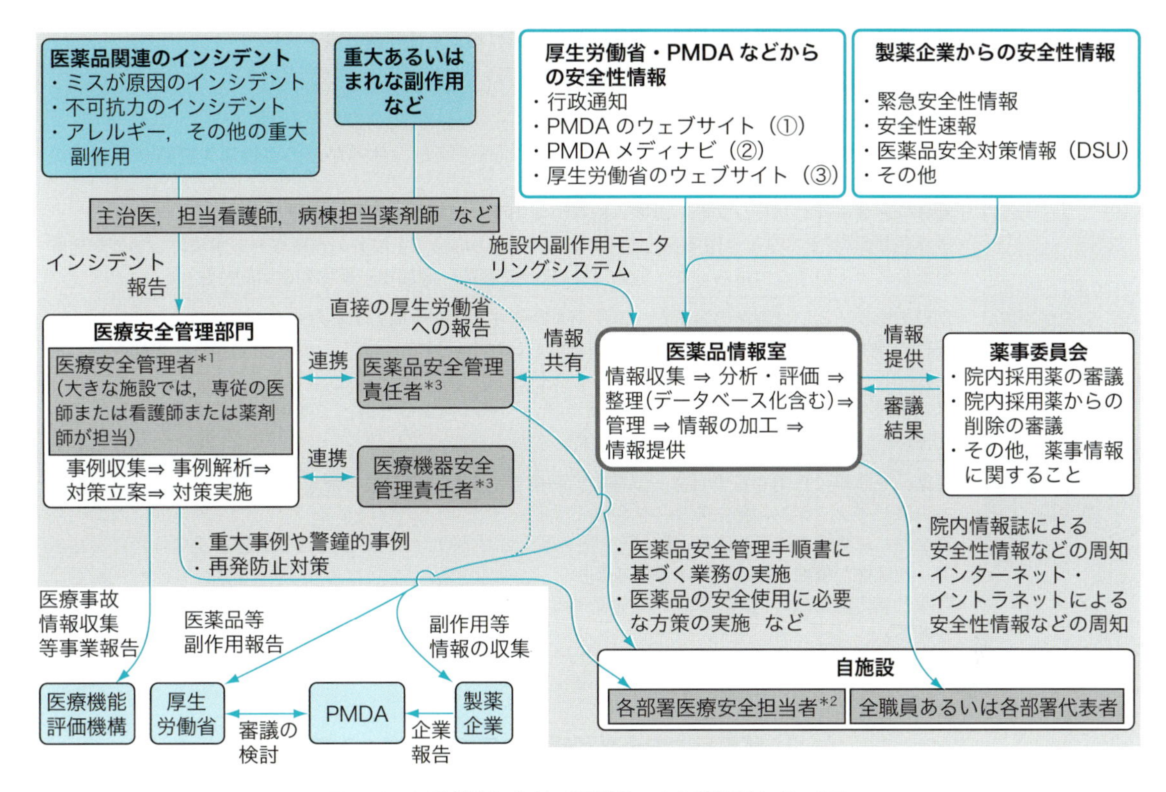

図 4･6　医療機関における医薬品の安全性情報などの流れ

*1 施設により，専従リスクマネジャー，専従セーフティマネジャー，ゼネラルリスクマネジャーなどと呼称される．
*2 施設により，リスクマネジャー，セーフティマネジャーなどと呼称される．
*3 改正医療法施行規則（2007 年 3 月）で設置が義務付けられている．医薬品安全管理責任者は，多くの施設で薬剤部長が兼務している．
①PMDA のウェブサイト
(https://www.pmda.go.jp/safety/index.html)
②医薬品医療機器情報配信サービス（PMDA メディナビ）
(登録 URL：https://www.pmda.go.jp/safety/info-services/medi-navi/0007.html)
③厚生労働省のウェブサイト「医薬品・医療機器」
(https://www.mhlw.go.jp/stf/seisakunitsuite/bunya/kenkou_iryou/iyakuhin/index.html)（2021 年 10 月 7 日参照）

れな副作用は医薬品等副作用報告として厚生労働省に報告される．また，誤使用につながるような医療安全上の問題についても厚生労働省に報告される．厚生労働省に報告された情報は，PMDA で審議，検討される（図 4･6）．

医薬品安全管理責任者は，これらの医薬品安全情報の収集と対策などの立案，実施の責任を負い，医薬品が安全に使用されるための手順書を作成し，それが適正に遵守されているかを監視する．

薬事委員会は，施設における医薬品の採用品目を審議，決定する委員会であり，審議にあたっては医薬品情報室からの安全性情報の提供が不可欠である．薬事委員会で採用薬を審議する際の安全性評価のポイントを表 4･7 に示した．

表 4･7　医療施設における採用薬の審査における安全性評価のポイント

1. 医薬品そのものに関すること	・重篤な副作用を有していないか？ ・重大な薬物相互作用を有していないか？ ・薬効や薬物動態に遺伝子多型の影響はないか？(たとえば，体内からの薬物消失経路が 1 種類の CYP 分子種に依存していないか？) ・有効性と安全性のバランスからみて，既存の採用薬と比較して本当に必要なのか？ ・後発医薬品(ジェネリック医薬品，ジェネリック薬)の場合，主成分の含量以外の事項について先発医薬品に劣っていることはないか？(とくに，成分の純度，添加物，薬物動態学的特性)
2. 安全使用に関すること	・剤形の形状あるいは製剤の容器が，誤使用を誘発する外観を有していないか？ ・既存の採用薬を鑑みて，類似の名称の製剤はないか？(名称が類似し，かつ薬効が反対の場合や，常用量が著しく異なる場合は，医療事故につながりやすい) ・ほかの規格の製剤を追加あるいは削除する場合，それによって誤って他規格品の使用を誘発する可能性はないか？
3. その他の考慮事項	・医薬品を新規に採用する場合は，既存の採用薬を削除し，品目数を増やさないようにする(品目数が多いほどインシデント発生のリスクが高くなる) ・安全性と採算性のバランスは，常に安全性を優先させる(たとえば，安価な後発医薬品の採用にあたって，安全性が犠牲にならないようにする) ・製薬企業の医薬品の情報提供体制を確認する(とくに後発医薬品では，情報提供体制が未整備な場合がある)

c 医薬品の安全性評価に有用な情報源と入手方法

医薬品の安全性評価に有用な情報源を表 4･8 に示した．また，主な入手方法を表 4･9 に示した(詳細は 3 章参照)．

医薬品の安全性に関する情報の入手方法は，大きく，受動的な情報収集と能動的な情報収集に分けることができる．前者には，製薬企業あるいは医薬品卸の販売担当者が，医師や薬剤師に直接情報提供する方法や，電子メールなどによる安全性情報の自動配信サービスなどがある．後者には，インターネットを利用した方法，書籍や文献などの紙媒体による方法，PubMed や EMBASE などの文献検索サービス，自施設で作成した医療安全情報に関するデータベースの利用などがあげられる．

医薬品安全性情報の入手方法としては，PMDA や厚生労働省が運営するウェブサイトがきわめて有用である．これらのウェブサイトから表 4･9 の項目の大部分の情報を入手することができる．さらに詳細な情報が必要な場合は，PubMed や EMBASE などの文献検索サイトで必要な文献を検索し，原著論文などの一次資料を入手する(☞3 章)．

5 医薬品リスク管理計画(RMP)

a RMP の概要

医薬品リスク管理計画(risk management plan, RMP)は，医薬品の安全性を確保するための医薬品のリスク管理の方策や取り組みを，医薬品ごとに文書化したものであり，「①安全性検討事項」「②医薬品安全性監視活動」「③リスク最小化活動」の 3 要素から構成される．医薬品添付文書(主に使用上の注意)にも医薬品のリスクが記載されているが，ここに

表 4･8　医薬品の安全性評価に有用な情報源

分　類	主な医薬品安全性情報源
1. 行政通知(厚生労働省通知など)	●厚生労働省から発出された医薬品関連の通知★ ●厚生労働省から発出された医療安全対策にかかわる通知★
2. 承認審査・再審査・再評価に関する情報	●承認情報(医薬品・医薬部外品)Web 版★ ・医療用医薬品，一般用医薬品・要指導医薬品，医薬部外品の承認審査情報★ ・おのおのの承認審査情報に関する検索サイト★ ・医療用医薬品の再評価結果★ ・市販直後調査に関する情報★
3. 安全対策・措置に関する情報	●緊急安全性情報(イエローレター)★ ●安全性速報(ブルーレター)★ ●医薬品の回収に関する情報★ ●医薬品安全対策情報(DSU)★
4. 副作用関連情報	●医薬品に関する評価中のリスクなどの情報★ ●医薬品・医療機器等安全性情報★ ●重篤副作用疾患別対応マニュアル★
5. 医療安全(リスクマネジメント)に関する情報	●PMDA 医療安全情報★ ●医薬品・医療機器ヒヤリ・ハット事例等検索システム★ ●医薬品リスク管理計画(RMP)★ ●本物の医薬品または製剤見本
6. 医薬品基本情報	●医薬品添付文書★ ●医薬品インタビューフォーム★ ●当該医薬品に関する一次資料
7. 後発医薬品関連の情報	●医療用医薬品品質情報集(オレンジブック) ●ジェネリック医薬品品質情報検討会の資料(Web 公開版)★
8. その他	●PubMed，EMBASE，TOXNET，医中誌 Web などの医療関連の二次資料提供サイト ●製薬企業，医薬品卸などが提供する医薬品安全性情報などに関する三次資料 ●日本薬剤師会，日本病院薬剤師会，日本医師会などで編集・監修した指針やその他の三次資料 ●その他の医薬品安全性情報など

★：PMDA のウェブサイトおよび厚生労働省のウェブサイトで入手できる情報.

はすでに確認された副作用や相互作用のみが記されている．これに対してRMPにはまだ確認されていない潜在的なリスクについても記載されている．RMPは，2013年4月1日以降に製造販売承認申請された新医薬品とバイオ後続品から医薬品の承認条件となっている(2021年10月1日現在で650品目収載).

RMPは，医薬品の安全性情報や適正使用のための重要な情報を提供することから,医療機関において医薬品を採用あるいは選択する際には,最低限把握しておかなければならない必須の医薬品情報であり，PMDAのウェブサイトで最新版が公開されている(図 4･7).

b RMP の 3 要素 (表 4･10)

①**安全性検討事項**：開発段階で得られた情報や市販後の副作用報告などから明らかになったリスクのうち，ベネフィットとリスクのバランス

表 4･9　安全性情報を入手する方法

分　類	安全性情報の入手方法
受動的な情報収集	●製薬企業の医薬情報担当者(MR)からの情報提供 ●医薬品卸の販売担当者(MS)からの情報提供 ●行政機関からのダイレクトメールや FAX ●製薬企業などからのダイレクトメールや FAX ●インターネット，電子メールなどによる情報提供サービス ・医薬品医療機器情報配信サービス(PMDA メディナビ)による情報提供 ・病院薬剤師会などの職域団体で運営する自動情報提供サービス ・製薬企業で運営する自動情報提供サービス ・その他の医薬品安全性情報提供サービスによる情報提供
能動的な情報収集	●医薬品安全性情報提供サイトからの情報収集 ・PMDA のウェブサイト ・厚生労働省のウェブサイト ●製薬企業で提供するウェブサイトからの情報の収集 ●書籍・文献などからの一次資料・三次資料の収集 ●文献・情報検索サイトを用いた二次資料の収集 ・PubMed および EMBASE(Medline に集積した多数の医学・薬学，ほかの医療系文献全般の情報) ・TOXNET(TOXLINE に集積した副作用・毒性・中毒関連の情報) ・医中誌 Web(国内で発行された医学・歯学・薬学およびその関連分野の定期刊行物の情報) ●自施設で作成した医薬品安全性情報データベースなどからの情報収集 ・医薬品情報室独自の医薬品情報等データベース ・医療インシデントレポートおよびそのデータベース

に影響を及ぼすような，または保健衛生上の危害の発生・拡大のおそれがあるような重要なリスクを特定したもの．安全性検討事項には，「重要な特定されたリスク」「重要な潜在的リスク」「重要な不足情報」の3項目がある．

②**医薬品安全性監視活動**：特定された「安全性検討事項」を踏まえて，安全性情報を収集するために市販後に実施される調査，試験の計画であり，これには，「通常の医薬品監視活動」と「追加の医薬品監視活動」がある．前者には，市販後の副作用情報収集や文献情報収集など，後者には製造販売後調査がある．

③**リスク最小化活動**：開発段階で得られた情報や市販後の副作用報告などから明らかになったリスクを最小にするための安全対策の計画のこと．これには，添付文書の使用上の注意の改訂などの「通常のリスク最小化活動」，あるいは，市販直後調査の際の製薬企業の医薬情報担当者(MR)による頻回の安全性情報の提供や，とくに安全性が危惧される新医薬品について処方を特定の登録医師に限定するといった条件付き承認などの「追加のリスク最小化活動」が含まれる．

ザファテック錠 100 mg 他に係る医薬品リスク管理計画書（RMP）の概要

販売名	ザファテック錠 100 mg, 同 50 mg, 同 25 mg	有効成分	トレラグリプチンコハク酸塩
製造販売業者	武田薬品工業株式会社	薬効分類	87396
提出年月		令和３年９月	

1.1 安全性検討事項					
【重要な特定されたリスク】	頁	【重要な潜在的リスク】	頁	【重要な不足情報】	頁
低血糖	3	皮膚障害	4	腎機能障害患者への投与時の安全性	10
		急性膵炎	5		
		QT/QTc 間隔延長に伴う催不整脈 ①	5	肝機能障害患者への投与時の安全性	10
		腸閉塞	6	高齢者への投与時の安全性	11
		感染症	7		
		悪性腫瘍	8	心血管系リスクへの影響	12
		過量投与・過量服用に関連する事象	8		
		類天疱瘡	9		

1.2 有効性に関する検討事項		
使用実態下における長期投与時の有効性	12 頁	

↓上記に基づく安全性監視のための活動

2. 医薬品安全性監視計画の概要	頁
通常の医薬品安全性監視活動	14
追加の医薬品安全性監視活動	
ザファテック錠　特定使用成績調査「2 型糖尿病　長期投与」②	14
ザファテック錠 mg 特定使用成績調査「高度腎機能障害又は末期腎不全を合併する 2 型糖尿病患者での長期使用に関する調査」	15

3. 有効性に関する調査・試験の計画の概要	頁
ザファテック錠　特定使用成績調査「2 型糖尿病　長期投与」	16

各項目の内容は RMP の本文でご確認下さい.

↓上記に基づくリスク最小化のための活動

4. リスク最小化計画の概要	頁
通常のリスク最小化活動	17
追加のリスク最小化活動	
患者向け資材［ザファテック錠を服用される患者さんへ（患者服薬注意書：低血糖）及びザファテック錠を服用される患者さんへ（患者服薬注意書：過量投与・過量服用に関する事象）］の作成及び提供	17
医療従事者向け資材［ザファテック錠を服用される患者さんへ（患者説明用資材：過量投与・過量服用に関連する事象）］の作成及び提供	17
本剤の包装形態の工夫	18

図 4･7　医薬品リスク管理計画(RMP)の例

上記の『RMP の概要』の青文字をクリックすると，詳細な情報が記載された頁にカーソルがジャンプし詳細な情報が表示される.
【①をクリック】QT/QTc 間隔延長に伴う催不整脈
海外で実施した健康成人を対象とした QT/QTc 評価試験(CPH-005 試験)において，本剤の通常用 量の 2 倍となる 200 mg 群では QT/QTc 間隔の延長はみられなかったものの，800 mg 群で QT/QTc 間隔 の延長がみられた.（以下略）
【②をクリック】ザファテック錠 特定使用成績調査「2 型糖尿病 長期投与」
【安全性検討事項】
低血糖，皮膚障害，急性膵炎，QT/QTc 間隔延長に伴う催不整脈，腸閉塞，感染症，悪性腫 瘍，過量投与・過量服用に関連する事象，類天疱瘡，腎機能障害患者への投与時の安全性，肝 機能障害患者への投与時の安全性，高齢者への投与時の安全性，心血管系リスクへの影響(以下略)
［医薬品医療機器総合機構ウェブサイト(https://www.pmda.go.jp/RMP/www/400256/52f265e8-2567-49ca-9495-fe7dfbfd181d/400256_3969024F1028_012RMP.pdf)(2021 年 10 月 7 日参照)より引用］

表 4・10　医薬品リスク管理計画のまとめ

構成要素	説　明	内　訳	関連事項
①安全性検討事項	医薬品の安全性確保の観点から，とくに検討を要するリスクを明確にする	重要な特定されたリスク	・すでに医薬品との関連性が明らかなリスク 例）臨床試験で明らかになっている副作用 多数の自発報告から，医薬品との因果関係が示唆される副作用
		重要な潜在的リスク	・関連性が疑われるが十分に確認されていないリスク 例）非臨床試験から予測されるが，臨床試験で確認されなかった副作用 同種同効薬で認められている副作用
		重要な不足情報	・安全性を予測するうえで十分な情報が得られていないリスク 例）治験が実施されなかった患者群(高齢者，肝機能・腎機能障害者，小児，妊婦)における安全性情報
②医薬品安全性監視活動	①に関連した安全性情報を収集するための市販後の調査	通常の医薬品監視活動	・市販後における副作用症例情報および文献による安全性情報の収集
		追加の医薬品監視活動	・新医薬品における「市販直後調査・安全性定期報告」 ・再審査・再評価申請のために実施される「使用成績調査(一般使用成績調査，特定使用成績調査，使用成績比較調査)」「製造販売後データベース調査」「製造販売後臨床試験(第Ⅳ相臨床試験)」
③リスク最小化活動	①に関連したリスクを最小化するための計画と活動	通常のリスク最小化活動	・医薬品添付文書の使用上の注意の改訂・追加 ・患者向けの医薬品ガイド
		追加のリスク最小化活動	・市販直後調査による情報収集 ・適正使用のための資材の配布 ・処方する際の制限事項の設定 例）特定の医薬品については，処方する医師や調剤する薬剤師に研修を義務付け，さらに登録制とする

SBO・病院や薬局において医薬品を採用・選択する際に検討すべき項目を列挙し，その意義を説明できる．
・医薬品情報にもとづいて，先発医薬品と後発医薬品の品質，安全性，経済性などについて，比較・評価できる．（技能）

D　その他の評価(医薬品適正使用のための評価)

ポイント

- 医薬品の採用・選択にあたり経済性，費用対効果，利便性，公知申請，予防的投与の必要性などが検討項目としてあげられる．
- 医薬品適正使用のために必要な評価項目として，薬物動態パラメータ[最高血中濃度到達時間(T_{max})，薬物代謝酵素の遺伝子多型]，コンパニオン診断，薬物血中濃度の有効域などがあげられる．

❶ 医薬品の採用・選択のための評価

ⓐ 経済性の評価（費用対効果）

費用対効果とは，かけた費用に対して，どのくらい効果があるかをいう．たとえば，「この薬剤は費用対効果が高い」といえば，薬剤導入費用に対して，導入によって得られる効果(コスト削減や時間短縮などのメリット)のほうが大きいことを意味する．

b 質調整生存年（quality-adjusted life year, QALY）

医療経済評価の手法には，①費用最小化分析(cost minimization analysis)，②費用/効果分析(cost-effectiveness analysis)，③費用/効用分析(cost-utility analysis)，④費用/便益分析(cost-benefit analysis)がある．

①費用最小化分析とは，アウトカムがほぼ同じである医療のなかで，その際に発生する医療費コストが最小となる医療を評価する手法である．

②費用/効果分析とは，複数の選択肢について，各々の「費用」と「効果」を計算し，比較検討する手法である．

③費用/効用分析とは，費用効果分析において質調整生存年(quality-adjusted life year, QALY)という効果指標を用いたものである．

④費用/便益分析とは，得られる効果をすべて金銭価値に換算する方法である．

QALYは「費用/効用分析」において用いられる代表的な指標で，異なった種類の診断・治療法であっても，その効果を共通の尺度で表すことができる．QALYは生存年数と生活の質(QOL)の双方を考慮した指標で，1を完全な健康，0を死亡とする「QOLスコア(効用値)」に生存年数を掛け合わせて算出する．

c 公知申請

公知申請とは，承認医薬品の適応外処方について科学的根拠に基づき医学薬学上公知であると認められた場合，臨床試験の全部または一部を新たに実施することなく効能・効果などの承認が可能となる制度である．つまり単純にいうと国内ですでに承認されている薬が欧米などではかの適応疾患に広く使われ，エビデンスがあれば(＝医学薬学上公知)，国内治験の一部か全部を省略して適応拡大を認めてもよいという趣旨である．

(1)アセトアミノフェン(APAP)

日本疼痛学会ならびに日本ペインクリニック学会から厚生労働省に対して公知申請が行われ，2011年に成人における用量1日1.5 gから1日4.0 gに用量拡大が承認された．さらに，妊婦・授乳婦・新生児に対しての投与は，従来の投与量と同様でよいかどうか，今後の検討課題として製造販売後調査を要する．

(2)カルベジロール1.25 mg錠，ビソプロロール0.625 mg錠追加(慢性拡張型心筋症)

現在，わが国で「虚血性心疾患または拡張型心筋症に基づく慢性心不全」に適応を取得しているβ遮断薬はカルベジロールとビソプロロールのみである．カルベジロールの本効能・効果は公知申請により，2002年に承認された．一方，ビソプロロールの本効能・効果は，日本循環器学会，日本心不全学会から公知申請が行われ，2011年に承認された．

(3)トラスツズマブ(遺伝子組換え)

日本乳癌学会より，「HER2 過剰発現が確認された乳癌における術後補助化学療法」の適応追加が公知申請され，2011 年に承認された．

d 予防投与の評価

予防投与には，一次予防，二次予防，三次予防がある．一次予防は，疾病の発生を未然に防ぐ行為で，二次予防は疾患を早期に発見・処置する行為であり，早期発見と早期治療に分かれる．三次予防は重症化した疾患から社会復帰するための行為である．

(1)抗凝固薬の一次予防投与

1)ワルファリン，ダビガトラン，リバーロキサバン，アピキサバン，エドキサバン

ワルファリン，ダビガトラン，リバーロキサバン，アピキサバン，エドキサバンの効能・効果は，「非弁膜症性心房細動患者における虚血性脳卒中および全身性塞栓症の発症抑制」であり，すなわちまだ発症していない「心原性塞栓性脳梗塞」の一次予防投与として用いられる．発症していない疾病に対して重篤副作用の出血を起こす可能性のある抗凝固薬を投与するために $CHADS_2$ スコア(表 4･11)が用いられる．$CHADS_2$ スコアが 2 点以上で，脳卒中に対する予防投与が行われる．

表 4･11　$CHADS_2$ スコア

項目	点数
Congestive heart failure(心不全)	1 点
Hypertension(高血圧)	1 点
Age(年齢≧75)	1 点
Diabetes Mellitus(糖尿病)	1 点
Stroke, TIA(脳卒中, 一過性脳虚血発作)	2 点

Stroke, TIA はどちらか一方でも 2 点である．この場合，イベントが発生しているので，一次予防ではない．

2)エドキサバン

エドキサバンの効能・効果には，「下肢整形外科手術施行患者における静脈血栓塞栓症の発症抑制」もあり，すなわちまだ発症していない下肢整形外科手術後に発症する可能性がある「肺塞栓症」の一次予防投与として用いられる．

(2)抗凝固薬の二次予防投与

1)リバーロキサバン，アピキサバン，エドキサバン

リバーロキサバン，アピキサバン，エドキサバンの効能・効果には「深部静脈血栓症及び肺血栓塞栓症の治療及び再発抑制」があり，本効能・効果は発症後の投与であるため二次予防投与である．

(3)抗血小板薬の二次予防投与

1)低用量アスピリン，チクロピジン，クロピドグレル，プラスグレル

低用量アスピリン，チクロピジン，クロピドグレル，プラスグレルの効能・効果は，「虚血性脳血管障害(心原性脳塞栓症を除く)後の再発抑制」「経皮的冠動脈形成術(PCI)が適用される下記の虚血性心疾患；急性冠症候群(不安定狭心症，非 ST 上昇心筋梗塞，ST 上昇心筋梗塞)，安定狭心症，陳旧性心筋梗塞」「末梢動脈疾患における血栓・塞栓形成の抑制」である(二次予防投与)[*17]．

*17　PCI(ステント挿入)後，ベアメタルステント (BMS) および薬剤溶出ステント (DES) は，低用量アスピリン(LDA)＋チクロピジン or クロピドグレル or プラスグレルのうちいずれか 1 剤を併用，1 年間服薬する(DAPT)．とくに，チクロピジンは血栓性血小板減少性紫斑病(TTP)，無顆粒球症，重篤な肝障害などの重篤副作用に注意し，その初期症状を捉え，重篤副作用を未然に防がなければならない．

❷ 医薬品適正使用のための評価

a 薬物動態パラメータの評価

医薬品適正使用のために，添付文書およびインタビューフォームの吸収，分布，代謝，排泄(ADME)の各種パラメータ(T_{max}，C_{max}，AUC・$T_{1/2}$，pKa，分配係数)を評価する．以下に，適正使用を怠ると重篤副作用発生の可能性のある薬物をあげて解説を加える．

(1)吸収速度に関するパラメータ［T_{max}(最大血中濃度到達時間)≦1 hr の薬剤］

1)ミチグリニド，ナテグリニド

速効性インスリン分泌促進薬であるミチグリニドは食前5分前，ナテグリニドは食前10分前に投与する．これらの薬物の食後投与は T_{max} 延長，C_{max} 低下，AUC・$T_{1/2}$ 不変(＝吸収率不変・吸収部位変動)というパラメータの変動を起こす．したがって，これらの投薬時間を外して食前・食中・食後に投与すると，食後の血糖上昇抑制作用の減弱あるいは遅延性の低血糖を誘発する可能性がある(表4･12)．

2)スタチン類

プラバスタチンの薬物動態パラメータは食事に影響されない．しかし，アトルバスタチン，ピタバスタチンは食前投与により，T_{max} 短縮，C_{max} 上昇，AUC・$T_{1/2}$ 不変(＝吸収率不変・吸収部位変動)と，パラメータが変動する．したがって，アトルバスタチン，ピタバスタチンを食前に投与すると，C_{max} の上昇による横紋筋融解症の危惧がある(表4･12)．

3)抗血小板薬

チクロピジンは制酸薬との併用で C_{max}・AUC(＝吸収率)が低下する．

クロピドグレルとプラスグレルは食前投与において T_{max} 短縮，C_{max} 上昇，AUC・$T_{1/2}$ 不変(＝吸収率不変・吸収部位変動)と，パラメータが変動する．したがって，クロピドグレル，プラスグレルは食前に投与すると，C_{max} 上昇による出血の危惧がある(表4･12)．

4)ベンゾジアゼピン系睡眠導入薬

トリアゾラムとブロチゾラムの T_{max} は1.0～1.5 hr で，効果発現時間は15～30 min である．また，これらは食事に影響されない(表4･13)．

b 薬物代謝酵素の遺伝子多型の評価

一般には普通と異なる遺伝子の頻度が全体の1%以上の場合を多型(genetic polymorphism)，それより少ない場合を変異という．しかし，多型と変異のすみわけは明確ではない．1つの塩基がほかの塩基に置き換わっている一塩基多型(SNPs)が遺伝的背景の個別化マーカーとして有用とされている．とくに薬物代謝酵素では，酵素活性の低下や欠如，非定型酵素や異常酵素の出現といった表現型となる．日本人において薬物代謝能に遺伝的な差異が認められ，なおかつ薬物代謝異常によるイベントがあるものとしては，CYP2C9，CYP2C19，CYP2D6，UDP-グル

表 4・12　食事に影響を及ぼす可能性のある薬物とそれらの薬物動態パラメータ

薬　物	投　与		T_{max} (hr)	C_{max} (ng/mL)	AUC (ng・hr/mL)	$T_{1/2}$ (hr)
速効性インスリン分泌促進薬						
ミチグリニド pK_a：4.43 T_{max}：約 20 min	5 mg 単回経口	食前 5 分	0.3*1	385*1	472	1.4
		食後	2.1	144	444	1.3
ナテグリニド pK_a：3.1 T_{max}：約 30 min	健康成人男子にナテグリニド 60 mg を 1 日 3 回毎食前 10 分に反復投与したときの血中濃度	1 日目	0.56±0.18	5.91±1.62*2	7.33±0.75*3	1.04±0.14
		4 日目	0.61±0.14	5.33±1.04*2	7.95±1.05*3	1.05±0.11
		7 日目	0.56±0.18	5.95±0.70*2	7.41±0.84*3	0.99±0.08
		食直後単回経口	2.40±1.78*4	2.74±1.05*2,*4	6.07±1.45*3	1.32±0.41
スタチン類						
プラバスタチン pK_a：4.6	5 mg 単回経口	空腹時	1.0	110	320	—
		食後	1.3	151	355	—
アトルバスタチン pK_a：4.2	10 mg 単回経口	空腹時	0.8*1	5.33*1	29.1	7.8
		食後	1.6*1	2.34*1	26.5	7.7
ピタバスタチン pK_{a1}：4.40 pK_{a2}：5.36	2 mg 単回経口	空腹時	0.8*1	26.1*1	58.8	2.5
		食後	1.8*1	16.8*1	54.3	3.4
抗血小板薬						
チクロピジン pK_a：6.93	250 mg 単回経口	空腹時	1.9	573	1808	6.9
		食後	1.7	695	2164*1	7.6
		制酸薬併用	2.0	375*1	1484*1	6.9
クロピドグレル pK_a：4.5～4.6	75 mg 単回経口	空腹時	1.0*1	3620*1	8780	7.3
		食後	1.9*1	2290*1	8460	6.9
プラスグレル pK_a：5.1	20 mg 単回経口	空腹時	0.5*1	169*1	170	1.8
		高脂肪食摂取後	2.0*1	51.2*1	146	1.4
	60 mg 単回経口	空腹時	0.5	570	589	—
		PPI 併用	0.51	406	511	—

*1 上下で有意差あり，*2 μg/mL，*3 μg・hr/mL，*4 食直後投与は有意差あり．

表 4・13　食事の影響はないが，T_{max} が 1 hr 前後の薬物とそれらの薬物動態パラメータ

薬　物	投　与		T_{max} (hr)	C_{max} (ng/mL)	AUC (ng・hr/mL)	$T_{1/2}$ (hr)
トリアゾラム pK_a：2.0	0.5 mg 単回経口	空腹時	1.2	—	—	2.9
	0.25 mg 単回経口	食後	1.5	2.0	7.7	1.4
ブロチゾラム pK_a：2.1	0.25 mg 単回経口	—	1.0～1.5	3.35～4.08	—	7

コラム

薬物の吸収部位と時間を各種パラメータ(T_{max}, C_{max}, AUC・$T_{1/2}$, pK_a, 分配係数)から読み取ろう!

薬物の脂質膜透過性(受動拡散)は, 消化管液の pH での薬物の非イオン形(分子形)の存在割合が高い場合, また, 脂溶性(分配係数)が大きい場合に上昇する(pH 分配仮説). 非イオン型存在分率は, 環境 pH およびその薬物の pK_a(酸解離定数)によって決まる. pK_a はイオン型と非イオン型の濃度が等しい場合の pH である. pH が pK_a より低い場合, 弱酸性薬物では非イオン型が優勢であるが, 弱塩基性薬物ではイオン型が優勢となる(Henderson-Hasselbalch 式($pH = pK_a + \log([A^-]/[HA])$)より). 食後胃内 pH=7.4 の場合, 弱酸性薬物(例えば pK_a が 4.4)の非イオン型のイオン型に対する比は 1:1000 であるが, 空腹時胃内 pH=1.4 では, その比が逆転する(1000:1). そのため, 弱酸性薬物を経口投与した場合, 空腹時, 胃内の薬物の大部分は非イオン型であるため, 胃粘膜を介した受動拡散(胃粘膜から吸収される)する. 通常, 薬物は小腸から吸収されているが, 弱酸性薬物は, 空腹時に服薬すると胃粘膜から吸収される, 食後投与と比較して T_{max} が有意に短縮, C_{max} 増加, AUC・$T_{1/2}$ 変動となる. なお, ベンゾジアゼピン系睡眠導入薬の場合, 脂溶性が高いため, 胃内 pH の変動にかかわることなく, 常に非イオン形であるため, 服薬後 15 分程度で効果が出始める.

クロン酸転移酵素(UGT) 1A1, *N*-アセチル転移酵素(NAT-2)などがある(表 4・14). 代謝酵素には遺伝子多型があり, その代謝機能がほとんど働かない場合, poor metabolizer(PM), あるいは slow metabolizer とよび, 通常の代謝能をもつ者を extensive metabolizer(EM)あるいは rapid metabolizer とよぶ. 一部, ヘテロタイプ(対遺伝子の片側が変異している場合)の中間型を intermediate metabolizer (IM)という場合がある.

(1) CYP2C9 の遺伝子多型

- 日本人での *CYP2C9*3* をもつ PM の頻度は少ないが, 注意をする必要がある(表 4・13).
- *CYP2C9*3* をもつ PM において, フェニトイン, トルブタミド, ワルファリンで, 重篤な副作用が確認されている.
- ワルファリンの *S*-体(作用が強い)は, CYP2C9 で代謝を受ける.

(2) CYP2C19 の遺伝子多型

日本人での CYP2C19 の PM は 15 ~ 25%にみられる(表 4・14).

1) 抗血小板薬

チクロピジン, クロピドグレルは CYP2C19 で代謝されるため, CYP2C19 の PM に注意が必要である. プラスグレルは CYP3A および CYP2B6 が主たる代謝酵素として関与することが知られている. したがって, 本遺伝子多型を無視することができる.

2) プロトンポンプ阻害薬(PPI)と CYP2C19 の PM

オメプラゾールの光学異性体(*S*-体)であるエソメプラゾールは CYP2C19 で代謝される割合より CYP3A4 で代謝される割合が多いため, CYP2C19 の遺伝子多型の影響を受けにくいとされている.

表4･14　機能的変化を伴う主な薬物代謝酵素の遺伝子多型と人種差

	CYP2C9(PM)	CYP2C19(PM)	CYP2D6(PM)	UGT1A1(PM)	NAT-2(PM)
日本人	2.1%	15～25%	1%未満	10～20%	10%
白　人	8～12.5%	5～7%	4～5%	30～40%	50%

%は日本人の poor metabolizer(PM)の確率を示す.
[横井　毅：化学と生物 39：368-375, 2001/澤田純一：Bull. Natl. Inst. Health Sci.126：34-50, 2008を参考に著者作成]

(3)CYP2D6の遺伝子多型

日本人でのCYP2D6のPMは1%未満である(表4･14). 循環器領域において汎用されるβ遮断薬, 抗不整脈薬, 中枢神経用薬など, カテコラミンターゲットの薬剤は, アミンの代謝を担当するCYP2D6により代謝されることが多い.

(4)*N*-アセチル転移酵素(NAT-2)の遺伝子多型

日本人でのNAT-2のPM(スローアセチレーターとも呼ぶ)は, 10～20%にみられる(白人：50%)(表4･14). プロカインアミド, イソニアジド, カフェイン, サラゾスルファピリジンなどはNAT-2で代謝される. 上記の薬物のわが国における薬用量は, 米国のそれと比較すると多めの設定となっている場合がある.

(5)UDP-グルクロン酸転移酵素(UGT)の遺伝子多型

UGT1A1の遺伝子多型は, アジア人で*UGT1A1 *6*が11～23%(白人：0%), *UGT1A1 *28*が7～16%(白人：30%～40%)と報告されている. UGT1A1で代謝されるイリノテカン(代謝産物としてSN-38があげられる), アセトアミノフェンは, UGTの欠損者であるクリグラー・ナジャール症候群, ジルベール症候群(イリノテカンを投与する機会はないと考えられるが新生児, 妊婦)への投与に際しては, 減量もしくは中止の必要がある. イリノテカンは黄疸のある患者は禁忌である. この理由は, 間接(非抱合型)ビリルビンの代謝がUGT1Aで行われているためである. 血清間接ビリルビン値の上昇および胆汁中のグルクロン酸抱合ビリルビンの低値により診断される.

一方, アセトアミノフェンは, 妊婦, 新生児にも対応できるが, 投与中には, 胎児・新生児の薬剤性肝障害に注意が必要である.

UGTで代謝されるその他の薬剤としては, アセトアミノフェン(UGT1A1 or 6), モルヒネ(UGT2B7), ミチグリニド(UGT1A3 and UGT2B7), エゼチミブ(UGT1A1), クロラムフェニコール(UGT2B；新生児禁忌)などがある.

c コンパニオン診断(CoDx, CDx)

コンパニオン診断(companion diagnostics)とは, 医薬品の効果や副作用を投薬前に予測するために行われる臨床検査で, 薬剤に対する患者個人の反応性を治療前に検査することである．個別化医療の推進のために用いられ，通常の臨床検査とは区別される．コンパニオン診断では，薬剤標的となるタンパク質や薬物代謝酵素をコードする遺伝子の変異や発現量を調べることで，特定医薬品の有効性や副作用発現の個人差を把握し，投薬妥当性の判断や投薬量決定を補助する．

(1)がん組織の投与前遺伝子診断(薬効予測)

大部分のがんは年齢を重ねるにつれて遺伝子(DNA)が傷つき，後天的に遺伝子が変化する(遺伝しない)．これを体細胞変異(somatic mutation)という．

1)*bcr/abl* 遺伝子診断

イマチニブは，染色体検査または遺伝子検査により慢性骨髄性白血病(CML)と診断された患者に使用する．CML の 90%以上が，フィラデルフィア遺伝子染色体(9；22 転座)，すなわち *bcr/abl* 融合遺伝子から産生される異常タンパク質 BCR/ABL により CML が発症すると考えられている．したがって，*bcr/abl* 遺伝子陽性により，CML の診断，およびイマチニブの薬効予測ができる．

CML；*bcr/abl* 遺伝子陽性率 >90%(検体；末梢血)

消化管間質腫瘍(KIT；CD117)；*bcr/abl* 遺伝子陽性率 95%(検体；腫瘍細胞)

急性リンパ性白血病；*bcr/abl* 遺伝子陽性率 15%(検体；末梢血)

Major *bcr-abl* mRNA キット(保険適応)

2) EGFR 阻害薬投与前の *EGFR* 遺伝子変異検査(非小細胞肺がん)

EGFR 阻害薬(ゲフィチニブ，エルロチニブ，アファチニブ，オシメルチニブ，ダコミチニブ)は，上皮成長因子受容体(epidermal growth factor receptor, EGFR)のチロシンキナーゼに対する選択的阻害活性をもち，「*EGFR* 遺伝子変異陽性の手術不能または再発非小細胞肺がん」に用いられ，ゲフィチニブ投与前遺伝子検査が必要である(陽性率：50%)．

非小細胞肺がん；*EGFR* 遺伝子変異陽性率 50%(検体；肺胞洗浄液)

covas® EGFR 変異検出キット(保険適応)

3)ラパチニブ投与前の *HER2* 遺伝子陽性確認

乳がんの *HER2* 遺伝子陽性率は 20 ～ 30% であり，HER2 チロシンキナーゼ阻害薬であるラパチニブは，投与前に *HER2* 遺伝子陽性を確認する．

乳がん；*HER2* 遺伝子陽性率 20 ～ 30%(検体；がん組織)

パスビジョン *HER2* 遺伝子キット(保険適応)

4)クリゾチニブ，アレクチニブ投与前の *ALK* 融合遺伝子検査

ALK(anaplastic lymphoma kinase，未分化リンパ腫キナーゼ)融合遺伝子とは，何らかの原因により *ALK* 遺伝子とほかの遺伝子が融合することでできる特殊な遺伝子である．*ALK* 融合遺伝子があると，がん細胞が増殖する．非小細胞肺がん，とくに肺腺がんの 3 ～ 5%に発現する．

クリゾチニブはALKの発がん性変異体であるALK融合タンパク質のチロシンキナーゼ活性を阻害するため，「*ALK*融合遺伝子陽性の切除不能な進行・再発の非小細胞肺がん」に対し効果がある．

肺腺がん；*ALK*融合遺伝子陽性率3～5%（検体；肺胞洗浄液）

FISHアボット（保険適応）

5）*KRAS*遺伝子検査

*KRAS*遺伝子（エクソン2領域）に変異のある大腸がんでは，抗EGFR抗体薬の効果が期待できないため，投与前に変異の有無を調べる検査が行われる．セツキシマブ，パニツムマブは*KRAS*遺伝子変異のない場合に投与有効とされている．

大腸がん；*KRAS*遺伝子ワイルドタイプ陽性率30%（検体；腫瘍細胞）

ラスケット®診断薬（保険適応）

6）*BRAF*遺伝子検査

BRAF V600遺伝子変異を有する悪性黒色腫に効果を示す経口BRAFキナーゼ阻害剤ベムラフェニブは，コンパニオン診断検査を行って使用する．

悪性黒色腫；*BRAF* V600遺伝子変異陽性率：25～30%

cobas® BRAF V600変異検出キット（保険適応）

（2）遺伝子多型判定試薬による予測診断

先天的に遺伝子に変異があり，家族性腫瘍といわれる（遺伝する）．これを生殖細胞変異（*germline mutation*）という．

1）*UGT1A1*遺伝子多型判定試薬によるイリノテカンの副作用の予測診断

UGT1A1の遺伝子多型のうち，*UGT1A1 *28*および*UGT1A1 *6*は，イリノテカンの薬物動態や副作用の発現に影響することがわかっている．肺がんや転移性大腸がんなどの治療に用いられるイリノテカンは，ときに重篤な好中球減少の副作用を伴う．この副作用は，イリノテカンの代謝産物であるSN-38の代謝酵素をコードする*UGT1A1*遺伝子の変異と関連することが知られており，この遺伝子の投薬前遺伝子診断ができる．診断薬は，*UGT1A1*遺伝子診断キット（インベーダー® UGT1A1アッセイ）として販売されている．

2）*BRCA1/2*遺伝子検査（*BRCA1/2*）

*BRCA1/2*遺伝子（がんの抑制遺伝子）に生まれながら病的変異をもっていると，細胞のがん化を抑えにくくなるため乳がんや卵巣がんのリスクが高くなる（家族性）．BRCA1遺伝子の変異はトリプルネガティブタイプの乳がんになりやすい．「トリプル」は「エストロゲン」「プロゲステロン」「HER2」のことで，トリプルネガティブタイプは，HER2陰性の悪性の乳がんになりやすいと考えられている．そのため，*BRCA1/2*遺伝子診断を行うことがあった（一次予防）．2018年以降に，PARP阻害薬（オラパリブ，ニラパリブ）の登場により，*BRCA1/2*遺伝子検査はコ

ンパニオン診断システムとして保健適応された(二次予防).

乳がんの生涯発症リスク；BRCA1 遺伝子変異陽性 39 ～ 87%, BRCA2 遺伝子変異陽性 26 ～ 91%, 卵巣がんはそれぞれ 40 ～ 60%, 10 ～ 20% 程度

BRACAnalyis® 診断システム(保健適応)

3)ペムブロリズマブ(免疫チェックポイント薬)投与のためのマイクロサテライト不安定性 (MSI) 検査(MSI-High(H)の検出)

マイクロサテライトとは，ゲノム上に存在する反復配列であり，数塩基の単位配列の繰り返しからなるものである．正常細胞のマイクロサテライト(繰り返し数)は 8 回, がん細胞のそれは, 10 回と長くなっている．細胞分裂のために遺伝情報をコピーするときに，コピーのミスを防ぐ，MLH1，MLH2 などのミスマッチ修復機構が存在する．これらの遺伝子異常は，がん化につながると考えられている．この状況をマイクロサテライト不安定性(MSI，microsatellite Instability)と呼ぶ．5 種類のマイクロサテライトマーカーを使用して何ヵ所繰り返し，数の変化があるかを比較する．2 ヵ所以上変化があった場合を MSI-H，1 ヵ所以上変化があった場合を MSI-L，変化している所がなかった場合は MSS と判定する．

大腸がん生涯発症リスク；14 ～ 16%，そのうち，ステージ 4 の大腸がん患者の 5 ～ 6%，リンチ症候群を拾い上げる方法として MSI 検査が行われる．

大腸癌全体の 5% 程度が遺伝性大腸癌(リンチ症候群は大腸癌全体の 2 ～ 4%)

MSI 検査キット(FALCO)（保健適応）

(3)薬剤によるリンパ球刺激試験(DLST)

DLST(drug-induced lymphocyte stimulation test)は，スティーブンス・ジョンソン症候群(Stevens-Johnson syndrome, SJS)，中毒性表皮壊死症(toxic epidermal necrolysis, TEN)[*18]，薬剤性過敏症症候群(drug-induced hypersensitivity syndrome, DIHS)[*19] などの重篤副作用による薬疹の被疑薬のスクリーニングが保険適用(保険点数：1 薬剤 345 点，2 薬剤 425 点，3 薬剤以上 515 点)となる．薬剤誘発性肝障害(DILI)に対する保険適用はないため，自費となる．SJS, TEN, DIHS は，感冒薬，解熱鎮痛薬，NSAIDs，セフェム系抗菌薬，ニューキノロン系抗菌薬，バンコマイシン，抗痙攣薬などが被疑薬としてあげられる．DLST は，誘発試験やパッチテストができない場合に行う．陽性率は 30 ～ 50％程度(薬剤により陽性率は異なる)である．薬疹の最盛期から 1 ヵ月以上経つと陽性率が低くなる．一方，DIHS では 2 ヵ月以上経つと陽性率が高くなる．判定は，SI[*20] >180％で陽性，SI＞300％で明らかな陽性である．

*18　SJS・TEN の病態形成に NK 細胞や NKT 細胞から産生されるグラニュライシンが深く関与していることが報告されている．

*19　薬剤性過敏症症候群(DIHS)のヘルペスウイルス再活性化には制御性 T 細胞の増加が関与している．

*20　SI(stimulation index)

(4)カルバマゼピン(CBZ)の薬疹に対する *HLA-A* 遺伝子型検査

HLA-A 遺伝子は，免疫に関係するタンパク質 HLA(human leukocyte antigen，ヒト白血球型抗原)をつくる遺伝子で，日本人では約 100

種類の型(塩基配列のパターン)が存在することが知られている．CBZによる薬疹はその臨床病型にかかわらず，*HLA-A *3101*を有する個体に高率に出現することが報告されている．日本人を対象としたレトロスペクティブなゲノムワイド関連解析(GWAS)[*21]において，本剤によるSJS, TENおよびDIHSなどの重症薬疹発症例のうち，*HLA-A * 3101*保有者は58.4％$\left(\frac{45}{77}\right)$であり，重症薬疹を発症しなかった集団の*HLA-A *3101*保有者は12.9％$\left(\frac{54}{420}\right)$であったとの報告がある．オッズ比は9.5であり，CBZ投与前にCBZ誘発薬疹を予測診断することができる．しかし，現在のところ保険適用はない．

＊21 **GWAS(genome-wide association study)** ゲノム全体をほぼカバーするような，50万個以上のSNPの遺伝子型を決定し，主にSNPの頻度(対立遺伝子や遺伝子型)と，疾患や量的形質との関連を統計的に調べる方法論である．

d 遺伝子パネル検査

がん遺伝子パネル検査とは，がんの発生にかかわる複数の「がん関連遺伝子」の変異を次世代シークエンサーとよばれる一度に数百個の遺伝子を調べることができる機械を使い検査することである．一方，コンパニオン診断は，1つずつ遺伝子を調べるものである．

保険適用となっている遺伝子パネル検査は，NCCオンコパネル(遺伝子数114)，FoudationOne CDx(遺伝子数324)で，2018年12月に製造販売承認された．

e TDM[*22]を駆使した適正使用

＊22 **TDM(therapeutic drug monitoring)**

①採血時間，採血量，採血後の検体処理法を把握する．

・ジゴキシンは2コンパートメントモデル薬物であるため，採血は服薬後5時間以降に行う．

・通常，血中濃度測定は，血漿もしくは血清で行われる．

・シクロスポリン，タクロリムスの血中濃度測定は全血で行う．

②各種薬物の有効血中濃度域，目標濃度を把握する．

・ジゴキシン有効血中濃度域：0.5～0.8 ng/mL

ジゴキシン有効血中濃度域は，1.0～2.0 ng/mLから0.5～0.8 ng/mLへ変更された．ジゴキシン服薬説明は，強心作用(Na-K ATPase阻害作用)ではなく，心拍数を調節することを目的としていると説明をする．

・テオフィリン(内服薬)：5～15 μg/mL

テオフィリンの内服徐放錠は，テオフィリン血中濃度の低濃度維持による抗アレルギー作用が処方意図である．

・アミノフィリン(注射薬)：10～20 μg/mL

アミノフィリンは，難溶性であるテオフィリンの溶解性を高めるために，エチレンジアミンを配合したものである．静脈内注入により血中濃度を高くすることで，気管支拡張作用を期待する．

演習問題

①医薬品情報の信頼性，科学的妥当性などを評価する際に必要な基本的項目を列挙できる．
②臨床試験などの原著論文および三次資料について医薬品情報の質を評価できる．（技能）
③臨床研究論文の批判的吟味に必要な基本的項目を列挙し，内的妥当性（研究結果の正確度や再現性）と外的妥当性（研究結果の一般化の可能性）について概説できる．
④臨床研究の結果（有効性，安全性）の主なパラメータ（相対リスク，相対リスク減少，絶対リスク，絶対リスク減少，治療必要数，オッズ比，発生率，発生割合）を説明し，計算できる．（知識・技能）
⑤病院や薬局において医薬品を採用・選択する際に検討すべき項目を列挙し，その意義を説明できる．
⑥医薬品情報にもとづいて，代表的な同種同効薬の有効性や安全性について比較・評価できる．（技能）
⑦医薬品情報にもとづいて，先発医薬品と後発医薬品の品質，安全性，経済性などについて，比較・評価できる．（技能）

課題4-1

該当 SBO　④　　実施方法　各自調査　　難易度 ★★☆☆☆

ツール　電卓

以下に示すような臨床研究の結果が得られた場合，相対リスク，相対リスク減少，絶対リスク，絶対リスク減少，治療必要数をそれぞれ計算せよ．また，得られた結果を評価せよ．

・薬剤 M について薬剤 C を対照に効果を検討した．100 人の患者を 50 人ずつ被験薬群と対照薬群に割り付け，2 年間治療を行ったところ，被験薬群の生存者数は 45 人，死亡者数 5 人であったのに対し，対照薬群の生存者数は 30 人，死亡者数 20 人であった．

課題4-2

該当 SBO　①，②，③　　実施方法　各自調査，SGD　　難易度 ★★★★★

ツール　インターネットによる文献検索，無作為化比較試験（RCT）の論文
注意点　インターネットを使用した場合は使用したデータベースと検索式を明らかにすること

臨床試験の RCT の論文を一報選び，以下の問に答えよ．

1）選んだ文献名を書き，その内容を読んで PICO あるいは PECO の形に定式化せよ．

2）一般に臨床試験の原著論文を評価するための主なポイントをあげよ．

3）前項であげられた事柄に沿って論文の批判的吟味をせよ．

ヒント　本文 p.117～120，p.119 コラム

課題4-3

該当 SBO　⑤，⑦　　実施方法　各自調査　　難易度 ★★★☆☆

ツール　添付文書，インタビューフォーム，製薬企業社内資料，インターネット　など
注意点　院内採用薬の検討資料に用いることを想定する

後発医薬品を 1 剤選択し，先発医薬品と比較評価した資料を作成せよ．

ヒント

後発医薬品が先発医薬品と同じである点を比較する項目：成分・含量，溶出試験結果など

後発医薬品が先発医薬品と違う点を比較する項目：薬価，添加物，製剤上の工夫，効能・効果など

本文 p.33，表 2･2，2･3

課題4-4　該当 SBO　⑥　　実施方法　各自調査　　難易度　★★★☆☆

ツール　添付文書，インタビューフォーム，MRSA 感染症治療ガイドライン，インターネット　など
注意点　ある入院患者にどの薬剤を選択するか検討するときに用いることを想定する

抗 MRSA 薬について，個々の特長が比較評価できるよう一覧表を作成せよ．

課題4-5　該当 SBO　⑤，⑦　　実施方法　各自調査　　難易度　★★★★★

ツール　添付文書，インタビューフォーム，臨床試験論文，製薬企業社内資料，インターネット　など
注意点　院内採用薬の検討資料に用いることを想定する．先発医薬品から後発医薬品への変更の場合との評価項目の違いを意識すること

1)バイオ後続品を 1 剤選択し，先行バイオ医薬品と比較評価した資料を作成せよ．
2)そのバイオ後続品の採用により先行バイオ医薬品は採用中止できるか．できないときは両剤の選択・使用基準など(フォーミュラリー)を考えよ．

ヒント　課題 4-3，本文 p.127

課題4-6　該当 SBO　⑤　　実施方法　各自調査　　難易度　★★☆☆☆

ツール　PMDA のウェブサイト

任意の医薬品の「医薬品リスク管理計画(RMP)書」について，「重要な特定されたリスク」「重要な潜在的リスク」および「重要な不足情報」の要約を作成せよ．

ヒント　各医薬品の RMP は，PMDA のウェブサイトの「安全対策業務」→「情報提供業務」→「医薬品に関する情報」→「品目基本情報[医薬品リスク管理計画(RMP)(https://www.pmda.go.jp/safety/info-services/drugs/items-information/rmp/0002.html)]」から入手する．

課題4-7　該当 SBO　⑤　　実施方法　各自調査　　難易度　★★★☆☆

ツール　本章「図 4・6　医療機関における医薬品の安全性情報などの流れ」(☞ p.135)

薬事委員会で院内採用薬を審議する際，医薬品情報室は，薬事委員会とどのような連携を図る必要があるか説明せよ．

課題4-8　該当 SBO　⑤，⑥　　実施方法　各自調査　　難易度　★★★★☆

ツール　PMDA のウェブサイト

補正用高濃度カリウム塩注射剤について院内採用の見直しを行うことになった．以下に示した製剤について安全性の観点から比較検討せよ．また，この製剤を安全に使用するための活動や工夫をあげよ．

[① KCL 補正液 1 mEq/mL(20 mL)，②アスパラカリウム注 10 mEq(10 mL)，③リン酸二カリウム補正液 1 mEq/mL(20 mL)，④ KCL 注 20 mEq(20 mL)キット，⑤ KCL 注 10 mEq(10 mL)キット]

ヒント　高濃度カリウム塩注射剤が関与する医療事故を調査し，その事故を防止するにはどのような配慮が必要かを考察する．製剤の基本情報として，添付文書，インタビューフォーム，薬価表のほか，製剤の写真(できればサンプル)も参照する．リボフラビンで黄色に着色された製剤およびプレフィルドシリンジ製剤については，その安全上の意義についても考察する．

課題4-9 該当 SBO ⑦ 実施方法 各自調査，SGD 難易度 ★★★☆☆

ツール インターネット，インタビューフォーム，添付文書，パンフレット
注意点 有効性や安全性については大きな差があるとは考えにくいので，経済性(1 錠の価格だけではなく，調剤料を含めて考察する)や利便性(患者の年齢や体の不自由さなど)について考慮すること

保険薬局において，下記の医薬品が処方された患者(75 歳女性)から，すべてを後発医薬品に変更したいとの申し出があった．グリメピリド製剤，メトトレキサート製剤(抗リウマチ薬)，アムロジピン製剤について，それぞれ先発医薬品と後発医薬品の添付文書やインタビューフォームなどを収集し，薬剤師として推奨すべき後発医薬品名とその理由を考察せよ．

処方 1 アマリール®錠 1 mg 1 回 2 錠(1 日 2 錠) 1 日 1 回 朝食後 28 日分
処方 2 リウマトレックス®カプセル 2 mg 1 回 1 カプセル(1 週間で 3 カプセル)
月曜日朝食後・夕食後，火曜日朝食後 4 週間分
処方 3 アムロジン®錠 5 mg 1 回 1 錠(1 日 1 錠) 1 日 1 回 朝食後 28 日分

課題4-10 該当 SBO ⑥ 実施方法 各自調査，SGD 難易度 ★★★☆☆

ツール インターネット，インタビューフォーム，添付文書
注意点 実際の病院における状況を想像すること．複数の規格から 1 つの製品を削除するには，用法・用量と規格や剤形との関係を考慮すること．また，1 つの銘柄の採用を取り消しする場合には，体内動態パラメータを比較して薬学的根拠を提案することも重要である

ある総合病院では，わが国で発売されているすべての経口プロトンポンプ阻害薬(すべての規格)の先発医薬品を採用している．

1)複数の規格のある銘柄の場合，規格の 1 つの採用を取り消しとしたい．どのような根拠のもとに採用を取り消せばよいか，考察せよ．
2)1 つの銘柄の採用を完全に取り消しとする場合，妥当な根拠にはどのようなものがあるか，列挙せよ．

課題4-11 該当 SBO ①，② 実施方法 各自調査 難易度 ★★★☆☆

ツール 添付文書，インタビューフォーム，医薬品・医療機器等安全性情報
注意点 単に項目を埋めるだけでなく，このような報告を行うことがどのような注意喚起につながるかについても考察せよ

以下のゼプリオン®水懸筋注シリンジ使用中の死亡事例に基づいて医薬品・医療機器等安全性情報の報告用紙を記載し，その内容について報告せよ．

症例の概要

No.	患者		1日投与量 投与期間	副作用	
	性・年齢	使用理由(合併症)		経過および処置	
1	男 50代	統合失調症 (C型肝炎, 高血圧, 肝機能異常)	75 mg (2回)		中肉中背の男性, 飲酒あり(量は不明だが, 多い). 血圧は過去に200 mmHgを継続して超えていた時期もある. 統合失調症の再燃も過去に多々あり, かつ合併症に対する多剤服用を考慮すると, 患者自身の全身状態は, 原疾患の病態変化も含め, 好ましい状況ではなかった. 服薬を止めると血圧が上昇することがあった.
				投与約12年6ヵ月前	統合失調症と診断された. 統合失調症により入退院を繰り返していた. 集団診療から1人暮らしを始めることをきっかけに, 経口抗精神病薬の内服コンプライアンスが不良となることを考慮し, 数年前にリスペリドン持効性注射液に切り替えている.
				投与約1ヵ月半前	リスペリドン持効性注射液37.5 mg投与.
				投与14日前	リスペリドン持効性注射液25 mgに減量して投与(リスペリドン持効性注射液の最終投与).
				日付不明	原疾患の悪化(多弁)が認められた.
				投与開始日	リスペリドン持効性注射液減量後に症状悪化したため, リスペリドン持効性注射液37.5 mg(増量)相当の本剤75 mg投与開始.
				投与32日後	本剤75 mg投与(2回目)はいずれも三角筋への投与であり, 死亡報告を受けるまで通院はなかった.
				投与40日後 (発現日)	自宅で亡くなっているのを家族が発見した. その後の情報は不明.
	併用薬：ゾテピン, ウルソデオキシコール酸, アテノロール, カンデサルタン シレキセチル, バルサルタン, バルプロ酸ナトリウム, カリジノゲナーゼ, トリクロルメチアジド				

[厚生労働省医薬品局：医薬品・医療機器等安全性情報No. 313, 2014より引用]

課題4-12　該当SBO ①　実施方法　各自調査　難易度 ★★☆☆☆

ツール　添付文書, インタビューフォーム, インターネット, PubMed
注意点　小児用製剤とは, どのような名称・剤形か考えなさい

小児用の製剤が発売されているにもかかわらず, 乳児に対して禁忌である医薬品を抽出し, 禁忌の理由を説明せよ.

課題4-13　該当SBO ①, ②, ③　実施方法　各自調査　難易度 ★★★☆☆

ツール　添付文書, インタビューフォーム, インターネット, PubMed
注意点　信頼性の高い情報源を用いて調査すること

2011年にアクトス®錠の添付文書の「重要な基本的注意」および「その他の注意」の項目に以下の情報が追加された.

重要な基本的注意

(4)本剤を投与された患者で膀胱がんの発生リスクが増加する可能性が完全には否定できないので, 以下の点に注意すること(「その他の注意」の項参照). ①膀胱がん治療中の患者には投与を避けること. また, とくに, 膀胱がんの既往を有する患者には本剤の有効性および危険性を十分に勘案したうえで, 投与の可否を慎重に判断すること. ②投与開始に先立ち, 患者またはその家族に膀胱がん発症のリスクを十分に説明してから投与すること. また, 投与中に血尿, 頻尿, 排尿痛などの症状が認められた場合には, 直ちに受診するよう患者に指導すること. ③投与中は, 定期的に尿検査などを実施し, 異常が認められた場合には, 適切な処置を行うこと. また, 投与終了後も継続して, 十分な観察を行うこと.

その他の注意

(2)海外で実施した糖尿病患者を対象とした疫学研究(10年間の大規模コホート研究)において, 膀胱がんの発生リスク増加の可能性を示唆する疫学研究も報告されている.

この追加された情報のもととなる研究データを調査し，上記の項目が添付文書に追加された理由を考察せよ．

課題4-14 該当 SBO ①，⑤，⑥ 実施方法 各自調査 難易度 ★★★☆☆

ツール 添付文書，インタビューフォーム，インターネット，PubMed
注意点 インターネットなどの記事をそのまま流用せず，自身で調査すること

1) 直接経口抗凝固薬（直接トロンビン阻害薬および第 Xa 因子阻害薬）は 2021 年現在 4 種類が市販されているが，これらの医薬品の効果や副作用などの違いを考察せよ．
2) これらの医薬品は，既存の抗凝固薬であるワルファリンとの違いが注目されているが，ワルファリンとの違いも考察せよ．

課題4-15 該当 SBO ①，②，③ 実施方法 各自調査 難易度 ★★★☆☆

ツール インターネット，PubMed，医学中央雑誌，医薬基盤・健康・栄養研究所の健康食品データベース
注意点 情報源も記すこと

「胡麻麦茶」は特定保健用食品として認められているが，この食品に含まれるどの成分が，どのような効果を期待できるのか，また，その機序を信頼性の高い文献などに基づいて示せ．

課題4-16 該当 SBO ①，②，③ 実施方法 各自調査 難易度 ★★★☆☆

ツール インターネット，PubMed
注意点 信頼性の高い情報源を参照すること

ある新聞記事を読んだという患者が保険薬局に相談に訪れた．
「がん患者の親戚がいるのですが，これを飲ませるとよいのでしょうか？」
この患者への相談に対する回答を作成せよ．

新聞記事の内容

冬虫夏草でがん縮小！副作用なく生存期間延長　肝細胞で効果確認
古くから滋養強壮などの漢方薬として珍重されてきたキノコ「冬虫夏草（とうちゅうかそう）」を使った薬剤治療に肝細胞がんの進展を抑える効果があることを，○○教授らのグループが確認した．この治療を受けた患者の生存期間が延び，がん細胞が縮小する効果があり，副作用はみられなかったという．
研究成果は米国の国際的がん専門誌『インテグレーティブ・キャンサー・セラピーズ』に掲載された．○○教授によると，冬虫夏草はこれまでも経験的にがん患者に処方されていたが，科学的にがんの抑制効果を実証した研究は世界初という．

課題4-17 該当 SBO ①，②，③ 実施方法 各自調査 難易度 ★★★★★

ツール インターネット，PubMed
注意点 さまざまな観点から比較評価すること

子宮頸がんワクチンについて，ワクチン接種のメリットとデメリットを多面的に評価せよ．

課題4-18 該当 SBO ①，②，③ 実施方法 各自調査 難易度 ★★★★☆

ツール インターネット，PubMed
注意点 信頼性の高い情報源を参照すること

サリドマイドは過去に薬害を起こし，発売中止となった薬物であるが，現在では再発売され，多発性骨髄腫やらい性結節性紅斑の治療に用いられている．このサリドマイドによる薬害の内容を調査するとともに，現在，サリドマイドを使用するメリットとデメリットを考察せよ．また，それに基づき，薬剤師はサリドマイドを使用する患者に対し，どのようなことを注意しなければならないかも考察せよ．

課題4-19 該当 SBO ① 実施方法 各自調査 難易度 ★★★☆☆

ツール 添付文書，インタビューフォーム，PubMed
注意点 講演時間を 30 分程度として，メリットとデメリットを踏まえて内容を考えること

薬剤師が地域住民に対して健康に関する講演会を行うこととなった．その地域は高齢者が非常に多いため，肺炎球菌ワクチンの接種を推奨する内容について話すこととした．この講演会を通して住民にワクチン接種を推奨するためにはどのような話をするのがよいか考えよ．

課題4-20 該当 SBO ①，②，③ 実施方法 各自調査 難易度 ★★★★☆

ツール 添付文書，インタビューフォーム，PubMed
注意点 添付文書上，禁忌である理由も含めて，問題あるかどうかを根拠に基づいて回答すること

ジクロフェナクナトリウムの添付文書には「インフルエンザの臨床経過中の脳炎・脳症の患者には禁忌」と記載されているが，インフルエンザでも，脳症や脳炎の症状がない患者には投与しても問題ないかどうかを文献から調査せよ．

課題4-21 該当 SBO ⑤，⑥ 実施方法 各自調査 難易度 ★★★☆☆

ツール 添付文書，インタビューフォーム，妊婦・授乳婦に対する医薬品投与に関する書籍など
注意点 単にまとめるだけではなく，まとめたことから導くことができる結果についても考察する

病院薬剤部医薬品情報室にて，医師に対して新規抗てんかん薬(2006 年以降に承認を受けたもの)の妊婦への投与に関する情報提供を行うこととなった．

1)「てんかん」に保険適用をもつ薬剤を抽出し，それぞれの添付文書，インタビューフォームを参照して，妊婦への投与に関する情報を収集せよ．
2) その他の三次資料を用いて抗てんかん薬(新旧含めて)の妊婦への投与に関する情報を調査し，医師へ情報提供する内容をまとめよ．

課題4-22 該当 SBO ⑦ 実施方法 各自調査 難易度 ★★★☆☆

ツール 添付文書，インタビューフォーム，その他オレンジブックなど，後発医薬品に関する三次資料
注意点 できるだけ多くの医薬品を比較すること

病院にてノルバスク®錠 5 mg の後発医薬品を採用することとなった．ノルバスク®錠の後発医薬品をすべて抽出し，それぞれの添付文書，インタビューフォームを参照して，先発医薬品との違いについてまとめよ．さらに，その違い(特徴)を考慮して，採用薬として推奨する後発医薬品を選択し，提案せよ．

医薬品情報の加工と提供

医薬品情報提供業務において，薬剤師は膨大な医薬品に関する情報から必要性と効率などを勘案し情報収集し，専門的評価を行い，提供先の目的やニーズなどに合わせ加工，提供を行う．その情報提供には薬剤師が医薬品適正使用のために必要な情報を積極的に提供する**能動的医薬品情報提供**と，質問者からの問い合わせを受け情報を提供する**受動的医薬品情報提供**に大別される（図 5･1）．

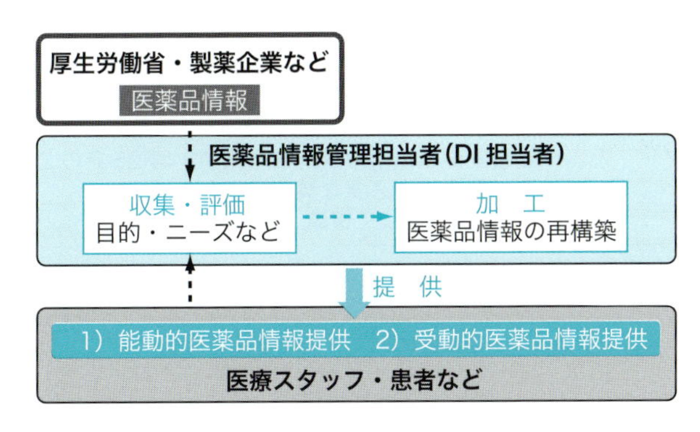

図 5･1　医薬品情報の加工と提供

A 能動的医薬品情報提供

SBO・医薬品情報をニーズに合わせて加工・提供し管理する際の方法と注意点（知的所有権，守秘義務など）について説明できる．

ポイント

- 医薬品は適正使用に必要な情報が医療スタッフや患者などに提供され活用されることで，はじめて最適な薬物療法を行うことが可能になる．
- 医薬品情報は時間と共に変化し常に最新の情報が必要となるため，薬剤師は up to date な情報提供を行うことが重要である．
- 医療提供施設などにおける能動的医薬品情報提供においては，情報を必要とするすべての対象者への情報の周知徹底が必要である．

❶ 能動的医薬品情報提供に関する法律

医薬品医療機器等法において，薬局は，調剤業務だけでなく患者への

表 5･1　能動的医薬品情報提供に関する法律

医薬品の種類など	提供元	提供先	提供方法および内容	医薬品医療機器等法
医療を受ける者の薬剤または医薬品	薬局薬剤師	他の医療提供施設に従事する医師，歯科医師，薬剤師	薬剤または医薬品の使用に関する情報を提供し，医療提供施設相互間の業務連携推進(努力義務)	第1条の5第2項[1)]
処方箋により調剤された薬剤	薬剤師	購入・使用者	対面(オンライン服薬指導含)により厚生労働省で定める書面を用いて必要な情報提供および必要な薬学的知見に基づく指導	第9条の4第1項[1)]
			当該薬剤の使用の状況を継続的かつ的確に把握し，必要な情報提供または必要な薬学的知見に基づく指導	第9条の4第5項[1)]
薬局医薬品			対面により厚生労働省で定める書面を用いて必要な情報提供および必要な薬学的知見に基づく指導	第36条の4第1項[1)]
要指導医薬品				第36条の6第1項[1)]
一般用医薬品〈第1類医薬品〉			厚生労働省で定める書面を用いて必要な情報提供	第36条の10第1項[1)]
一般用医薬品〈第2類医薬品〉	薬剤師 登録販売者		必要な情報提供(努力義務)	第36条の10第3項[1)]
調剤した薬剤	薬剤師	患者・看護者など	適正な使用のため必要な情報提供および必要な薬学的知見に基づく指導	第25条の2第1項[2)]
			患者の当該薬剤の使用の状況を継続的かつ的確に把握し，必要な情報提供および薬学的知見に基づく指導	第25条の2第2項[2)]

1)令和元年改正「医薬品，医療機器等の品質，有効性及び安全性の確保等に関する法律」
2)令和元年改正「薬剤師法」

医薬品適正使用に必要な情報提供及び薬学的知見に基づく指導業務を行う場所と定義され(第2条の12)，対物業務から対人業務拡充への構造的転換により，薬剤師は，今後さらに高い専門性と幅広い知識をもとにした情報提供が必要とされる．能動的医薬品情報提供に関する法令では，薬剤師は処方箋により調剤された薬剤の適正使用のため，対面(オンライン服薬指導含む)により，厚生労働省令で定める事項を記載した書面を用い，必要な情報提供，及び薬学的知見に基づく指導が求められ(第9条の4第1項)，さらに患者の薬剤使用状況を継続的かつ的確に把握し，服薬期間を通じた薬学的管理を行う患者支援が義務として規定されている(第9条の4第5項)．また薬剤師法においても同様の趣旨の規定が設けられており(薬剤師法 第25条の2第1，2項)，薬剤使用期間中の継続的患者フォローアップの一層の充実(継続的服薬指導)が求められている．薬局医薬品および要指導医薬品(2014年医薬品医療機器等法改正にて新設)[*1]においても，対面により書面を用い適正使用に必要な情報提供および薬学的知見に基づく指導が義務であるが，一般用医薬品では，リスク区分ごとにそれぞれの情報提供が定められている(第36条の4第1項，第36条の6第1項，第36条の10第1，3項)(表5･1)．製造・

*1　要指導医薬品　☞p.8
OTC医薬品の販売制度と能動的医薬品情報提供　☞p.170

表 5･2　主な医薬品情報源

厚生労働省提供	医薬品・医療機器等安全性情報，日本薬局方，医療用医薬品品質情報集，新薬承認情報集，医薬品医療機器総合機構(PMDA)のウェブサイトなど
厚生労働省指示で製薬企業が提供	緊急安全性情報(イエローレター)，安全性速報(ブルーレター)など
厚生労働省医薬食品局，日本製薬団体連合会との連名で提供	医薬品安全対策情報(DSU)など
製薬企業提供	医療用医薬品添付文書，医薬品インタビューフォーム，製品情報概要，新医薬品の「使用上の注意」の解説，適正使用ガイド，使用上の注意改訂のお知らせ，安全性情報，医薬品適正使用情報，医薬品情報提供窓口など
医薬品卸提供	SAFE-DI など
学術論文，書籍など	

卸販売業者などおよび医療関係者などでの医薬品の適正使用情報の提供および活用などに関する法的規則は，努力義務として定められている(医薬品医療機器等法第 68 条 2 第 1，3 項).

❷ 能動的医薬品情報提供の流れ

主に製薬企業などから提供された情報(表 5･2)は，院内への能動的医薬品情報提供としての必要性や重要性などについて評価を行うが，医薬品情報をとくに必要とする医師や看護師などには提供先のニーズを十分考慮し，積極的な情報提供を検討する．医療スタッフの場合，多忙な業務の中での情報収集となるため，情報の加工はポイントを簡潔に短時間で理解，利用しやすい内容に再構築し，伝達手段については，提供先の利用度が最も高くなるよう効果的な方法を検討する(表 5･3)．また緊急性や重要度がとくに高い，たとえば重篤な副作用情報などでは，職種を医師に限定することで迅速な対応が可能となり，その重要性も伝わる．提供後は提供先に情報の理解度および利用度などを確認し，その内容の評価を行い次の加工に反映させる．保管後，添付文書の改訂など情報内容に変更があれば，常に最新情報への更新を行う．能動的医薬品情報提供の流れを図 5･2 に示す.

❸ 医療スタッフへの能動的医薬品情報提供

ⓐ 医薬品情報提供手段と特徴 (表 5･3)

情報提供は，時間的ニーズ，情報の内容，提供対象者などを考慮し，最も効果的な伝達手段を選択する.

- 掲示の場合，不特定多数の医療スタッフへの情報提供が可能で業務負担も少ないが，既読の確認ができない.
- 院内 LAN などでは，多数の医療スタッフへの情報提供が可能で業務負担も少ないが，理解の確認はできない.
- 電話では，時間や場所の問題が解決され迅速な対応が可能であるが,

表 5･3　医薬品情報提供手段と特徴

伝達手段	長　所	短　所
掲　示	・複数の職種を対象に，不特定多数の医療スタッフへ伝達可能 ・業務負担少ない	・未読・既読の確認はできない（情報伝達されたか確認できない）
院内 LAN など	・複数の職種を対象に，多数の医療スタッフへ伝達可能 ・業務負担少ない	・理解の確認はできない
電　話	・簡便で迅速な対応可能 ・時間と場所の設定不要 ・情報について質問可能	・視覚的な情報伝達はできない ・情報記録が残らない ・一度に複数の相手に伝達できない ・十分な理解度・満足度の確認はできない
面　会	・確実な情報伝達可能（紙面などの情報提供可能） ・理解度，満足度の確認可能 ・情報について質問可能	・時間，場所の設定必要 ・業務負担大きい
オンライン面会（オンライン服薬指導）	・場所の設定不要 ・視覚的な情報伝達可能 ・情報について質問可能	・時間の設定必要 ・情報通信の設定必要（遠隔服薬指導体制の整備） ・面会に比べ双方の情報が伝わりにくい

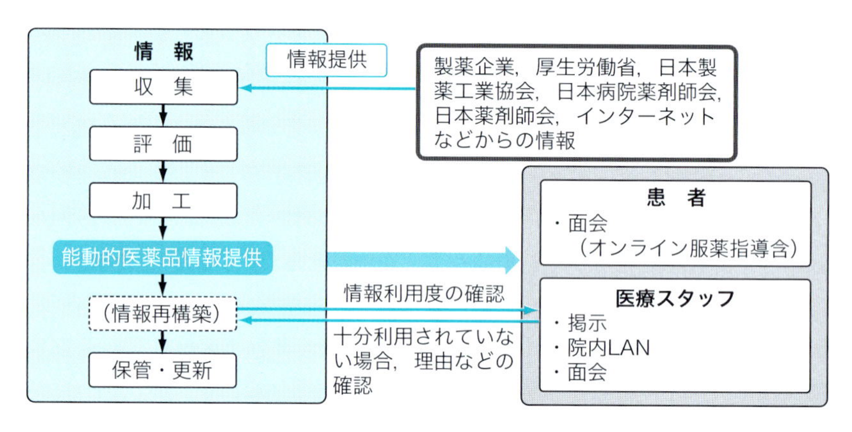

図 5･2　能動的医薬品情報提供の流れ

情報提供時に聞き取り違いが生じる可能性や，情報記録が残らない点などに注意を要する．

・面会では，確実な情報提供や相手の理解度，満足度の確認は可能であるが，情報提供を行う時間や場所の設定が必要になる．また直接提供先との対応となるため業務負担は大きい．

・オンラインでの面会は，場所移動が不要で視覚的な情報提供および質問も可能であるが，遠隔通信の設定などが必要になる．

b 能動的医薬品情報提供と種類

医薬品情報は医療提供施設において医師，看護師，臨床検査技師，放

表 5･4 医療スタッフが必要とする医薬品情報

採用・削除薬に関する情報	処方などに関する情報	薬剤使用などに関する情報
・新規採用・削除薬 ・院内採用医薬品集 ・同種同効薬 ・製造販売中止薬 ・製品自主回収など	・効能・効果，用法・用量 ・副作用，相互作用 ・高齢者・小児用量 ・妊婦・授乳婦への投与 ・適応外使用	・投与方法 ・薬剤の安定性・配合変化 ・投与設計・血中濃度 ・検査値への影響 ・薬剤包装変更など

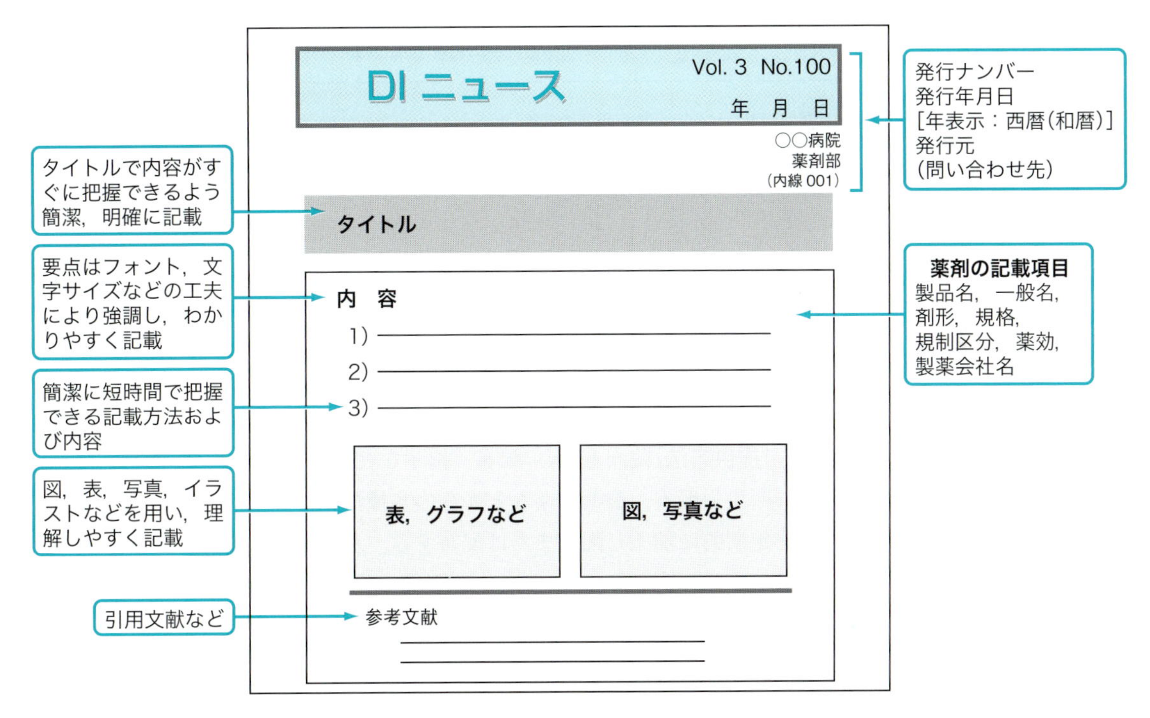

図 5･3 DI ニュース

射線技師，栄養士など多くの医療スタッフが各種情報を必要としている(表 5･4)．医薬品情報管理担当者(DI 担当者)は，医薬品の有効性と安全性を確保するため，常に医療関係者に対し最新の医薬品情報を加工し，適正使用推進のための情報提供を行う重要な役割を担っている．医療スタッフへの情報提供においては，緊急性および重要度の高い情報においては，随時，情報提供を行うが，緊急性が低い情報では，一定期間の情報を定期的に提供する定期刊行物(「DI ニュース」など)により通知する．

(1) DI ニュース(図 5･3)

[記載項目]発行ナンバー，発行年月日，発行元，タイトル，各種情報，参考文献など

各種情報：採用・削除薬情報，添付文書の改訂(効能・効果，用法・用量，副作用，相互作用，警告，禁忌など)，新薬情報，名称・包装・外観などの変更，製品回収，製造中止，その他

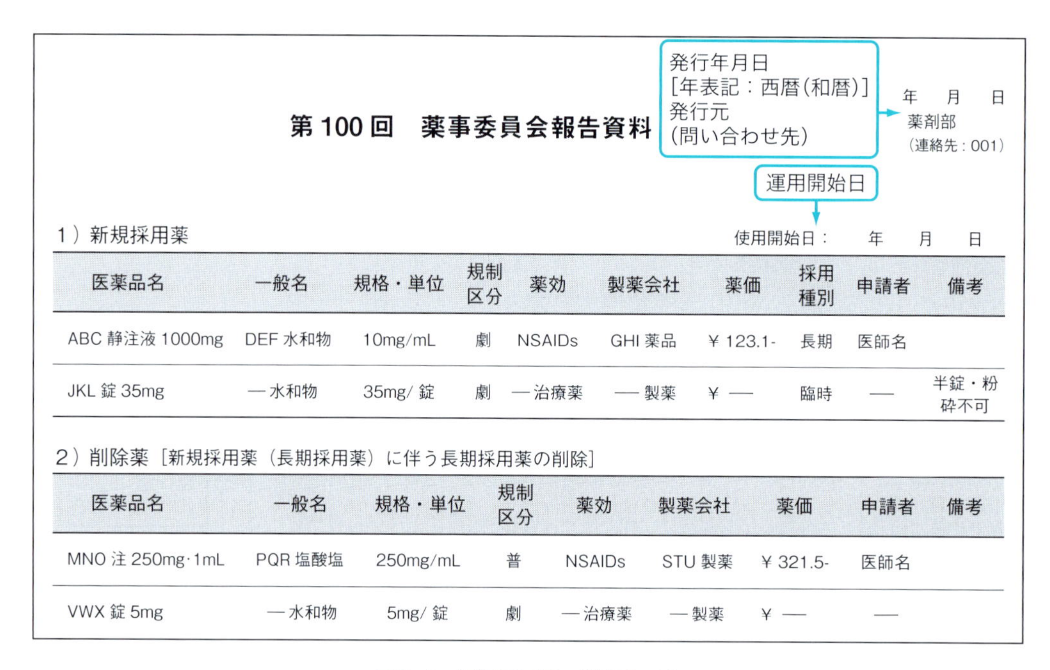

第100回　薬事委員会報告資料

年　月　日
薬剤部
(連絡先：001)

1）新規採用薬　　　使用開始日：　年　月　日

医薬品名	一般名	規格・単位	規制区分	薬効	製薬会社	薬価	採用種別	申請者	備考
ABC 静注液 1000mg	DEF 水和物	10mg/mL	劇	NSAIDs	GHI 薬品	￥123.1-	長期	医師名	
JKL 錠 35mg	―水和物	35mg/ 錠	劇	―治療薬	―製薬	￥―	臨時	―	半錠・粉砕不可

2）削除薬［新規採用薬（長期採用薬）に伴う長期採用薬の削除］

医薬品名	一般名	規格・単位	規制区分	薬効	製薬会社	薬価	申請者	備考
MNO 注 250mg･1mL	PQR 塩酸塩	250mg/mL	普	NSAIDs	STU 製薬	￥321.5-	医師名	
VWX 錠 5mg	―水和物	5mg/ 錠	劇	―治療薬	―製薬	￥―	―	

図5･4　新規採用薬・削除薬一覧

[提供方法] 院内LAN，配布，掲示など

厚生労働省，製薬企業などからの各種情報をもとに，一定期間の情報を定期的に加工し配信または配布する．基本的なレイアウトは定型的に見やすい形式として，ポイントを明確に項目ごとにわかりやすく記載し，把握しやすい内容にする．専門用語はなるべく平易な言葉に置き換えるが，情報提供の対象者に理解が得られやすい記載とする．薬剤を記載する場合，製品名，一般名，剤形，規格などを明記し，必要に応じ規制区分，薬効，製薬会社名などを記載する．主に発行元(問い合わせ先)および要点などは冒頭部分，参考文献は本文の末尾などに記載する．

(2)新規採用薬および削除薬に関する情報(図5･4)

[記載項目] 発行年月日，発行元，使用開始日，採用・削除薬剤名，規格・単位，一般名，規制区分，薬効(適応)，薬価基準，採用方法(長期，臨時など)，製薬会社，申請者，備考欄(処方上の注意点など)，その他

[提供方法] 院内LAN，配布，掲示など

薬事委員会などで決定された採用および削除薬を，定期的な報告資料として院内全体へ情報提供する．採用・削除薬については，「院内採用医薬品集」および「DIニュース」などにおいても掲載する．

(3)院内採用医薬品集

[記載項目] 製品名，一般名，剤形，規格，規制区分，効能・効果，用法・用量，副作用，相互作用，警告，禁忌，識別コード，薬価，製薬会社名，改訂年月日，発行元，その他

[提供方法] 院内LAN，配布など

薬事委員会で決定した採用薬は，院内採用医薬品集へ新規採用薬として掲載される．内容は添付文書を基本として作成するため，添付文書の改訂に伴う変更などが円滑に行えるシステムが望まれる．現在は電子カルテ・処方オーダリングシステムなどによる医薬品情報の一元管理が可能であり，「院内採用医薬品集」および「DI ニュース」などの作成およびメンテナンス，また処方時の相互作用や副作用のチェックなど多岐にわたる機能が備わっている．

(4)緊急安全性情報，安全性速報[*2]

[提供方法]配布，掲示，院内 LAN など

1)緊急安全性情報(イエローレター)

赤枠の黄色用紙に「緊急安全性情報」の文字が赤枠・黒字で記載される．緊急に安全対策上の措置をとる必要がある場合，厚生労働省からの指示で製薬企業が作成し提供する．緊急性および重要性が最も高い情報で早急な対応が必要であることから，事象に対する対処法および安全対策などについては，最初の頁に箇条書きで示され，迅速に対応できるよう配慮されている．したがって情報提供を行う際には，本資料を使用し，状況に応じ各施設などでの加工した情報と併せて情報提供する．

2)安全性速報(ブルーレター)

赤枠の青色用紙に「安全性速報」の文字が黒枠・黒字で記載される．一般的な使用上の注意の改訂情報よりも迅速な安全対策措置をとる必要があるため，緊急安全性情報に準じた対応により注意喚起を促す．

(5)包装，外観，販売名などの変更に関する情報(図 5･5)

[記載項目]情報提供先，発行年月日，発行元，タイトル，変更理由など，変更および使用開始日，変更前後の薬剤(製品名，一般名，剤形，規格，規制区分，薬効，製薬会社名，剤形写真)など

[提供方法]配布，掲示，院内 LAN など

院内での薬剤の切り替えおよびその後の運用を円滑に行うため，回収・使用開始日など要点となる部分は，文字サイズやフォント，色などの工夫により強調し記載する．また変更により外観などに関連する過誤や事故が生じないよう剤形写真もカラーで鮮明なものを使用する．全体として簡潔，明瞭で把握しやすい内容にするが，情報提供の対象者が異なる場合(医師，看護師，患者など)，それぞれに合わせ効果的な表現や内容にする．

(6)副作用，不良品などによる製品の回収に関する情報(図 5･6)

[記載項目]情報提供先，発行年月日，発行元，タイトル，自主回収の経緯など，健康被害に関する重篤度，回収および使用開始日，生産再開時期，自主回収・代替薬剤(製品名，一般名，剤形，規格，規制区分，薬効，製薬会社名，剤形写真)など

[提供方法]配布，掲示，院内 LAN など

採用薬による重篤な副作用または生産ライン不具合，原料供給不可，

*2　**緊急安全性情報，安全性速報** ☞ p.83，図 3･25

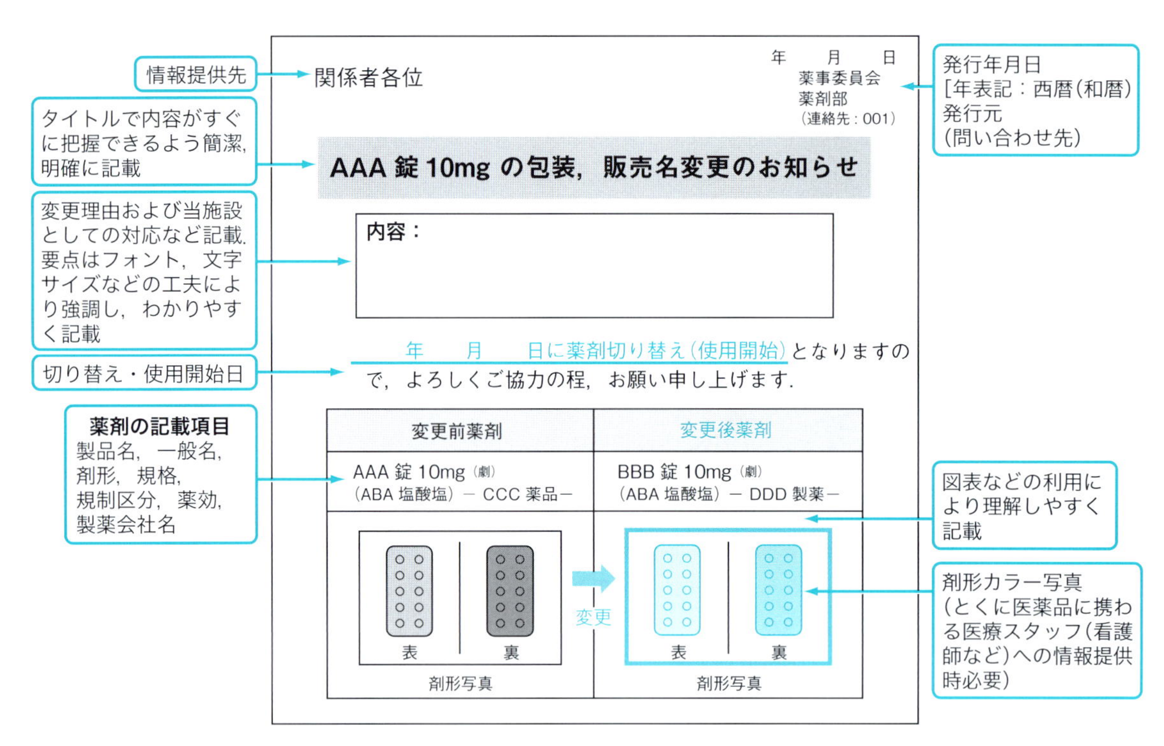

図 5･5　包装，外観，販売名などの変更のお知らせ

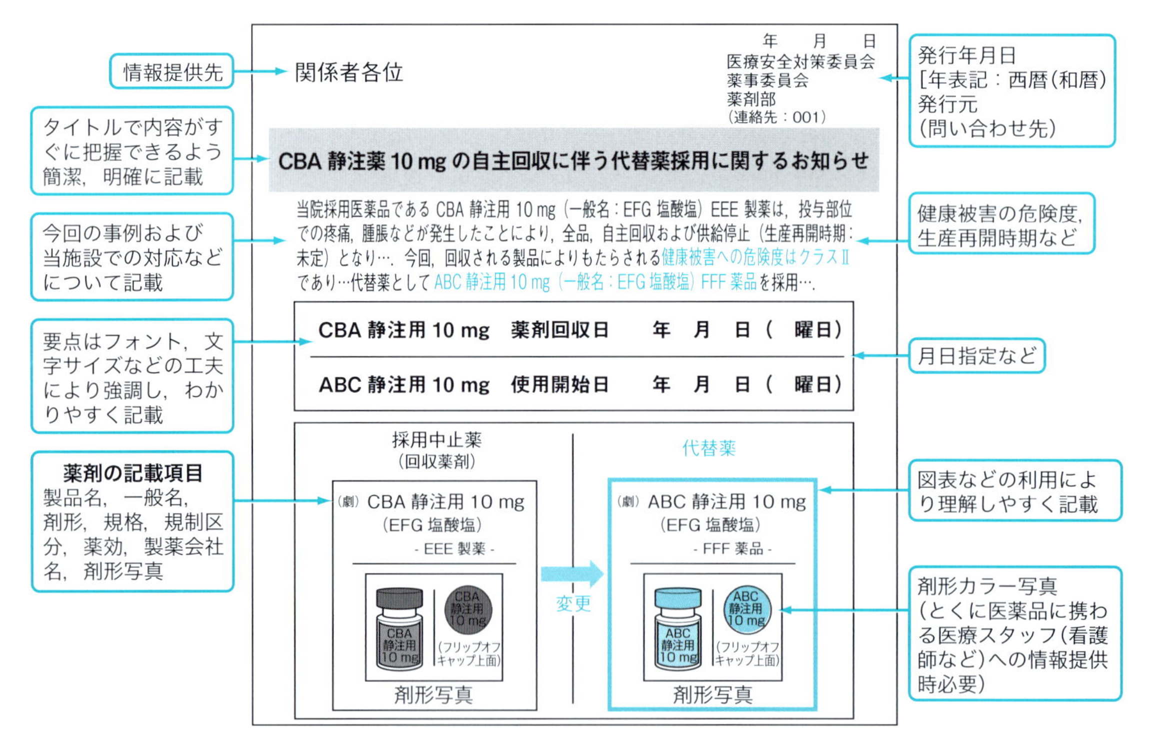

図 5･6　副作用，不良品などによる製品回収に伴う代替薬採用のお知らせ

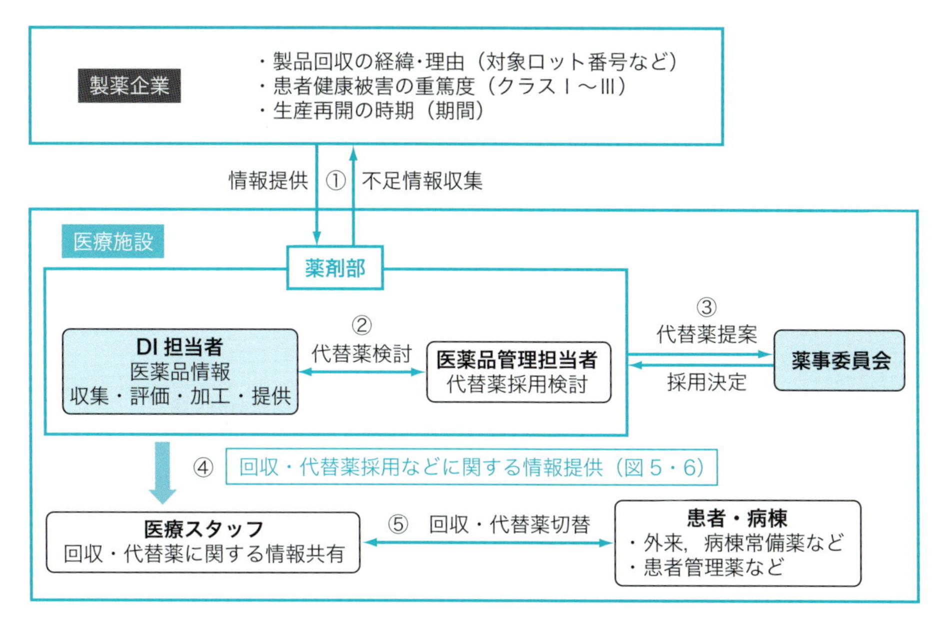

図 5･7 製品回収に伴う代替薬の採用に関する対応と情報の流れ

不良品，その他の理由で製薬企業による自主回収などの措置がとられる場合，医療提供施設においては代替薬採用などの対応が必要となる．図 5･7 に製薬企業からの情報収集および医療提供施設内での情報の流れを示す[*3]．代替薬の使用開始時期などにおいては，十分な各部署との連携および情報の共有が重要である．

＊3 生産再開時期までが著しく長期にわたる場合，もしくは未定の場合などの対応例であり，短期の場合では代替薬を採用せず対処するケースもある．

[自主回収のクラス分類]

回収される製品によりもたらされる健康被害の危険度により以下のとおり個別回収ごとに，Ⅰ，Ⅱ，またはⅢに分類される．

クラスⅠ：その製品の使用などが，重篤な健康被害または死亡の原因となり得る状況．

クラスⅡ：その製品の使用などが，一時的な，もしくは医学的に治癒可能な健康被害の原因となる可能性があるか，または重篤な健康被害のおそれはまず考えられない状況．

クラスⅢ：その製品の使用などが，健康被害の原因となるとはまず考えられない状況．

❹ 患者への能動的医薬品情報提供

a 医療用医薬品に関する能動的情報提供

患者が必要とする医薬品情報には，薬の服用方法や薬効，副作用だけでなく健康食品やサプリメント，日常生活に関する注意など多岐にわたり，薬剤師はそれら患者ニーズに合った情報提供を行わなければならない（表 5･5）．患者への情報提供手段には面会および文書による情報提供手段がある．

表5･5　患者が必要とする医薬品情報

・薬剤名(製品名, 一般名, 剤形, 規格など) ・効能・効果(複数の適応症がある場合などの情報提供内容など) ・用法・用量(投与量・回数, 期間, 飲み忘れ時の対応など) ・副作用(自覚症状, 回避方法など) ・相互作用(医薬品, 嗜好品, 飲酒, 健康食品など)	・臨床検査値と薬剤の関連など ・妊娠, 授乳期における薬剤投与時の注意など ・お薬手帳の記録など ・薬剤使用法・保管管理方法など(吸入器, 点眼剤, インスリン製剤, その他デバイスなど) ・日常生活上の注意点

表5･6　患者への能動的医薬品情報提供のための文書

医薬品情報提供文書の種類	
・薬袋 ・薬剤情報提供文書 ・退院時服薬指導書 ・お薬手帳	・患者用説明書(製薬企業) ・服薬指導用パンフレット(製薬企業) ・その他

(1)面　会

1)服薬指導(口頭)

服薬指導は薬の有効性や安全性を確保するため, 患者に医薬品の適正使用に必要な情報を提供するものであり, 服用薬剤のほか, 後述する薬袋, 薬剤情報提供文書, お薬手帳, またデバイスなどを用いて行われる. 指導においては薬剤師側からの薬に関する一方的な情報提供だけではなく, 患者の訴えや相談などからさまざまな薬物療法に関する問題点や課題を抽出し, 医療薬学的な面から解決していくことが大切である.

(2)文　書(表5･6)

1)薬　袋

薬剤投与のための基本的な情報(製品名, 一般名, 剤形, 規格, 規制区分, 薬効, 識別コード, 服用方法, 保管方法, 取扱い上の注意など)のほか, 患者氏名, ID番号, 投与日数, 調剤者印, 交付日, 薬局名, 住所, 電話番号(問い合わせ先)などが記載されている.

2)薬剤情報提供文書(図5･8)

- 説明文書は医師と十分な協議により患者ごとに作成し, 専門的な用語や表現については, 患者の知識・理解度などに合わせて, 平易で理解しやすい文章で記載する.
- 効能・効果の記載では, 薬効が複数ある薬剤は診療科や治療目的により薬効が異なるため, 患者ごとに適切な情報の再構築が必要となる.
- 最近の薬剤は薬本体(錠剤, カプセル剤など)に製品名, 規格, また包装などには薬効や注意事項などが表示されているものが増えており, 剤形写真の掲載は視覚的に把握しやすく理解も得られやすいため, カラーで鮮明なものを使用する.

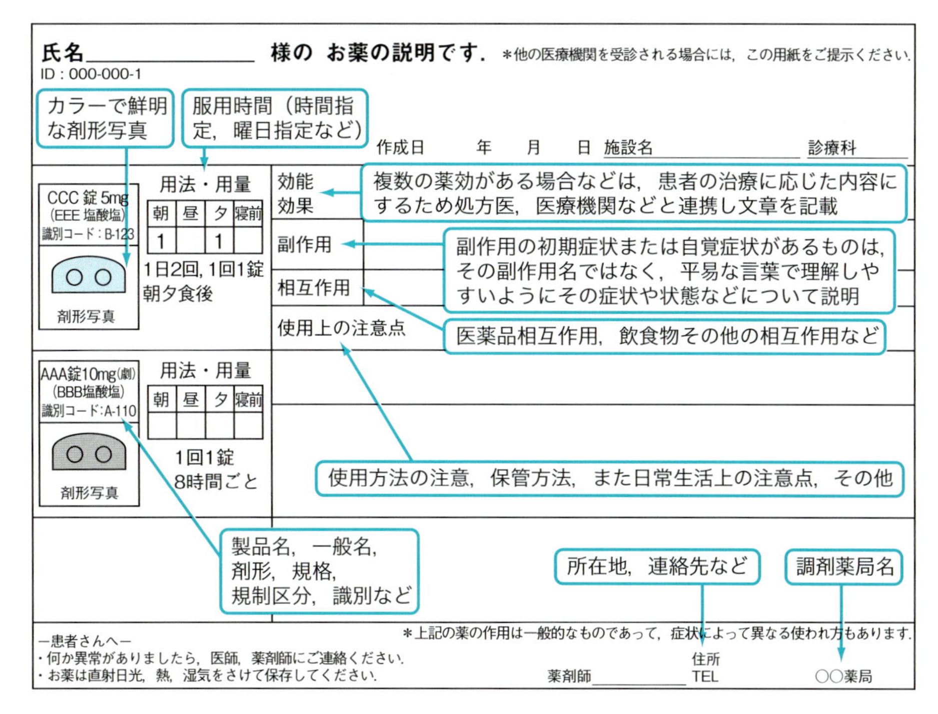

図 5･8 薬剤情報提供文書

・副作用に関する患者への不十分な指導は，服薬アドヒアランスに影響を与え，コンプライアンスの低下などにもつながるため，患者ごとに十分理解が得られるよう指導を行うことが必要である.

・重篤な副作用の早期発見につながるような症状などにおいては，副作用名ではなく平易で具体的な自覚症状や状態などの説明により，患者自身が副作用を理解し，未然に回避できるように記載することが重要になる.

薬剤情報提供文書の情報だけでは，十分納得のいく患者の理解が得られないため，患者ごとに理解の確認をしながら，不明な点や不安が残らないよう指導することが重要である.

3)手帳(お薬手帳)(表 5･7)

お薬手帳は経時的に薬剤の記録が記入でき，かつ次の①～④にあげる事項を記録する欄が設けられている薬剤記録用の手帳である.

①患者の氏名，生年月日，連絡先など患者に関する記録

②患者のアレルギー歴，副作用歴など薬物療法の基礎となる記録

③患者の主な既往歴など疾病に関する記録

④患者が日常的に利用する保険薬局の名称，保険薬局または保険薬剤師の連絡先など

また，薬剤服用歴管理指導料の算定要件を満たすためには，次の i)～iv)の記載事項を患者の手帳に経時的に記載する必要がある.

i) 調剤日

表 5･7　JAHIS 電子版お薬手帳必須データ項目

データ項目 （JAHIS 電子版お薬手帳データフォーマット ver2.0 の項目を参考に記載）			お薬手帳サービスの項目として最低限必要なもの
患者の基本情報		氏名	個人情報の取扱いに留意し必要な項目を設けること
		性別	
		生年月日	
		郵便番号	
		住所	
		電話番号	
		緊急連絡先	
		アレルギー歴	
		副作用歴	
		既往歴	
調剤情報（調剤ごと）	処方年月日	処方年月日	
	調剤年月日	調剤年月日	○
	調剤医療機関・薬局情報	名称	
		都道府県	
		郵便番号	
		住所	
		電話番号	
		医科/歯科/調剤の種別	
		医療機関/薬局コード	
	調剤医師・薬剤師情報	氏名	
		連絡先	
	処方医療機関情報	名称	
		都道府県	
		医科/歯科/調剤の種別	
		医療機関コード	
	薬品情報	処方番号	○
		薬品名称	
		用量	
		単位名	
		薬品コード	
		薬品補足情報	
		薬品服用の注意事項	
	用法情報	処方番号	○
		用法名称	
		調剤数量	
		調剤単位	
		剤型の種別	
		用法コード	
		処方服用注意事項	
		服用注意事項	
	服薬情報	服用中に気づいたこと	○
	連絡・注意事項	利用者から医師・薬剤師への連絡事項	○
		医師・薬剤師から利用者への連絡・注意事項	○
入院中の情報	入院中の副作用情報	入院中に副作用が発生した薬剤の名称，投与量，当該副作用の概要，措置，転帰	
	退院後に必要な情報	退院後の薬剤の服用等に関する必要な指導，服薬の状況及び投薬上の工夫に関する情報	
要指導医薬品，一般用医薬品	服用履歴	服用年月日	○
		薬品名称	○
手帳メモ		※手帳全体についてのメモ欄	
備考		※その他事項の記入欄	
記入者		※上記の各項目について，作成者が利用者か医療関係者かを区別するもの	

［厚生労働省医薬・生活衛生局総務課長：お薬手帳（電子版）の運用上の留意事項について，薬生総発 1127 第 4 号，2015 より引用］

ii）当該薬剤の名称（一般名処方による処方箋または後発医薬品への変更が可能な処方箋の場合においては，現に調剤した医薬品の名称）

iii）用法・用量

iv）その他必要に応じて服用に際して注意すべきこと

「服用に際して注意すべき事項」とは，重大な副作用または有害事象などを防止するために，とくに患者が服用時や日常生活上注意すべき事項，あるいは投薬された薬剤により発生すると考えられる症状（相互作用を含む）などをいい，投薬された薬剤や病態に応じて，服用ごとに異なる．

お薬手帳は利用者本人のものであり，その役割は服薬状況または服用により気付いた副作用，効果などを記録することで利用者自身が服用薬剤を把握し，医薬品に対する意識向上を図り，服薬アドヒアランスなどを向上させることにある．本手帳は添付文書記載要領の全面改正や医薬分業推進，そして薬事制度，薬務行政などにも大きく影響を与えた「ソリブジン事件」（医薬品相互作用が原因となった薬害）を契機に導入された．したがって複数の医療機関からの医薬品の相互作用や重複投与を防ぎ，安全で有効な薬物治療につなげることはとくに重要な役割である．また，災害時など緊急時の対応においてもその有用性が示され，現在は電子版お薬手帳が普及しつつある．医薬品医療機器等法では，医薬関係者の責務として，薬剤師は患者の医薬品の使用に関する情報を他の医療提供施設における医師などの医療スタッフに提供し，医療提供施設相互間の業務連携を推進することを努力義務としている（第1条5-2）（表5･1）．今後のインフラ整備推進に伴い，電子処方箋導入など医療情報ネットワークが普及し，医療施設からの患者情報，また薬局からの調剤情報や服薬状況などが，患者および医療スタッフ間において共有可能となれば，多機能性を有する電子版お薬手帳との連携は，さらに高度な薬学的管理体制を可能にすると考えられる．また電子版お薬手帳は，オンラインで診察や投薬を行う医師，薬剤師が閲覧できるため，遠隔（オンライン）服薬指導での活用も期待される．現在，電子版お薬手帳のデータ項目は，一般社団法人保健医療福祉情報システム工業会（JAHIS）に公表されている電子版お薬手帳データフォーマット仕様書（JAHIS標準フォーマット）にしたがう（表5･7）．

（3）外来患者への能動的医薬品情報提供上の注意点

外来患者の場合，薬歴，お薬手帳，そして直接，患者から情報収集を行う．情報提供においては画一的にならず，個別の対応となるよう配慮する．また時間的制約もあるため患者ニーズをもとに患者が納得できる指導を行う．

（4）入院患者への能動的医薬品情報提供上の注意点

入院患者の場合，患者からの直接の情報だけではなく，また診療録や医療スタッフなど多くの情報源から収集可能であるため，疾患や病態，そして治療の方針，目標など患者情報を整理し，病棟スタッフとの情報共有化を図り，統一された認識のもとに指導を行う．指導においては薬に関する情報提供や有効性・安全性の確認(薬の効果，副作用モニタリング)だけでなく，現在の状態や不安など多角的な面からのアプローチにより，医療薬学的な問題点や課題を解決することで患者利益につなげ，継続的に薬学的管理を行うことが重要である．

b OTC 医薬品に関する能動的医薬品情報提供

(1)セルフメディケーション

世界保健機関(WHO)においてセルフメディケーションとは，「自分自身の健康に責任をもち，軽度な身体の不調は自分で手当てする」と定義されている．現在，薬剤師などからの適切なアドバイスにより OTC 医薬品を活用し，自分で手当てをして体調不良の改善に役立てることが推進されている．

(2) OTC 医薬品の販売制度と能動的医薬品情報提供(☞ p.8)

要指導医薬品には医療用医薬品からのスイッチ直後品目や毒・劇薬などが該当し，安全上とくに注意を要する成分を含むものであり，販売においては薬剤師が適正使用のため対面により書面での情報提供および薬学的知見に基づく指導を行うことが義務付けられている．一般用医薬品には，対面販売以外の販売方法である「特定販売」(インターネット販売)が設けられており(2014 年医薬品医療機器等法改正)，副作用のリスクより 3 区分となり，第一類医薬品では書面による適正使用に必要な情報提供の義務，第二類医薬品では適正使用に必要な情報提供が努力義務，第三類医薬品においては法的規定はない．ただし，購入者などからの質問，相談に対し，すべての医薬品において適正使用に必要な情報提供の義務があり，要指導医薬品には薬学的知見に基づく指導もあわせて求められている(表 5･8，表 5･9)．

5 知的所有権

知的所有権(intellectual property rights)とは，知的創造活動により新たに創り出された無形の権利を保証するものであり，特許権，実用新案権，意匠権，商標権の総称である産業財産権と著作権に大別される．引用を行う場合には，公正な慣行に従う必要があり，「紹介，参照，論評その他の目的で著作物中に他人の著作物の原則として一部を採録すること」が適切な引用とされ，表 5･10 の「引用」の範囲内で行う必要がある．また官公庁からの通達などにより，製薬企業が作成し情報提供しているものにおいても著作権により保護されている可能性もあり，引用許可や出典明記の要否を確認する配慮が必要になる．

表 5･8 OTC 医薬品リスク分類(医薬品医療機器等法)

<table>
<tr><td>要指導医薬品</td><td colspan="3">下記のイ～ニにあげる医薬品のうち，その効能および効果において人体に対する作用が著しくないもので，薬剤師その他の医薬関係者から提供された情報に基づく需要者の選択により使用されることが目的とされているものであり，厚生労働大臣が指定するもの
(イ．再審査を終えていないダイレクト OTC，ロ．スイッチ直後品目，ハ．毒薬，ニ．劇薬など)</td></tr>
<tr><td rowspan="4">一般用医薬品</td><td>第一類医薬品</td><td>とくにリスクが高い医薬品</td><td>その副作用などにより日常生活に支障をきたす程度の健康被害が生じるおそれがある医薬品のうち，その使用に関しとくに注意が必要なものとして厚生労働大臣が指定するものなど</td></tr>
<tr><td>第二類医薬品</td><td>リスクが比較的高い医薬品</td><td>その副作用などにより日常生活に支障をきたす程度の健康被害が生じるおそれがある医薬品(第一類医薬品を除く)であって厚生労働大臣が指定するもの</td></tr>
<tr><td>指定第二類医薬品</td><td>リスクが比較的高く，とくに注意を要する医薬品</td><td>第二類医薬品のうち，特別の注意を要するものとして厚生労働大臣が指定するもの</td></tr>
<tr><td>第三類医薬品</td><td>リスクが比較的低い医薬品</td><td>第一類医薬品および第二類医薬品以外の一般用医薬品</td></tr>
</table>

表 5･9 OTC 医薬品リスク分類に基づく情報提供体制(医薬品医療機器等法)

<table>
<tr><td rowspan="2">医薬品分類</td><td rowspan="2">要指導医薬品</td><td colspan="3">一般用医薬品</td></tr>
<tr><td>第一類医薬品</td><td>第二類医薬品
(指定第二類医薬品)</td><td>第三類医薬品</td></tr>
<tr><td rowspan="2">販売時情報提供
(能動的)</td><td>対面で書面による情報提供および薬学的知見に基づく指導</td><td>書面による情報提供</td><td>情報提供</td><td rowspan="2">規定なし</td></tr>
<tr><td colspan="2">義務</td><td>努力義務</td></tr>
<tr><td rowspan="2">相談時情報提供
(受動的)</td><td>情報提供および薬学的知見に基づく指導</td><td colspan="3">情報提供</td></tr>
<tr><td colspan="4">義務</td></tr>
<tr><td>情報提供者</td><td colspan="2">薬剤師</td><td colspan="2">薬剤師または登録販売者</td></tr>
<tr><td>特定販売</td><td>不可(対面販売のみ)</td><td colspan="3">可</td></tr>
</table>

表 5･10 引用の要件

他人の主張や資料等を「引用」する場合の例外です．

【条件】

1．すでに公表されている著作物であること
2．「公正な慣行」に合致すること
(例えば，引用を行う「必然性」があることや，言語の著作物についてはカギ括弧などにより「引用部分」が明確になっていること)
3．報道，批評，研究などの引用の目的上「正当な範囲内」であること
(例えば，引用部分とそれ以外の部分の「主従関係」が明確であることや，引用される分量が必要最小限度の範囲内であること)
4．「出所の明示」が必要(複製以外はその慣行があるとき)

文化庁著作権課：著作権テキスト～初めて学ぶ人のために～令和 2 年度，p.82
(https://www.bunka.go.jp/seisaku/chosakuken/seidokaisetsu/pdf/92466701_01.pdf)(2022 年 6 月 24 日参照)

SBO・医薬品情報をニーズに合わせて加工・提供し管理する際の方法と注意点（知的所有権，守秘義務など）について説明できる．

B 受動的医薬品情報提供

ポイント

- 薬剤師は医療スタッフおよび患者などからの問い合わせに対し，医療薬学的な立場より質問者の目的およびニーズに合った適切な情報を提供する．
- 情報提供は問い合わせのあった質問者へ直接行うため，その対象者に合った理解の得られる表現および内容への再構築が必要である．

❶ 受動的医薬品情報提供に関する法律

医薬品医療機器等法による受動的医薬品情報提供に関する法令では，処方箋により調剤された薬剤において，薬の使用者などから相談があった場合に行う情報提供に加え，薬学的知見に基づく指導が義務とされている（第9条の3第4項）．また薬局医薬品および要指導医薬品[*4]においても同様に薬学的知見に基づく指導が義務化されている（第36条の4第4項，第36条の6第4項）．医療関係者などによる情報提供としては，医薬品の適正使用を確保するため，情報の活用や必要な情報の収集，検討，利用などを行うことが努力義務（第68条の2第3項）とされている（表5･11）．

*4　要指導医薬品　☞p.170

❷ 受動的医薬品情報提供の流れ

医療スタッフからの問い合わせは電話によるものが比較的多く，双方に内容の相違がないよう十分確認するとともに，ポイントを整理し，目的，ニーズなどを明確にする．また医療の場では，緊急性の有無など時間的ニーズは非常に重要であり，必ず確認すべきである．問い合わせに関して各医薬品情報源（表5･2）から情報収集後，内容の評価を行うが，詳細は4章を参照されたい．情報の加工では質問者の目的やニーズに合わせた再構築に配慮し，また図表などの利用により理解が得られやすい情報とする．患者の場合には知識レベルや理解力に合わせた表現を用い，

表5･11　受動的医薬品情報提供に関する法律

医薬品の種類など	提供元	提供先	提供方法	医薬品医療機器等法
処方箋により調剤された薬剤	薬剤師	購入または使用者など	相談があった場合，適正使用に必要な情報提供または薬学的知見に基づく指導	第9条の4第4項
薬局医薬品				第36条の4第4項
要指導医薬品				第36条の6第4項
一般用医薬品	薬剤師・登録販売者		相談があった場合，必要な情報提供	第36条の10第5項

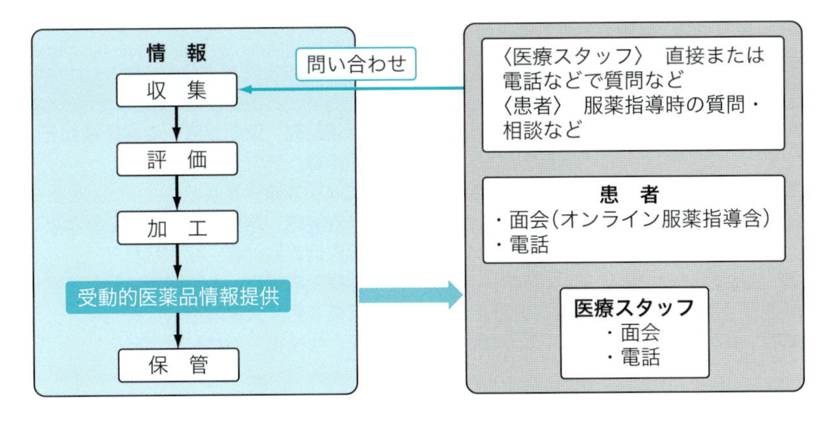

図 5･9　受動的医薬品情報提供の流れ

専門的な用語などはなるべく平易な言葉に置き換え，簡潔な情報とする．提供方法は，質問者に最も適切と考えられる提供手段およびタイミングを検討する．口頭による情報提供では，ほかの医療スタッフと業務を円滑に行ううえで，また患者への情報提供などにおいても十分なコミュニケーションスキルの修得が必要である．頻度の高い質問は，同様な質問に対し効率的に対応できるよう保管し，添付文書の改訂などがあれば，随時，情報の更新を行う．受動的医薬品情報提供の流れを図 5･9 に示す．

❸ 医療スタッフへの受動的医薬品情報提供

a 受動的医薬品情報提供上の注意点

・質問者に対する適切な情報提供タイミングの配慮．
・質問者に対する情報提供者の態度(面会などで質問者に不快感を与えない，身だしなみ，挨拶，言葉使い，視線など)．
・医療スタッフとの情報共有に関する相互理解と信頼関係の構築(常に情報の授受可能な，医療スタッフとの人間関係など)．

❹ 患者への受動的医薬品情報提供

a 受動的医薬品情報提供手段

患者への情報提供は面会および文書などがあり，その他，電話での応対などがあげられる．

b 受動的医薬品情報提供上の注意点

・入院の場合，患者の体調，時間的ニーズなどに配慮し，最適な提供タイミングを検討．
・質問者に対する情報提供者の態度(服薬指導などで質問者に不快感を与えない，身だしなみ，挨拶，言葉使い，視線など)．
・患者との信頼関係の構築．

表 5･12　病院における個人情報の例

情　報	具体例	情　報	具体例
患者基本情報	氏名，年齢，生年月日，住所，電話番号など	手術・看護記録情報	手術記録，助産記録，看護記録など
健康保険・福祉情報	健康保険証の写しなど	薬剤記録情報	調剤録，処方せんなど
診察管理用情報	受診診療科情報，予約記録，入退院記録など	画像記録情報	エックス線写真など
生活背景情報	喫煙歴，飲酒歴，生活歴など	指示実施記録情報	検査実施・結果，処方実施記録など
医学的背景情報	妊娠分娩歴，既往歴，家族歴など	診療情報交換情報	診療情報提供書，紹介状など
診察記録情報	問診記録，現病歴，身体所見，診療計画など	診療説明・同意情報	各種説明情報，各種同意情報など
		要約情報	診療要約，入退院要約など
		死亡記録情報	死亡診断書，剖検記録など

[日本病院会個人情報保護に関する委員会：病院における個人情報保護法への対応の手引き，p.13，日本病院会，2005 より許諾を得て転載]

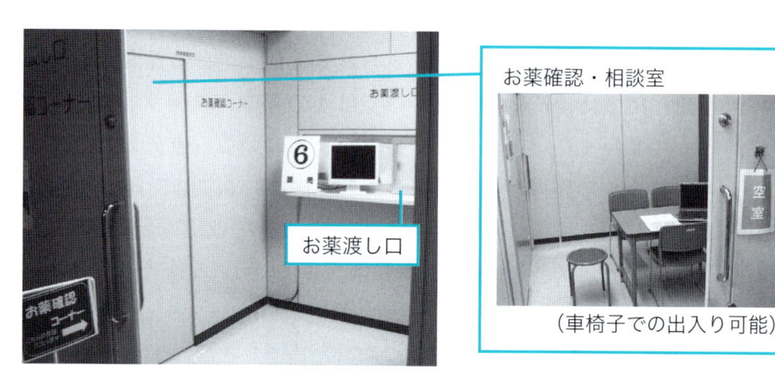

図 5･10　患者プライバシーに配慮した持参薬管理室

❺ 守秘義務

2004 年 4 月に個人情報保護法の施行，同年 12 月には「医療・介護関係事業者における個人情報の適切な取扱いのためのガイドライン」(厚生労働省)が策定され，医療現場においては本ガイドラインなどに基づく個人情報の取扱いが行われている．国内における医療関係資格などの守秘義務(confidentiality)にかかわるプライバシー保護に関する法令としては，刑法第 134 条第 1 項「医師，薬剤師，医薬品販売業者，助産師，弁護士，弁護人，公証人又はこれらの職にあった者が，正当な理由がないのに，その業務上取扱ったことについて知り得た人の秘密を漏らしたときは，六ヵ月以下の懲役又は十万円以下の罰金に処する.」があげられる．現在，薬剤師は業務上，薬に関する情報だけでなく多岐にわたる患者および医療に関する情報へかかわることから，薬剤の情報提供においても患者プライバシー保護など十分な守秘義務への配慮を行う必要がある(表 5･12，図 5･10)．

演習問題

①医薬品情報をニーズに合わせて加工・提供し管理する際の方法と注意点(知的所有権，守秘義務など)について説明できる．

課題5-1

該当 SBO ① 実施方法 SGD 難易度 ★★☆☆☆

ツール 本書，その他医薬品情報に関するテキスト，インターネット
注意点 医薬品情報提供の分類と具体的な情報提供手段の違い，特徴について理解する

主な医薬品情報提供を 2 つあげ，具体的な情報提供手段とともにそれぞれの違いや特徴について SGD により理解を深めよ．

課題5-2

該当 SBO ① 実施方法 各自調査，SGD 難易度 ★★★☆☆

ツール 添付文書，インタビューフォーム，PMDA のウェブサイト，その他
注意点 各薬剤の剤形，投与方法などをわかりやすく記載し，薬剤選択においてそれぞれの特徴が理解しやすいように加工する

当施設の医師より，当院採用の抗インフルエンザウイルス薬を処方する際，薬剤選択において剤形や投与方法など，薬剤の特徴についてわかりやすい情報の提供を依頼された．情報提供文書を作成せよ．

採用薬剤 タミフル®カプセル 75，タミフル®ドライシロップ 3%，ゾフルーザ®錠 10 mg・20 mg，リレンザ®，イナビル®吸入粉末剤 20 mg，ラピアクタ®点滴静注液バック 300 mg

課題5-3

該当 SBO ① 実施方法 各自調査，SGD 難易度 ★★★☆☆

ツール 添付文書，インタビューフォーム，PMDA のウェブサイト，PubMed，その他
注意点 参考資料をもとに正確で理解しやすい情報を加工し提供する

膠原病内科の医師より，妊娠女性へセルトリズマブ ペゴル製剤の投与を検討しているが，添付文書には，「妊婦又は妊娠している可能性のある婦人には，治療上の有益性が危険性を上回ると判断される場合に投与すること．[妊娠中の投与に関する安全性は確立していない．…]」と記載されていることから，本剤の妊娠女性への胎盤通過性などについて参考となる情報提供を依頼された．

インタビューフォーム，また PubMed より下記の文献 1（インタビューフォーム・引用文献 37)と同データを含む文献を検索し，その Abstract より得られる情報をもとに適切な情報提供文書を作成せよ．

文献 1 Mahadevan U, Wolf DC et al: Placental transfer of anti-tumor necrosis factor agents in pregnant patients with inflammatory bowel disease. Clin Gastroenterol Hepatol 11：286-292, 2013

課題5-4

該当 SBO ① 実施方法 各自調査 難易度 ★★☆☆☆

ツール 添付文書，インタビューフォーム，PMDA のウェブサイト，CTCAE v4.0-JCOG，その他
注意点 インタビューフォームなどをもとに，本剤の代表的な副作用やその対処法を整理し，わかりやすく加工する

当施設の医師より進行再発大腸がんの三次治療に対し，分子標的治療薬であるパニツムマブ製剤の投与を検討していることから，本剤のとくに注意が必要な副作用の種類およびその対策法に関する情報提供を依頼された．情報提供書を作成せよ．

課題5-5 該当SBO ① 実施方法 各自調査 難易度 ★★★☆☆

ツール 添付文書，インタビューフォーム，PMDAのウェブサイト，PubMed，CTCAE v4.0-JCOG，その他
注意点 理解しやすく適切な情報内容に加工し提供する

当施設の医師より，進行再発大腸がんの三次治療を行うため分子標的治療薬であるパニツムマブ製剤の投与を検討していることから，副作用対策に関する以下の情報を依頼された．

「本剤の主な副作用の1つである皮膚障害への対策となる予防療法(副作用の発現前に対応)と対症療法(副作用の発現後に対応)の効果の比較に関する情報」

PubMedより下記の文献1を検索し，そのAbstractより得られる情報をもとに適切な情報提供文書を作成せよ(皮膚障害のマネジメントにおいて患者QOLについては不要)．

文献1 Lacouture ME, Mitchell EP et al：Skin toxicity evaluation protocol with panitumumab (STEPP), a phase Ⅱ, open-label, randomized trial evaluating the impact of a preemptive skin treatment regimen on skin toxicities and quality of life in patients with metastatic colorectal cancer. J Clin Oncol 28：1351-1357, 2010

課題5-6 該当SBO ① 実施方法 各自調査 難易度 ★★★☆☆

ツール 添付文書，インタビューフォーム，PubMed
注意点 質問の文言に対してのみ回答するのではなく，質問者が望む情報を提供できるよう考慮すること

医師から以下の問い合わせがあった．回答を作成せよ．

「脂質代謝異常症の患者さんにスタチン類を使っているのですが，コントロールが非常に悪く，早急に何とかしたいと思っています．スタチン類とフィブラートの併用は，以前は原則禁忌でしたが，添付文書が併用注意に変更されましたよね？もし併用するとしたら，どの薬剤の併用がお勧めできるか教えてください」

課題5-7 該当SBO ① 実施方法 各自調査 難易度 ★★★☆☆

ツール 添付文書，インタビューフォーム，PubMed
注意点 質問の文言に対してのみ回答するのではなく，質問者が望む情報を提供できるよう考慮すること

看護師から以下の問い合わせがあった．回答を作成せよ．

「静脈留置針穿刺の際に，ペンレス®(リドカイン)テープを貼っていますが，用法どおりに30分間貼るだけでは，痛みが緩和しない患者さんが多いように感じます．2枚貼るとか，もっと長めの時間貼っておくなどをしてもよいものでしょうか？」

課題5-8 該当SBO ① 実施方法 各自調査 難易度 ★★★☆☆

ツール 添付文書，インタビューフォーム，PubMed
注意点 病院薬剤部としての対応であることを意識して考えること

2020年4月，メトグルコ®錠(メトホルミン塩酸塩錠) 500 mgについてクラスⅠの医薬品回収情報が出た．病院薬剤部ではどのような対応をとるべきか，代替医薬品の提案も含めて考えよ．また，院内に通知する文書を作成せよ．

課題5-9 該当 SBO ① 実施方法 各自調査 難易度 ★★★☆☆

ツール 添付文書，インタビューフォーム，イエローレター
注意点 保険薬局の状況であることを意識して考えること

2003 年 3 月 7 日，ガチフロ®錠(ガチフロキサシン錠)にイエローレターが発出された．保険薬局では，この情報が出た後，どのように対応すべきか答えよ．なお，この薬局にはガチフロ®錠を服用中の患者もいることがわかっている．

課題5-10 該当 SBO ① 実施方法 各自調査 難易度 ★★★☆☆

ツール 添付文書，インタビューフォーム
注意点 報告対象者を意識して作成すること

病院にて，ジャディアンス®錠(エンパグリフロジン錠)を新規採用することとなった．近年，新規の経口糖尿病治療薬の採用が多いため，ほかの薬剤との比較も含めて院内に採用のお知らせを行うこととなった．この通知文書(医師向け)を作成せよ．また，患者向けの説明文書も作成せよ．

患者情報

A 情報と情報源

SBO・薬物治療に必要な患者基本情報を列挙できる.
・患者情報源の種類を列挙し，それぞれの違いを説明できる.

ポイント

- 患者情報は，個々の患者を対象としたファーマシューティカルケア(pharmaceutical care)を実践するうえで基本となる情報である.
- 情報源には，ほかの医療スタッフ(医師，看護師など)の記録のほか，薬剤師が記録・管理する情報源や患者自身が管理している情報源がある.

❶ 薬物治療に必要な患者情報

患者情報を収集する目的は，ファーマシューティカルケア[*1]の理念のもと，患者個々の病態に合った薬物治療をするために，①患者の病態や環境を理解し，②薬物治療の必要性・妥当性を評価し，③薬物治療の応答(効果や副作用)を評価することである．患者情報と薬学的知見を統合し，薬学的管理を実施する．

*1 ファーマシューティカルケア　薬剤師が責任をもって薬に関するケアを患者に提供することであり，薬剤師の活動の中心に患者の利益を据える行動哲学である．世界保健機関(WHO)は「ファーマシューティカルケアとは，患者の保健および生活の質の向上のため，治療効果を達成するとの明確な目標をもって，薬物療法を施す際の，薬剤師の姿勢，行動，関与，倫理，機能，知識，責務ならびに技能に焦点を当てるものである」と定めている.

a 一般的な情報

(1)患者基本情報

患者を特定するための患者氏名，年齢，性別，身長，体重をはじめとして，当該施設で割りあてられた患者(ID)番号や入院日，担当医師，入院診療科，病室番号，保険情報などは，患者を管理する基本的な情報である．年齢，性別，身長，体重などの情報は薬剤師にとって，薬物選択や薬剤の用量の適切性を判断する最も基本的な情報となる．

(2)職業やインテリジェンス

患者の理解力や病気・薬に対する認識(病識・薬識)を判断して，服薬支援や薬剤情報提供を行わなければならない場面がある．その際，患者の職業やインテリジェンスなどの情報が参考となる．また，ライフスタイルを考慮した薬物療法支援においては，当該患者がその時点で，就学者なのか，就労者であれば現職者か退職者か，現職者の場合はどのような職業であるかも重要な情報となり得る．患者のライフスタイルに合わせて，できるだけ無理のない服薬や治療が選択できるような支援を行う際の判断材料となる．

(3)家族情報や宗教

患者自身による薬剤管理が難しい場合，家族などの支援が必要となる．家族に支援を相談する際，家族の同居状況やキーパーソンを把握しておくことが重要となる．

まれに宗教上の理由で輸血が許されない患者もいる．場合によっては，あらかじめ医師やほかの医療スタッフへ輸血の代替となる薬剤情報を提供する必要が生じることもある．

(4)嗜好品・健康食品の摂取状況

飲酒習慣の情報は，薬剤とアルコールとの同時摂取による相互作用を回避し，飲酒による服薬アドヒアランス[*2]の低下を防ぐためにも把握しておく．

*2 服薬アドヒアランス 患者がどれだけ医療者の指示どおりに服薬しているかを示す言葉として，服薬コンプライアンス(服薬遵守)が用いられてきたが，服薬アドヒアランスは，治療の必要性や重要性を理解し，患者が治療に能動的，主体的に参加し，薬剤を正しく使用，服薬することをいう．患者の意識を含めた表現である．

喫煙習慣の情報は，喫煙により，CYP1A2を代表とする種々P450分子種の誘導が生じ，使用薬剤によってはクリアランスが上昇し治療効果が減弱するため，把握しておく必要がある．逆に，喫煙の影響を受ける薬剤を服用中の患者が禁煙した場合，注意が払われていないとのちに副作用発現の可能性もある．

また，健康食品(サプリメントも含め)と薬剤との相互作用が報告されているものも少なくない．したがってこれらの摂取状況も把握しておく必要がある．

(5)経済状況・その他

慢性疾患の薬物治療では，長期にわたる服薬で患者の治療費負担も増加する．また，近年では非常に高額な新薬の登場も相次いでいる．必要に応じ，患者の経済状況，治療に対する要望を確認し，医療ソーシャルワーカーなどと情報共有し公的援助の利用を促すなど，ほかの医療スタッフと連携して各患者に最適な支援をしていくことが大切である．

一方，後発医薬品の選択の機会も広がっていることから，患者の後発医薬品に対する認識や要望なども把握しておくとよい．

b 医学的な情報

(1)診断名・主訴・現病歴

診断名や主訴(chief complaints, CC)は，投与薬剤が当該患者にとって必要か，または適正かを判断するための，まずはじめの情報となる．また診断名は，その薬剤が保険診療の適用範囲内で使用されているかどうかの判断にも必要である．

現病歴(present illness, PI)とは，主訴に基づく当該時点で問題となっている主たる病状がいつから，どのように始まりどのような経過をたどって現在に至るかが，まとめて記述されている情報である．

(2)既往歴・家族歴

既往歴(past history, PH)には，過去の病気や外傷だけでなく，現在も継続している合併症や併存症も含まれる(現病歴にあげられているエピソード以外)．それらの罹患時期や必要に応じ，治療方法などが記載されている．

主たる病状に対する薬物治療を行う際，合併・併存する病態や既往症による投与禁忌，慎重投与などの薬剤を判断しなくてはならない．主診断名を把握しただけでは，適切な処方チェックを行うことはできない．女性の妊娠や授乳の有無も重要な確認事項となる．

遺伝的素因が関連する疾患のある患者では家族の病歴である家族歴(family history, FH)も確認することがある．

(3)アレルギー歴・副作用歴

食品によるものも含めアレルギー歴を確認しておく必要がある．過去に使用した薬剤による過敏症，副作用の既往がある患者には，当該薬のみならず類似薬の投与にも注意を払わなくてはならない．ほかの医療スタッフが収集した情報を利用する場合もあるが，とくに薬剤アレルギー歴・副作用歴は薬剤師が患者に直接確認し，情報の発信源となるべきである．

(4)処方歴・服薬歴

当該施設以外の複数施設から処方を受けている場合のほか，同一院内の複数診療科から処方を受けている場合もある．診療機関から処方されている薬剤以外に，患者自身が購入し，常用しているOTC医薬品，サプリメント(健康食品も含む)などがある場合も考えられる．患者が服用・使用しているすべての薬剤やサプリメントを把握することによって，同種同効薬の重複，相互作用(併用禁忌薬，併用注意薬など)，副作用発現を適切に管理することができる．

(5)身体機能・生活機能

服薬にかかわる身体機能情報として，以下の項目は確認しておくべきである．

①視力：薬剤や薬袋・ラベルなどの識別への影響があるため

②手技力：薬包・PTPシートなどの開封や取り出し，その他デバイスの取扱いに影響するため

③嚥下力：錠剤やカプセル剤など服用剤形の選択に影響するため

④理解力：薬識，病識があるか，患者本人に薬を管理することができるかを判断するため

⑤聴力：患者指導時に個々に合わせた対応をする必要があるため

このほかにADL(activities of daily living, 日常生活動作)といわれる，主に看護師が記録している食事，排泄，洗面，清潔，更衣，移動など生活を営むうえでの基本動作(生活機能)の情報にも目を向けておくとよい．

表6･1　臨床検査の結果画面の例(時系列データ)

検査名	基準範囲	単　位	10/30		11/3		11/12		11/24		12/1	
	採血時間		06：45		06：20		09：23		14：11		06：00	
	Chemo 経過日		1 kur day 3		day 7		day 16		day 28		2 kur day 1	
T-BIL	0.2～1.2	mg/dL	0.7		0.5		0.3		0.4		0.4	
AST(GOT)	8～38	IU/L	21		21		25		33		22	
ALT(GPT)	4～44	IU/L	33		31		40		46	H	33	
ALP	38～113	U/L(IFC)	57		56		59		70		63	
LDH	124～222	U/L(IFC)	148		152		152		223	H	171	
γ-GT	16～73	IU/L	105	H	120	H	159	H	185	H	185	H
BUN	8.0～20.0	mg/dL	23.5	H	17.0		15.3		16.8		16.3	
クレアチニン	0.61～1.04	mg/dL	1.11	H	0.94		0.97		1.02		1.12	H
Na	135～145	mEq/L	142		141		144		141		139	
K	3.5～5.0	mEq/L	4.7		4.5		4.9		4.9		4.8	
Cl	98～108	mEq/L	107		106		108		105		104	
血　糖	70～109	mg/dL					226	H				
HbA1C	4.6～6.2	%					9.1	H				
WBC	3500～9700	/μL	11070	H	4780		2750	L	4860		5190	
RBC	438～577	万/μL	406	L	406	L	380	L	394	L	389	L
HB	13.6～18.3	g/dL	11.0	L	11.1	L	10.2	L	11.1	L	10.6	L
ヘマトクリット	40.4～51.9	%	34.2	L	34.2	L	32.2	L	34.4	L	33.2	L
MCV	83～101	fl	84		84		85		87		85	
MCH	28.2～34.7	pg	27.1	L	27.3	L	26.8	L	28.2		27.2	L
MCHC	31.8～36.4	%	32.2		32.5		31.7	L	32.3		31.9	
血小板数	14.0～37.9	万/μL	22.3		17.1		10.6	L	25.3		23.5	
NEUTR	42.0～74.0	%	84.9	H	59.2		24.4	L	51.5		51.8	
LYMPHO	18.0～50.0	%	10.9	L	37.0		60.0	H	36.8		44.7	
MONO	1.0～8.0	%	4.2		1.9		4.7		9.9	H	2.3	
BASO	0.0～2.0	%	0.0		0.0		0.4		0.6		0.2	
EOSINO	0.0～7.0	%	0.0		1.9		10.5	H	1.2		1.0	

H：high，高値/L：low，低値/Chemo：Chemotherapy，化学療法

(6)臨床検査値データ

臨床検査値は，薬学的管理において，治療効果や副作用発現を確認するためのデータとなる．それぞれの薬剤による効果の指標，もしくは副作用の指標となる特徴的な検査値データをとらえ，経時的に情報収集・評価していくことが肝要である(表6･1)．

薬剤投与によって肝毒性，腎毒性，血液毒性が発現していないかどう

かは，最低限チェックすべき項目である．薬剤による肝機能障害，腎機能障害，造血障害の徴候が認められた場合，被疑薬の変更・中止・投与間隔や投与量の調節などを医師へ提案することが必要となる．

(7)画像・その他

薬剤の治療効果や副作用発現をX線画像や心電図で確認することもある[例)間質性肺炎による胸部X線画像のすりガラス陰影，QT延長やトルサード・ド・ポアント(Torsades de pointes)といった重篤な不整脈を示す心電図など]．また，重篤な副作用を防ぐ目的で，定期的な検査(臨床検査および放射線・画像検査などを含む)の実施が必要な薬剤が多くあることから，それらの検査を実施しているかどうかを確認することも重要である．

また，医師の治療方針や患者および家族への説明内容など，**インフォームド・コンセント**(informed concent，**IC**)*3の内容を把握し，その患者にかかわる医療スタッフの一員として，認識を統一しておくことも重要である．

*3 **インフォームド・コンセント** 患者やその家族が病状や治療について十分な説明を受けたうえ，十分に理解・納得し合意すること．医師，歯科医師，薬剤師，看護師，その他の医療の担い手は，医療を提供するにあたり，適切な説明を行い，医療を受ける者の理解を得るよう努めなければならない．
(医療法第1条の4第2項)

❷ 患者情報源の種類

a 医師による記録

(1)診療録(カルテ)

患者の治療において，医師が患者の症状，その所見，各種処方，手術，処置などの記録や指示を記載した医療記録である(図6･1)．医師法(第24条)により，医師は診療をしたときは，遅滞なく，診療に関する事項を記載することとされており，すべての診療行為を記載しなければならない．X線，CT，MRIなどの画像情報や臨床検査データも診療録の情報に含まれる．5年間の保存が義務付けられている．

近年では**診療録の電子化(電子カルテ)**が進み，電子カルテでは医師以外の職種が記載する記録も電子カルテ上で共有することができ，多職種間での情報共有がしやすい環境にある．

(2)診療情報提供書

患者を他施設へ紹介したり，患者が転院したりする場合の情報提供書で，患者の診療経過や処方情報などが記載される．医師が患者を次の医療機関に引き継ぐためにまとめた情報である．

b 看護師による記録

(1)看護記録

医師からの指示や看護計画に基づき実施された患者ケア，看護上観察された内容などが記載される．看護記録は，診療録の一部として扱われるが，患者を24時間体制で見守っている看護師の記録は，患者の状態を把握し，薬物による副作用の徴候が発現していないか，患者がきちんと服薬できているかなどの情報源として非常に有用である．

【患者】ID:123-45 ○○○○ 71 歳 Male 168 cm 70 kg【入院日】20XY 年 10 月 27 日

【CC：主訴】咳嗽（+），喀痰（++），息苦しさ（±）
【PI：現病歴】
20XX 年 8 月ごろから呼吸困難を認め，9/3 にかかりつけ医（△△クリニック）を受診したところ，起坐呼吸，四肢浮腫があり，心不全疑いにて当院循環器内科へ紹介．左下肺野の腫瘤・縦隔リンパ節腫大を認め，当科（呼吸器内科）へ転科．精査にて肺小細胞癌（#. 1. LK small cT4N3M1bLYM stageⅣ b）と診断された．
#. 1 に対し，同年 9/10 から一次治療 CBDCA＋ETP を 4 クール施行→PR.
今年（20XY 年）3/24 から二次治療 AMR を 6 クール施行→効果に限界あり，治療中断していたが，今回，三次治療（CBDCA＋CPT11）の化学療法施行目的にて入院となった．
【PH：既往歴】 58 歳　DM，HT（現在まで medication＋）
60 歳　アルコール性肝障害
62 歳　眼底出血（レーザー治療施行），白内障（未治療）
69 歳　左下肢 ASO 左 EIA90%→EVT 施行
【生活歴】飲酒：350 mL/ 日（ビール），喫煙：20 本 / 日（20〜70 歳→BI：1000）
【アレルギー】なし
【入院時所見】BT 36.3°，HR 102 回 / 分，BP 158/80 mmHg，SpO_2 98%（Room Air），PS 1.
10/27 <L/D>
生化学：TP 6.9 g/dL，ALB 4.3 g/dL，T - BIL 0.4 mg/dL，AST 28IU/L，ALT 38IU/L，ALP 68IU/L，LDH 199IU/L，γ- GT 115IU/L，CPK 112IU/L，BUN 14.9 mg/dL，Cre 1.07 mg/dL，Na 141 mEq/dL，K 4.5 mEq/dL，Cl 106 mEq/dL，Ca 9.6 mEq/dL，CRP 0.07 mg/dL.
血算：WBC 6850/μL，Hb 11.6 g/dL，PLT 20.2 万/μL.
血液凝固：PT 10.7sec，PT - INR 0.91，APTT 26.8sec.
尿一般：色調 yellow，混濁（－），蛋白（1+），潜血（－）.
【FH：家族歴】父：肺結核，母：DM・RF，姉：RA・HT，弟 BPH

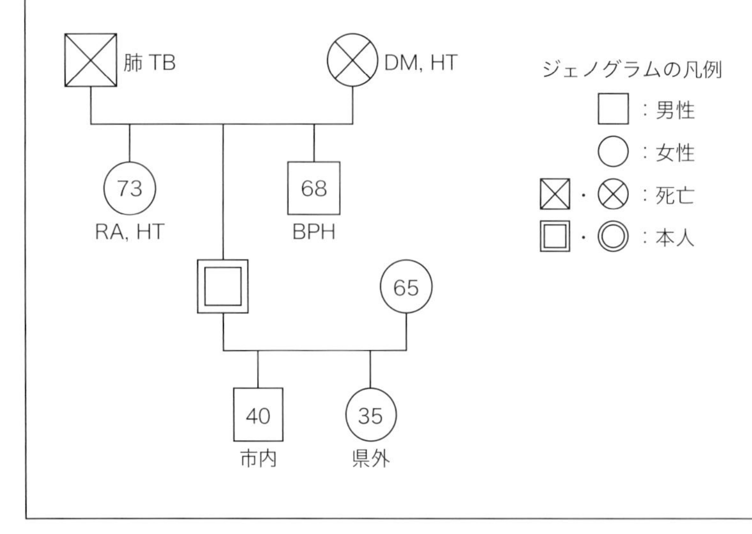

図 6･1　医師による入院時のカルテ記載例

LK[Lungenkrebs(独)]：肺癌，CBDCA：カルボプラチン，ETP：エトポシド，PR：部分奏効，CPT-11：イリノテカン，AMR：アムルビシン，DM：糖尿病，HT：高血圧，ASO：閉塞性動脈硬化症，EIA：外腸骨動脈，EVT：血管内(カテーテル)治療，BI：ブリンクマン指数，PS：Performance Status，L/D：Labo Date，TB：結核，RF：腎不全，RA：関節リウマチ，BPH：前立腺肥大症

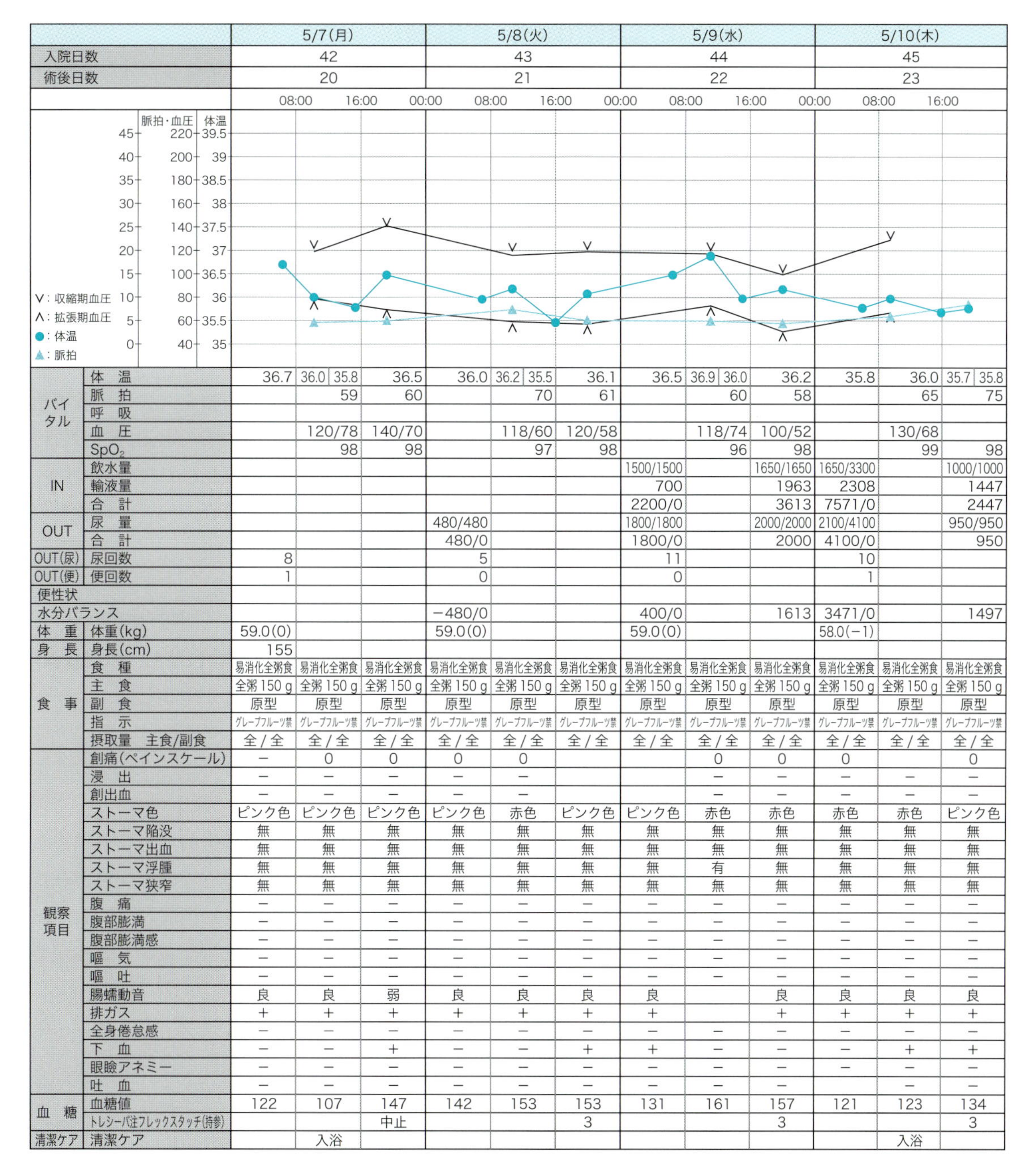

		5/7(月)			5/8(火)			5/9(水)			5/10(木)		
入院日数		42			43			44			45		
術後日数		20			21			22			23		
バイタル	体温	36.7	36.0 35.8	36.5	36.0	36.2 35.5	36.1	36.5	36.9 36.0	36.2	35.8	36.0	35.7 35.8
	脈拍		59	60		70	61		60	58		65	75
	呼吸												
	血圧		120/78	140/70		118/60	120/58		118/74	100/52		130/68	
	SpO_2		98	98		97	98		96	98		99	98
IN	飲水量							1500/1500		1650/1650	1650/3300		1000/1000
	輸液量							700		1963	2308		1447
	合計							2200/0		3613	7571/0		2447
OUT	尿量				480/480			1800/1800		2000/2000	2100/4100		950/950
	合計				480/0			1800/0		2000	4100/0		950
OUT(尿)	尿回数	8			5			11			10		
OUT(便)	便回数	1			0			0			1		
便性状													
水分バランス					−480/0			400/0		1613	3471/0		1497
体重	体重(kg)	59.0(0)			59.0(0)			59.0(0)			58.0(−1)		
身長	身長(cm)	155											
食事	食種	易消化全粥食	易消化全粥食	易消化全粥食	易消化全粥食	易消化全粥食	易消化全粥食	易消化全粥食	易消化全粥食	易消化全粥食	易消化全粥食	易消化全粥食	易消化全粥食
	主食	全粥 150 g	全粥 150 g	全粥 150 g	全粥 150 g	全粥 150 g	全粥 150 g	全粥 150 g	全粥 150 g	全粥 150 g	全粥 150 g	全粥 150 g	全粥 150 g
	副食	原型	原型	原型	原型	原型	原型	原型	原型	原型	原型	原型	原型
	指示	グレープフルーツ禁	グレープフルーツ禁	グレープフルーツ禁	グレープフルーツ禁	グレープフルーツ禁	グレープフルーツ禁	グレープフルーツ禁	グレープフルーツ禁	グレープフルーツ禁	グレープフルーツ禁	グレープフルーツ禁	グレープフルーツ禁
	摂取量　主食/副食	全／全	全／全	全／全	全／全	全／全	全／全	全／全	全／全	全／全	全／全	全／全	全／全
観察項目	創痛(ペインスケール)	−	0	0	0	0			0	0	0		0
	浸出	−	−	−	−	−			−	−	−	−	−
	創出血	−	−	−	−	−			−	−	−	−	−
	ストーマ色	ピンク色	ピンク色	ピンク色	ピンク色	赤色	ピンク色	ピンク色	赤色	赤色	赤色	赤色	ピンク色
	ストーマ陥没	無	無	無	無	無	無	無	無	無	無	無	無
	ストーマ出血	無	無	無	無	無	無	無	無	無	無	無	無
	ストーマ浮腫	無	無	無	無	無	無	無	有	無	無	無	無
	ストーマ狭窄	無	無	無	無	無	無	無	無	無	無	無	無
	腹痛	−	−	−	−	−	−	−	−	−	−	−	−
	腹部膨満	−	−	−	−	−	−	−	−	−	−	−	−
	腹部膨満感	−	−	−	−	−	−	−	−	−	−	−	−
	嘔気	−	−	−	−	−	−	−	−	−	−	−	−
	嘔吐	−	−	−	−	−	−	−	−	−	−	−	−
	腸蠕動音	良	良	弱	良	良	良	良		良	良	良	良
	排ガス	+	+	+	+	+	+	+		+	+	+	+
	全身倦怠感	−	−	−	−	−	−	−	−	−	−	−	−
	下血	−	−	+	−	−	+	+	−	−	−	+	+
	眼瞼アネミー	−	−	−	−	−	−	−	−	−	−	−	−
	吐血	−	−	−	−	−	−	−	−	−		−	−
血糖	血糖値	122	107	147	142	153	153	131	161	157	121	123	134
	トレシーバ注フレックスタッチ(持参)			中止			3			3			3
清潔ケア	清潔ケア		入浴									入浴	

図 6･2　温度板(体温表・経過記録)の例

(2)温度板(体温表・経過記録)

医師が患者の状態を把握するため，定期的なバイタルサイン(血圧，体温，脈拍，呼吸など)のチェックを中心に，時系列的に現した表形式の記録である(図6･2)．一部指示内容は医師が記載する場合もあるが，主に看護師が記録する．バイタルサインのほかに排尿，排便，食事摂取，服薬，注射，処置などの状況が一覧でき，患者状態の変化・推移が把握しやすい．

c 薬剤師による記録

(1)薬剤管理指導記録

入院患者に対する薬剤管理・指導の記録のことを指す．必須記載事項は，患者基本情報としての患者氏名，生年月日，性別，入(退)院年月日，診療録番号(電子カルテの場合は診療録の基本情報として共有)のほか，投薬・注射歴，副作用歴，アレルギー歴，薬学的管理の内容，患者への指導内容および患者からの相談事項などを記載する．

(2)薬　歴

患者が現在および過去に服用(使用)していた薬剤の服用(使用)歴．入院，外来を問わず，内服，外用，注射のほかに，OTC 医薬品，健康食品，サプリメントなどの服用歴についても記載することが望ましい．

d 患者からの情報

(1)お薬手帳

患者自身が処方された薬剤を一元管理するための目的で普及が進められている．患者がいつ，どこの病院や薬局でどのような薬を交付されたか，どのような OTC 医薬品やサプリメントを購入し摂取しているか記録することのできる手帳．アレルギー歴や副作用歴も記載することができる．

複数の診療機関に受診する場合，医師や薬剤師に提示することで，服用歴や副作用歴がわかり，重複投与，相互作用，副作用の回避に役立てることが期待される．

(2)患者から直接収集する情報

患者の薬物治療に対する理解度や不安，薬に関する要望，剤形の好みなど，書面などで得ることができない情報は患者面談にて聴取する．診療機関では医師や看護師の記録からや，保険薬局ではあらかじめ患者に記入を依頼したアンケート用紙など，書面から得られる情報であっても，薬剤師が直接確認しておくべき情報(薬剤アレルギー歴，副作用歴など)は再度聞き取りを行い，間違いや勘違いがないか確認することが望ましい．

B 収集・評価・管理

SBO・問題志向型システム(POS)を説明できる.
・SOAP形式などの患者情報の記録方法について説明できる.
・医薬品の効果や副作用を評価するために必要な患者情報について概説できる.
・患者情報の取扱いにおける守秘義務と管理の重要性を説明できる.

ポイント

- POSは患者が抱えているさまざまな問題をより理論的に解決していくためのシステムである.
- 適切な記録を残し,薬剤師の思考内容や行動過程を他職種にも正確に伝達することが重要である.
- 薬剤師は他人の個人情報を知り得る立場にあり,厳しい情報管理と守秘義務が課せられている.

❶ 問題志向型システム(POS)

問題志向型システム(problem oriented system, POS)は1968年に米国の内科医L.L.Weedらにより提唱されたもので,「各医療従事者がそれぞれの専門性を発揮することにより,患者の抱える医療上の問題点を問題ごとに明確化し,その問題点を患者の立場に立って1つひとつ解決していくシステム」である.

わが国では,医師,看護師などを中心に診療録(カルテ)や看護記録の記載に取り入れることで普及し,現在では,保険薬局薬剤師の**薬剤服用歴管理記録簿(薬歴簿)**,病院薬剤師の**薬剤管理指導記録**にも広く浸透している.薬剤師がPOSを取り入れることで,薬物治療に関する問題点を明確にすることができ,適正な薬物療法の遂行が期待できる.また,服薬指導も単に画一的な薬の説明ではなく,目の前の患者の問題点を把握し,それを薬剤師の視点で評価し,指導していくことができる.

ⓐ 問題志向型診療記録(POMR)

問題志向型診療記録(problem oriented medical record, POMR)は,POSにのっとった記録である.患者情報,プロブレムリスト,初期計画,経過記録の4つの内容から構成される(図6･3).

(1)患者情報

患者が正しい服薬を遂行でき,適正な薬物療法を受けられるように,患者の全体像を明らかにし,問題点を引き出すための情報である.初回面談や初回アンケート用紙,診療録(カルテ),看護記録などに加え,患者との直接の会話のなかからも薬学的管理に必要な情報を収集する.

(2)プロブレムリスト

患者情報を整理し,患者の問題点を明確化する.薬剤師が解決すべき問題点として重要な順に番号化し,それぞれをわかりやすくネーミングする.プロブレムは,順番に#1,#2,#3・・と記載する.#は便

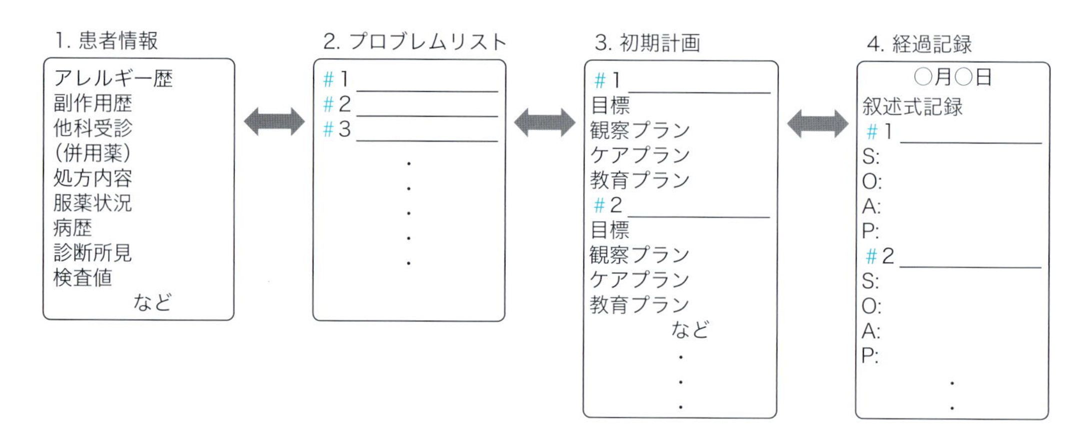

図 6・3　POS に基づく SOAP 形式による薬剤管理指導記録(POMR)

表 6・2　SOAP 形式の概念

S(subjective data) 自覚的または主観的情報	患者の訴え・質疑	・患者が直接提供する副作用症状など，薬に対する訴えや相談事項 ・薬剤師が意図的に聞き出した患者の自覚症状
O(objective data) 他覚的または客観的情報	病歴，診察所見， 検査データ，処方	・薬剤師としての客観的観察 ・使用薬剤，投与時間，投与量，血中濃度測定値，主要検査値，既往歴，血圧，脈拍など
A(assessment) 評価	判断，考察，評価， 目標，意見	・薬学的管理事項，薬剤師としての評価・回答 ・訴えや相談事項と薬剤の関連，投与方法の適否，患者への回答・指導など
P(plan) 計画 観察プラン(Op) ケアプラン(Cp) 教育プラン(Ep)	診断，方針， 薬物投与の開始・中止・変更・提案・情報提供	・Op：副作用症状や検査項目などの観察項目 ・Cp：血中濃度測定や薬剤投与変更の計画，他職種への問題点・薬物療法の情報提供など ・Ep：患者への情報提供や教育指導計画など

宜的にシャープとよんでいるが，記載は音楽記号♯(シャープ)ではなく#(ハッシュマーク)である．

(3)初期計画

問題を解決するための計画を立案し，目標を患者主体で観測可能な表現で記載する．

・観察プラン(observation plan，Op)：検査結果，コンプライアンスなどの観察項目を具体的に列挙する．

・ケアプラン(care plan，Cp)：患者への直接的な働きかけや医療チームとの検討内容を記載する．

・教育プラン(education plan，Ep)：目標を達成するための患者への指導内容を記載する．

(4)経過記録

初期計画に基づき，薬剤師が実践したことについて，患者の反応や問題の変化をプロブレムごとに各項目を分けて SOAP 形式(表 6・2)など

表 6・3　SOAP 形式による記載例

#1. 使用薬剤の血中濃度上昇による食欲不振
S)「食欲なく，食べられないことが多い」，下痢，嘔吐なし．頭痛もない O) HR(心拍数) 67 回 / 分，不整脈なし，K 値 4.2 mEq/mL，食事 3/10 処方：メチルジゴキシン錠 1 mg (1 回 1 錠，朝食後)， テオフィリン徐放錠 100 mg[1 回 1 錠，1 日 2 回(朝・寝前)] 血中濃度：ジゴキシン濃度　1.5 ng/mL(trough 値) テオフィリン濃度　5.7 μg/mL(trough 値) A) テオフィリンは問題なし．ジゴキシンの trough 高値． ジゴキシンが食欲不振の原因となっている可能性が高い． メチルジゴキシンの半減期 24 〜 36 hr P) Cp：メチルジゴキシンを明日の朝より 2 日間中止．明後日より半量(1 回 0.05 mg)で内服再開し，1 週間後に再度血中ジゴキシン濃度を測定する Dr 了承，Ns へ伝達済み Op：引き続き，消化器症状をモニタリングする

Dr：医師，Ns：看護師．

で記録する．

b POMR の監査（audit：オーディット）

POMR は，患者の状態や治療方針が大きく変更になったときなどに随時評価し直し，修正・改良を加えていく(オーディットする)必要がある．

❷ 患者情報の記載方法

a SOAP 形式

SOAP 形式は，POS をうまく機能させるための経過記録の代表的な記載方法の 1 つである．**主観的情報(S)**，**客観的情報(O)**，**評価(A)**，**計画(P)** の 4 つの記載項目(表 6・2)からなり，プロブレムごとに，別々に SOAP を作成する(表 6・3)．

b その他の記録形式

POS にのっとった経過記録として SOAP 形式が多く採用されているが，その他の記載方法としてフォーカス・チャーティング(focus charting)と F-SOAIP 形式がある．

(1)フォーカス・チャーティング(F-DAR)

フォーカス・チャーティング(F-DAR)は，患者に焦点をあて，コラム形式で系統的に記述する経過記録である．「問題」に焦点をあてる SOAP に対し，F-DAR は「出来事」に焦点をあてるところに違いがある．F-DAR は「**focus**(焦点)」「**data**(情報・状態)」「**action**(介入・行為)」「**response**(結果・反応)」の 4 つの構成要素をもとに展開し，それぞれの項目を記載する(表 6・4，表 6・5)．

表6･4 フォーカス・チャーティングの構成要素

F(focus/焦点)	患者の抱える問題点やそれに対するケア内容
D(data/情報・状態)	Fに関する主観的・客観的情報
A(action/介入・行為)	Fに対して実施した，または実施すべきケア
R(response/結果・反応)	Aに対する患者のアウトカム

表6･5 フォーカス・チャーティングによる記載例

時 間	F：focus	D：data，A：action，R：response
○/○ AM 0：50	頭痛 発熱	D：「12時ごろ目が覚めてから眠れない．熱くて，頭も痛い」，体温37.8℃ A：氷枕使用，ロキソプロフェンNa錠1錠頓用(医師指示) R：「気持ちがいいね．少し楽になって眠れそうな気がする」

(2) F-SOAIP形式

医療分野ではPOMRをSOAP形式で記載することが一般的となっているが，生活支援を担う福祉分野では介護や相談援助，生活支援などの実施した行為の内容を記載する項目がなく，O・A・Pのどれかに記載することになる．薬剤師もその場で患者指導を実施した場合，その内容はPに記載されることも多いが，実施した内容と今後のPlanが混在して記載されることになる．

そこで，医療・福祉の多職種で利用できる経過記録方法として開発されたのがF-SOAIPである．S・O・A・Pに加え，記録者の介入や実施を表すI(Intervention/Implementation)の項目をもつことが特徴である．チーム医療，地域連携，多職種連携においては福祉分野を含めた多職種間の相互理解と情報共有が重要なのは言うまでもなく，今後の情報共有ツールとしてF-SOAIPも理解しておくとよい．

❸ 医薬品の効果や副作用を評価するために必要な患者情報

6章Aで述べたように，薬剤師による薬学的管理では，患者への薬剤投与の妥当性を判断し，個々の身体機能に合わせた薬剤選択や投与設計，治療効果と副作用のモニタリングなどを行う．患者の治療効果を最大限に引き出し，副作用を最小限に抑え，投与してはならない薬剤を見落とさないためにも，患者情報はどれも必要な情報といえる．しかし，そのなかでも，使用している医薬品の如何によらず，最低限注目しておくべき臨床検査値情報と，使用医薬品によって異なる特徴的な情報があることをおさえておきたい．

実際の薬物治療の経過過程に，どのような情報に注目していくことができるか，患者の症例チャート(図6･4)を例に述べる．図6･4のように薬歴と検査歴，注目すべき自覚症状などが時系列で確認できるようなチャートは効率的な薬学的管理が期待できる．

患者 ID	1234567
患者	○○○○77 歳 F 150 cm 36.7 kg
診断名	気管支喘息発作
現病歴	喘息発作の既往あり，当院への入院歴あり，外来で観察されていたが，夜間に再度発作発現し，救急受診し，再入院となった．1ヵ月くらい前から食欲不振もあり，精査加療目的
既往歴 合併症	心房細動 認知症の疑い
服用薬剤 使用薬剤 (用量は薬歴参照)	入院時持参薬 ＜循環器内科より＞ アスピリン腸溶錠(100 mg) アズレンスルホン酸配合顆粒 酸化マグネシウム ベラパミル錠(40 mg) メチルジゴキシン錠(0.1 mg) ＜呼吸器内科より＞ テオフィリン徐放錠(100 mg) ツロブテロールテープ(2 mg) モンテルカストナトリウム錠(10 mg) シプロヘプタジン散 S・M 配合散 フルチカゾン(200 μg)吸入 プロカテロールエアゾール(10 μg) 【残薬日数：不揃い】
嗜好品	アルコール：飲酒習慣なし タバコ：喫煙習慣なし
健康食品	エビオス錠(1ヵ月ほど前より，食欲増進のため購入)
アレルギー歴 副作用歴	薬剤アレルギー(－) 　アスピリン喘息の診断なし 食物アレルギー(－) その他特記すべきことなし
その他の情報 (面談メモより)	前回入院時，ステロイド吸入指導施行するも手技の習得不十分にて外来で中止．β_2 刺激薬の貼付，頓用吸入薬の理解不十分．服薬アドヒアランス低下． 配偶者，子供なく独居． 市内に妹夫婦，甥が住んでいる．

使用薬剤（緊急入院）

	経過日					外来受診	入院病日	1	2	3	4	5	6	7	8	9	10	11	12	13	14
循環器内科	アスピリン腸溶錠(100 mg)	1錠×1回(朝)																			
循環器内科	アズレンスルホン酸配合顆粒	1.0 g×3回(朝昼夕)										中止									
循環器内科	酸化マグネシウム	0.3 g×3回(朝昼夕)							中止												
循環器内科	ベラパミル錠(40 mg)	1錠×2回(朝夕)							中止												
循環器内科	メチルジゴキシン錠(0.1 mg)	1錠×1回(朝)										休薬		1回0.5錠へ減量して再開							
呼吸器内科	テオフィリン徐放錠(100 mg)	2錠×2回(朝・就寝前)										テオフィリン徐放錠(400 mg)1錠×1回(就寝前)に変更									
呼吸器内科	ツロブテロールテープ(2 mg)	1回1枚(就寝前)																			
呼吸器内科	プランルカスト水和物カプセル(112.5 mg)	2カプセル×2回(朝夕)				中止															
呼吸器内科	モンテルカストナトリウム錠(10 mg)					1錠×1回(就寝前)															
呼吸器内科	シプロヘプタジン散					4 mg×3回(朝昼夕)			中止												
呼吸器内科	S・M 配合散					1.3 g×3回(朝昼夕)						中止									
呼吸器内科	フルチカゾン(200 μg)ディスカス	1日2吸入		中止																	
呼吸器内科	プロカテロールエアゾール(10 μg)	発作時頓用1回2吸入																			
呼吸器内科	メチルプレドニゾロン注射薬					40 mg		165 mg													
呼吸器内科	アミノフィリン注射薬					250 mg		250 mg													
呼吸器内科	プレドニゾロン錠(5 mg)							4錠(20 mg)×1回(朝)													
呼吸器内科	ファモチジン D 錠(20 mg)								1錠×2回(朝・就寝前)			1錠×1回(就寝前)に減量									
呼吸器内科	ドネペジル塩酸塩錠(3 mg)										1錠×1回(朝食後)										

臨床検査値など

	検査項目	施設基準値					外来		1	2	3	4	5	6	7	8	9	10	11	12	13	14
腎	BUN	9～22 mg/dL					25		30						35					33		
腎	SCr	0.6～1.0 mg/dL					1.1		0.9						0.85					0.88		
肝	AST(GOT)	12～37 IU/L					20		22						24					25		
肝	ALT(GPT)	7～45 IU/L					18		18						19					19		
肝	γ-GTP	8～50 IU/L					11		10						17					12		
肝	T-bil	0.3～1.2 mg/dL					0.6		0.57						0.58					0.58		
血算	WBC	2.97～9.13＊10^3					4.25		3.67						8.2					7.8		
血算	RBC	4.93～3.73＊10^6					4.8		4.85						5					5.1		
血算	Hb	12.9～17.4 g/dL					14.1		14.2						14.1					14.5		
血算	PLT	14.3～33.3＊10^4					26.8		26.7						27					27		
ほかのモニタリング項目	K	3.5～5.0 mEq/L					4.3		4.2						3.8					3.5		
ほかのモニタリング項目	CRP	0.3 mg/dL 以下					1.5		3.3						<0.2					<0.2		
ほかのモニタリング項目	ジゴキシン濃度	0.5～2.0 ng/mL					0.8(服用・採血時間不明)					1.5(trough)							0.75(trough)			
ほかのモニタリング項目	テオフィリン濃度	5.0～20.0 μg/mL					4.5(服用・採血時間不明)					8.5(trough)							8.0(trough)			
ほかのモニタリング項目	空腹時血糖	70～100 mg/dL							95						103					98		
ほかのモニタリング項目	β-D グルカン														－					－		

薬剤師より血中濃度測定依頼

効果・副作用などの観察

観察症状	原因となる可能性高い薬剤	1	2	3	4	5	6	7	8	9	10	11	12	13	14
喘鳴・呼吸困難感	(治療効果の確認)	+++	±	－	－	－		－				－			－
食欲不振・嘔気	ジギタリス・テオフィリン	++	++	+++	++	+	±	－				－			－
下痢	ジギタリス・テオフィリン	±	±	±	±	－		－				－			－
頭重感・頭痛	ジギタリス・テオフィリン	±	±	+	±	－		－				－			－
徐脈・不整脈	ジギタリス		－			－		－				－			－
動悸・頻拍	テオフィリン		－			－		－				－			－
不眠傾向	ステロイド・テオフィリン		－			－		－				－			－
血圧上昇	ステロイド		－			－		－				－			－
胃部不快・悪心	ステロイド・テオフィリン		－			－		－				－			－
発熱など感染徴候	ステロイド		－			－		－				－			－

図 6・4 症例チャート

臨床検査値や自覚症状に変化が起こった場合，病態に起因するものなのか，使用薬剤によるものなのかを判断しなくてはならない．薬剤に起因する可能性が考えられる場合，薬剤の開始時期と変化の起こった時期の相関に注目し，根拠をもって評価を加えていく．

a 使用医薬品によらず必ず注目する情報

肝臓，腎臓は薬物の主たる代謝・排泄経路であるため，薬物によって直接的またはアレルギー性や機能性に障害を受けることがある．また，生理的に加齢性にも機能低下を起こす．体内からの薬物の消失にかかわる代表的な臓器であるがゆえ，その臓器自体の機能低下だけでなく，代謝・排泄が遅れることに起因する2次的な副作用を防ぐためにも，常に肝機能，腎機能を評価しながら薬物治療を遂行する．

薬物による血液障害は，抗悪性腫瘍薬などのようにそれ自身がもつ薬理作用によって生じるもののほかに，薬理作用とは直接関連をもたない発症機序により，予測不可能なものも多い．血液異常の約30%は薬物治療に関連していたとする報告もあり，常に観察する姿勢が大切である．汎血球減少，無顆粒球症や血小板減少など，血液障害のなかには重篤な転帰をたどる場合もあり，予期せぬ血液異常の徴候を認めたときには，薬物との関連性を念頭に置いて評価に努める必要がある．

(1)臨床検査値データ(客観的情報)

- 腎機能を反映する検査値：血清クレアチニン(SCr)，尿素窒素(BUN)，24時間クレアチニンクリアランス(24hrCCr)など
- 肝機能を反映する検査値：ALT(GOT)，AST(GPT)，アルカリホスファターゼ(ALP)，γ-GPT，総ビリルビン(T-Bil)など
- 造血機能を反映する検査値：赤血球(RBC)，白血球(WBC)，血小板(PLT)，ヘモグロビン(Hb)，ヘマトクリット(Ht)など

b 使用医薬品によって注目すべき情報

図6･4の症例を例にして説明する．

(1)TDM対象医薬品の血中濃度(客観的情報)

TDM対象医薬品を使用している場合，血中濃度を確認する．図6･4の場合，TDM対象医薬品であるジギタリス製剤(メチルジゴキシン)とテオフィリン製剤(テオフィリン徐放錠)が使用されており，また食欲不振と喘息発作の発現のエピソードから考えても，これらの血中濃度は確認が必要である．

(2)個々の医薬品に特徴的な副作用を反映する臨床検査値(客観的情報)

図6･4の症例では，副腎皮質ステロイドホルモン製剤(プレドニゾロン，メチルプレドニゾロン)の継続的な内服が始まっていることから低カリウム血症の発現(K値)，血糖値の上昇(空腹時血糖)，感染徴候(WBC，CRP，β-Dグルカン，発熱)などに注意する．ただし，ステロ

イド薬の投与を開始すると白血球数の増多を示す．これはステロイドの薬理作用として白血球(とくに好中球)の生成および骨髄からの動員が促進されるためであり，発熱やCRP上昇など感染徴候がないことが確認できれば臨床上問題になることはなく投与継続可能である．このように，検査値異常が起きていても対処が必要ない場合もあり，薬学的な判断が必要となる．

(3)医薬品の効果の指標となる自覚的症状(主観的情報)

喘息発作治療の観点から，図6･4の症例では喘鳴・呼吸困難感の有無，不眠症状の有無をモニタリングする．

(4)医薬品の副作用の指標となる自・他覚的症状(主観的情報・客観的情報)

使用中の個々の医薬品に特徴的な副作用として，図6･4の症例では以下の症状の有無に注目する．

・ジギタリス製剤：食欲不振，嘔気，徐脈・不整脈など
・副腎皮質ステロイドホルモン製剤：不眠，血圧上昇，耐糖能異常(血糖値上昇)，胃部不快・悪心など
・テオフィリン製剤：胃部不快・悪心，動悸，振戦，頭痛など

❹ 守秘義務と医療分野における個人情報管理

医療従事者は，患者情報について，守秘義務や個人情報保護法などの観点から，取扱い(管理，保管，利用)には細心の注意を払う必要がある．

a 守秘義務

刑法第134条第1項には，「医師，薬剤師，医薬品販売業者，助産師，弁護士，弁護人，公証人又はこれらの職にあった者が，正当な理由がないのに，その業務上取り扱ったことについて知り得た人の秘密を漏らしたときは，六ヵ月以下の懲役又は十万円以下の罰金に処する」と定められている．

守秘義務は薬剤師の最重要遵守事項であり，患者情報や施設情報をほかに漏らしてはならない．薬歴も患者特有の医薬品情報が含まれているため取扱いには十分注意する必要がある．また，患者に情報を提供する際にも，説明時の声の大きさやトーンに配慮するほか，薬局カウンターの仕切りや個室などにも配慮するなど，患者のプライバシーを守る必要がある．

b 個人情報の保護に関する法律(個人情報保護法)

(1)個人情報，個人情報取扱事業者(第2条)

個人情報保護法では個人情報を，生存している人の情報でその情報に含まれる氏名，生年月日その他の記述などにより特定の個人を識別することができるものと定義している．その情報だけでは個人が特定できなくても，ほかの情報と容易に照合することができ，それにより特定の個

人を識別することができるものも含まれる．死者に関する情報は対象ではないものの，医療分野においては死者の情報についても安全管理や開示に配慮する必要がある．

また，個人情報保護法では**個人情報取扱事業者**を，国の機関，地方公共団体，独立行政法人など，地方独立行政法人を除く個人情報データベースなどを事業の用に供している者と定義している．5000人以上の患者の個人情報データを保存している診療施設や薬局は個人情報取扱事業者ということができる．

(2)個人情報の利用

個人情報取扱事業者は，個人情報を何に用いるのかをできる限り特定しなければならず(第15条)，個人情報を不正の手段により取得することは禁止されている(第17条)．本人から直接個人情報を取得する場合には利用目的を明示する．その利用目的を越えて個人情報を取扱うことは，あらかじめ本人からの同意を得ない限り，原則禁止されている(第16条)．

個人情報取扱事業者は，個人データを正確かつ最新の内容を保つよう努め(第19条)，個人データの安全管理のために必要かつ適切な措置を講じる必要がある(第20条)．従業者に個人データを取扱わせる場合，個人データの取扱いを委託する場合は，その個人データの安全管理が図られるよう必要かつ適切な措置をとらなければならない(第21条および第22条)．また，本人からの求めに応じ，保有している個人データの開示，訂正，利用停止などを行わなければならない(第25～27条)．個人データを本人の同意を得ないで第三者に提供することは原則禁止されている(第23条)．

コラム

個人情報への配慮

診療施設や薬局において作成・保管する診療録，看護記録，調剤録，薬剤管理指導記録，各種検査記録，X線画像，CT画像などの資料はすべて個人情報といえる．近年では，情報の電子化による大量の情報漏洩が問題になっており，個人情報の紛失，漏洩が起きないように細心の注意を払わなければならない．以下に個人情報を取扱ううえでの主な注意点をあげる．

- カルテなどからの情報転記は，部分抜粋・要約などを行い，必要最小限の内容とする．
- 患者氏名，生年月日，住所，電話番号，勤務先などの個人を容易に特定し得る固有名詞を含んだ情報は記録しない．
- 業務の都合上，患者情報を転記する際は，氏名，年齢，性別など，個人を特定できるデータをイニシャルなどで記号化(匿名化)する．
- メモ帳などへの記入に際しても，上記のことに配慮する．

演習問題

①薬物治療に必要な患者基本情報を列挙できる.
②患者情報源の種類を列挙し，それぞれの違いを説明できる.
③問題志向型システム(POS)を説明できる.
④SOAP 形式などの患者情報の記録方法について説明できる.
⑤医薬品の効果や副作用を評価するために必要な患者情報について概説できる.
⑥患者情報の取扱いにおける守秘義務と管理の重要性を説明できる.

課題6-1

該当 SBO　①，②　　実施方法　SGD・演習　　難易度　★★★☆☆

注意点　他職種の情報源から引用するものではなく，薬剤師が聴取・確認できることは何かを考えること

入院してきた患者に，病院薬剤師が初回面談で直接情報収集すべき(できる)項目を考え，確認項目の入った初回面談の記録用紙のフォーマットを作成せよ.

課題6-2

該当 SBO　③，④　　実施方法　演習　　難易度　★★★★☆

ツール　医薬品集・データベース(PMDA 医薬品情報検索ページ)など
注意点　症例チャート中の薬歴，臨床検査値など，すべてを総合的に考察すること

6 章 B 図 6･3 (☞ p.188)の症例チャートを用い考えなさい.
得られた患者情報から入院第 1 ～ 2 病日の時点でのプロブレムリストを作成せよ.

課題6-3

該当 SBO　③，④，⑤　　実施方法　演習　　難易度　★★★☆☆

ツール　インタビューフォームなど
注意点　薬剤師が患者から聴取したのち記録したと思われる内容に注目すること

6 章 B 図 6･3 (☞ p.188)の症例チャートを用い考えなさい.
入院第 1 ～ 2 病日の時点での得られている情報から，ジゴキシンの副作用モニタリングに関係する主観的情報(S)に該当する事柄を列挙せよ.

課題6-4

該当 SBO　③，④　　実施方法　演習　　難易度　★☆☆☆☆

ツール　臨床検査値の基準値表など
注意点　診療録から得られた臨床検査値情報に注目すること

6 章 B 図 6･3 (☞ p.188)の症例チャートを用い考えなさい.
入院第 1 ～ 2 病日の時点での得られている情報から，この患者の腎機能を評価するための客観的情報(O)に該当する事柄を列挙せよ.

課題6-5

該当 SBO　③，④　　実施方法　演習　　難易度　★★☆☆☆

ツール　臨床検査値の基準値表など
注意点　患者の年齢，身長，体重などから総合的に考えること

課題 6-4 であげた腎機能を評価するための客観的情報(O)から，この患者の腎機能を評価(assessment)せよ.

課題6-6 該当 SBO ③，④，⑤ 実施方法 演習 難易度 ★★★★☆

ツール 添付文書，臨床検査値の基準値表など
注意点 薬物動態の知識も利用して具体的に計画すること

課題 6-5 での腎機能評価に基づき，この患者の使用薬剤の適正化の計画(P)を立案せよ．

課題6-7 該当 SBO ③，④，⑤ 実施方法 演習 難易度 ★★★☆☆

ツール 喘息予防・管理ガイドラインなど
注意点 薬剤師が患者から聴取したと思われる内容だけでなく，診療録から得られたと思われる内容にも注目すること

6 章 B 図 6･3 (☞ p.188)の症例チャートを用い考えなさい．

入院第 5 病日の時点で得られている情報から，喘息治療の効果モニタリングに関係する主観的情報(S)，および客観的情報(O)に該当する事柄を列挙せよ．

課題6-8 該当 SBO ③，④，⑤ 実施方法 演習 難易度 ★★★★☆

ツール 重篤副作用疾患別対応マニュアル，患者向け医薬品ガイドなど
注意点 副腎皮質ステロイドホルモン製剤の特徴的な副作用症状について考えること

6 章 B 図 6･3 (☞ p.188)の症例チャートを用い考えなさい．

入院第 7 病日の時点での得られている情報から，プレドニゾロンの副作用モニタリングに関係する主観的情報(S)，および客観的情報(O)に該当する事柄を列挙し，評価(A)せよ．

課題6-9 該当 SBO ②，⑥ 実施方法 SGD 難易度 ★☆☆☆☆

注意点 他職種の情報源にも着目して考えてみること

医療分野における患者の個人情報に該当するものを列挙せよ．

課題6-10 該当 SBO ⑥ 実施方法 演習 難易度 ★★☆☆☆

以下に示した患者情報の入った症例を引用し，実習報告をすることになった．病院外での報告資料に載せるため，個人が特定できないように書き換えよ．

症 例

ID：123456-7，入院日：2019 年 4 月 1 日
患者：山本 ひかる　女性，昭和 32 年 5 月 6 日生まれ，身長 150 cm，40 kg
診断名：肺非結核性好酸菌症
現病歴：2017 年 10 月，咳嗽と痰および倦怠感のため，かかりつけのマロニエクリニックで加療されていた．症状が長引くため 2017 年 11 月に当院外来受診し，胸部 CT にて右下肺空洞化を認めた．2017 年 12 月よりクラリスロマイシンの服用を開始していたが，本年 3 月 18 日の胸部 X 線画像上，空洞化が増大傾向となり，多剤併用療法導入目的にて 4 月 1 日に入院となった．

EBMと臨床研究

A EBMの概念とプロセス

SBO・EBMの基本概念と実践のプロセスについて説明できる.

ポイント

- 根拠に基づく医療(EBM)においては,医学研究の成果(エビデンス),医療現場の状況,患者の病状や意向への配慮,が重要である.
- EBMの実践において最も重要であるエビデンスは学術論文から得ることができるが,その論文に記載されている情報は十分な吟味が必要である.
- 医療を提供したのちの評価(治療が成功したのか,しなかった場合にはその原因究明)を正しく行うことで,はじめてEBMを実践したといえる.

❶ EBMとは

EBM(evidence-based medicine,根拠に基づく医療)は,1996年にDavid L Sackettらによって「根拠に基づく医療とは,個々の患者のケアにかかわる決定において,最新・最善の根拠を良心的に,明確に,そして思慮深く利用することである」と定義付けされた.ここでいう根拠とは,臨床試験や薬剤疫学研究によって得られた情報を意味する.すなわちEBMとは,これまでの「医師の経験」や「非臨床研究(動物実験)の結果」をもとに「患者の治療方針」を決定付けていた医療スタイルから脱却し,患者集団における治療方法を実施した際の有効性・安全性にかかわる**科学的な根拠**をもとに,各患者に対してそのときどきで**最善・最新の治療方針を提供する**ことを意味する.また,EBM研究の第一人者である福井次矢氏により「医学研究の成果(エビデンス)を知ったうえで,**医師の経験や医療施設の特性**(医療現場の状況),**患者の病状や意向**(個別性)に配慮した医療を行うための一連の行動指針」と解釈されており,根拠だけでなく「患者の意向」を尊重することもまた重要である.

したがってEBMを実践するとは,目の前の患者(疾患)に対する治療法について「最新かつ最善の情報(research evidence)」を根拠として,「医療者の専門性・経験(clinical expertise)」と活用できる資源とそれぞれの患者の価値観(patient values)や環境(patient circumstances)も考慮して説明し，納得が得られるように意思決定をして，より良い医療を目指すことである．

❷ EBMのプロセス

EBM実践のプロセスには，次の5つのステップが提唱されている(図7・1)．

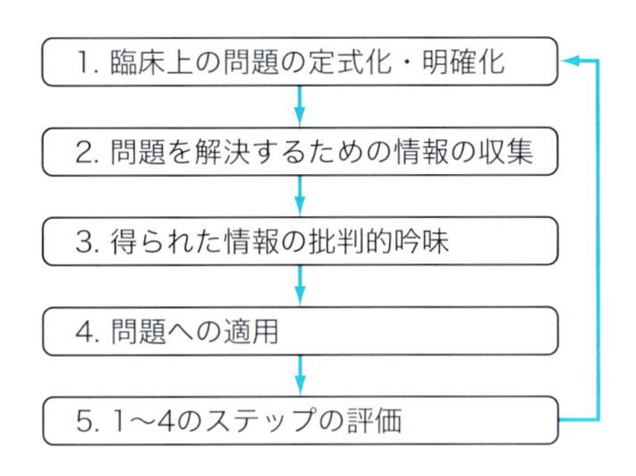

図7・1　EBMの5つのステップ

(1)臨床上の問題の定式化・明確化

たとえば，以下のような臨床上の問題が生じたとする．

例)外来受診した男性患者A(55歳)は，2型糖尿病と診断され，これまでにスルホニル尿素(SU)薬を服用しているが，血糖コントロールが不十分である．また，クレアチニンクリアランスは35 mL/minと低かった．この患者に最もよいと考えられる糖尿病治療薬は何だろう？（SU薬から何に変更すればよいか？）

このような問題に対して，まず何が問題になっているのかを明確にするために，PECO(もしくはPICO)[*1]による定式化を行う．

*1　PECO, PICO ☞p.119，コラム

P：腎機能が低下した2型糖尿病患者，55歳，男性

E：SU薬以外の糖尿病治療薬を投与した場合と

C：SU薬を投与した場合で

O：SU薬よりも血糖コントロールが良好で，かつ安全な薬剤は○○である．

PICOのIはIntervention(介入)であるので，薬物療法ではなく「栄養士が食事療法を指導した場合(I)と自己流で食事制限した場合(C)の比較」や「薬剤師が服薬指導した場合(I)としなかった場合(C)の比較」などに用いられる．

このように定式化しないと，「2型糖尿病に最もよい治療薬は？」という一般的な患者を対象とした情報を検索するおそれがあり，「55歳と比較的若い」「腎機能が低下している」「SU薬よりもよい薬は？」といった目の前の患者の特徴を無視してしまうことになる．

(2)問題を解決するための情報の収集

次に，明確化された問題についてすでに解決に至っている根拠(エビデンス)を学術論文などとして収集・入手する．このとき，検索キーワードとしては先述のPICO/PECOを考慮するとよい．例のようなケースでは，糖尿病治療ガイドラインなどの情報が関係学会から明示されている場合もあるので，インターネットや書籍により情報を入手する．また，有料サイトであるUpToDateやコクランライブラリー*2を利用して，エビデンスを検索する方法もある．このような検索手段でも情報が入手できない場合には，MEDLINE*3（欧文誌)やGoogle Scholar*4，CiNii*4（和文誌)などの学術論文検索データベースを利用して，関連する学術論文を検索・入手する．

*2 コクランライブラリー ☞p.58

*3 MEDLINE ☞p.50

*4 Google Scholar, CiNii ☞p.52

(3)得られた情報の批判的吟味

診療ガイドラインとは，意思決定を支援するために最適と考えられる「推奨」を提示する文書で，科学的根拠に基づいている判断材料である．一方，学術論文を入手した場合には十分な吟味が必要となる．

まず，根拠となる論文内容のエビデンスレベルについて，コクランライブラリーで用いられている治療や予防に関する研究結果に対するエビデンスレベル(表7･1)に準拠して評価する．エビデンスレベルの高い研究の結果は信憑性が高いが，レベルⅠの情報が得られるとは限らない．そこで信頼性や科学的妥当性を客観的に内的妥当性と外的妥当性の観点から批判的吟味(critical appraisal)をする．内的妥当性(internal validity)とは，その臨床研究の結果や再現性について，研究デザイン，被験者の選択や割り付け，症例数の設定，評価指導，追跡率，追跡期間，結果・データ解析の視点から評価することである．

外的妥当性(external validity)とは，その結果の一般化の可能性(generalizability)を臨床的有用性と個々の患者への適応の可否の視点から判断することである．つまり，得られた情報が「70歳以上の腎機能が比較的正常である糖尿病患者」を対象とした研究であれば，この例では外的

表7･1 科学的根拠に基づくエビデンスレベル分類(治療・予防，病因・害)

レベル	治療・予防，病因・害
1a	無作為化比較試験(RCT)のシステマティックレビュー（均一であるもの)
1b	信頼区間が狭い個々のRCT
1c	治療群以外すべてが亡くなっている場合，または治療群はすべて生存している場合
2a	コホート研究のシステマティックレビュー（均一であるもの)
2b	個々のコホート研究(質の低いRCTを含む：たとえば追跡率80%未満など)
2c	アウトカム研究：エコロジカル研究
3a	症例対照研究のシステマティックレビュー（均一であるもの)
3b	個々の症例対照研究
4	症例集積研究(および質の低いコホート研究あるいは症例対照研究)
5	系統的な批判的吟味を受けていない．または生理学・基礎実験・原理に基づく専門家の意見

[CEBM：Oxford Centre for Evidence-based Medicine：Levels of Evidence, 2009を参考に著者作成]

妥当性は低いこととなる．

(4)問題への適用

これまでの流れから，SU 薬に α グルコシダーゼ阻害薬を併用することで血糖コントロールが良好になり，経済的(コストパフォーマンス)にも大きな問題がないとの情報が得られたとする(あくまでも，「例え話」である)．この情報を患者 A に適用するということは，単に患者に処方するだけではなく，1 ～ 4 のステップの評価に向けて有効性と安全性の観点から併用療法を評価するための準備をする必要がある．すなわち，糖尿病の有効性および安全性の指標となる臨床検査値などは何を調べればよいのかを，情報元となった論文などから確認し，実践する．

(5)1 ～ 4 のステップの評価

患者に適用した場合，必ずしも期待される結果が得られるとは限らない．また，これまでの 1 ～ 4 のステップにおいて何か問題はなかったかを必ず再評価し，問題点があればそれを修正，改善することで治療にフィードバックする．また，期待される結果が得られたとしても，臨床的に新たな問題が生じていないかを再評価することで，よりよい医療を進めていくことが可能となる．

❸ EBM の実践による利点と欠点

EBM の定義にあるように，科学的に根拠のある最新・最善の医療を患者に提供できるということは，医療の質の確保(医療水準の底上げ)につながる．また，これまで少数の意見によって経験的に行われてきた医療に誤りがあった場合に，エビデンスでこれを是正することが可能となる．昨今，さまざまな医系学会において診断・治療ガイドラインが作成されていることは EBM の実践のための多大な助けとなっている．しかし，前述の EBM の定義にもあるように，科学的根拠のある医療を実践しようとしても，医師に十分な技術が伴っていない場合や，患者がその治療法に同意しなければ意味がない．

一方で，最新のエビデンスの確認を怠ると最善の治療を行えないこともある．実際に，大規模臨床試験によって得られた結果は絶対的なものではなく，新しい臨床研究結果によってくつがえされることも少なくない．また，EBM は医療のマニュアル化と誤解されることもある．確かに診断・治療ガイドラインどおりに医師が医療を提供することで，臨床経験の少ない医師であってもある程度の医療の質を確保できる．しかし，患者の背景(生活環境，治療に対する希望など)や病態は患者ごとに多様であり，それぞれを考慮した医療を提供する必要があるため，治療のマニュアル化とは一線を画するものである．

B 臨床研究の手法

SBO ・代表的な臨床研究法（ランダム化比較試験，コホート研究，ケースコントロール研究など）の長所と短所を挙げ，それらのエビデンスレベルについて概説できる．
・メタアナリシスの概念を理解し，結果を説明できる．
・臨床研究における基本的な統計量（平均値，中央値，標準偏差，標準誤差，信頼区間など）の意味と違いを説明できる．
・帰無仮説の概念および検定と推定の違いを説明できる．
・代表的な分布（正規分布，t 分布，二項分布，ポアソン分布，χ^2 分布，F 分布）について概説できる．
・主なパラメトリック検定とノンパラメトリック検定を列挙し，それらの使い分けを説明できる．
・二群間の差の検定（t 検定，χ^2 検定など）を実施できる．（技能）
・主な回帰分析（直線回帰，ロジスティック回帰など）と相関係数の検定について概説できる．
・基本的な生存時間解析法（カプラン・マイヤー曲線など）について概説できる．
・臨床研究（治験を含む）の代表的な手法（介入研究，観察研究）を列挙し，それらの特徴を概説できる．
・観察研究での主な疫学研究デザイン（症例報告，症例集積，コホート研究，ケースコントロール研究，ネステッドケースコントロール研究，ケースコホート研究など）について概説できる．
・副作用の因果関係を評価するための方法（副作用判定アルゴリズムなど）について概説できる．
・優越性試験と非劣性試験の違いについて説明できる．
・介入研究の計画上の技法（症例数設定，ランダム化，盲検化など）について概説できる．

ポイント

- 臨床研究（ヒトを対象とする医学系研究）は，ヘルシンキ宣言に基づき，その内容によっては研究対象者に対して十分な説明を行い，同意を得る（インフォームド・コンセントを受ける）必要がある．
- わが国では，厚生労働省および文部科学省により，「人を対象とする医学系研究に関する倫理指針」が作成されている．
- 臨床研究すなわちヒトを対象とした研究で扱うデータは「ばらつき」を有しており，そのばらつきを考慮して研究結果を解釈するために生物統計が必要となる．
- 生物統計は，主に抽出された標本から母集団の特徴や傾向を把握することと，母集団についての仮説を検証するために用いられる．
- 母集団から得られる標本のデータの種類によって，仮説の検証（検定）に用いられる統計処理の方法が異なる．
- 臨床研究の手法には，疫学研究の手法が用いられることが多く，大きく分けて観察研究と介入研究がある．
- 個々の研究手法には長所と短所および得られた結果のエビデンスレベルに違いがある．

1 臨床研究と倫理

a ヘルシンキ宣言

ヒトを対象とした**医学研究における倫理指針**として知られる**ヘルシンキ宣言**は，1964年にヘルシンキ（フィンランド）にて行われた世界医師会で採択された．本宣言の背景には，第二次世界大戦下において行われたナチスによる人体実験に対するニュルンベルク継続裁判（1947年）にて提示された**ニュルンベルク綱領**がある．すなわち，ヒトに対して医学研究（有効性が明らかに認められている「治療行為」ではなく，有効性や安全性をこれから評価するなどの「研究」）を実施する場合には，被験者（研究対象者）に十分な説明を行い，同意を取得してから開始すべきであるという大原則が定められた．その後，医学研究の変遷に伴い何度となく修正が加えられ，2013年10月に行われた世界医師会フォルタレザ総会（ブラジル）における修正版が最新である（2022年5月現在）．ヘルシンキ宣言はフォルタレザ改訂版において12の大項目（表7･2）と37の小項目よりなっている．

b 臨床研究の倫理指針

わが国における医学研究の倫理指針については，厚生労働省および文

表7・2　ヘルシンキ宣言(2013フォルタレザ総会改訂版)の大項目

1. 序文	7. プライバシーと秘密保持
2. 一般原則	8. インフォームド・コンセント
3. リスク，負担，利益	9. プラセボの使用
4. 社会的弱者グループおよび個人	10. 研究終了後条項
5. 科学的要件と研究計画書	11. 研究登録と結果の刊行および普及
6. 研究倫理委員会	12. 臨床診療における未実証の治療

部科学省により臨床研究と疫学研究についての倫理指針が定められ，2014年には「人を対象とする医学系研究に関する倫理指針」として一本化された．2021年には「ヒトゲノム・遺伝子解析研究に関する倫理指針」と統合されて，「人を対象とする生命科学・医学系研究に関する倫理指針」が新たに策定された．この倫理指針において「人を対象とする生命科学・医学系研究」は「人(人由来の試料・情報を含む)を対象として，傷病の成因(健康に関する様々な事象の頻度及び分布並びにそれらに影響を与える要因を含む)，病態の理解，傷病の予防方法の改善又は有効性の検証，医療における診断方法及び治療方法の改善又は有効性の検証を通じて，国民の健康の保持増進又は患者の傷病からの回復若しくは生活の質の向上に資する知識を得ることを目的として実施される活動」と定義されている．

臨床研究における「**介入**」とは，「研究目的で，人の健康に関する様々な事象に影響を与える要因(健康の保持増進につながる行動および医療における傷病の予防，診断又は治療のための投薬，検査等を含む)の有無又は程度を制御する行為(通常の診療を超える医療行為であって，研究目的で実施するものを含む)」をいう．たとえば，高血圧症の患者を2群に分けて，治療薬もしくはプラセボを投与するような行為は明らかに介入である．また，両群とも治療薬を投与するとしても，「患者IDが奇数の場合にはカルシウム拮抗薬，偶数の場合にはアンジオテンシン変換酵素阻害薬を処方する」といった場合は，通常の診療行為(患者の病態や背景を担当医が診察したうえで，治療薬を決定する)とは異なるため介入となる．

「**研究対象者**」とは，

①研究を実施される者(研究を実施されることを求められた者を含む)

②研究に用いられることとなる既存試料・情報を取得された者

のいずれかに該当する者(死者を含む)を指し，研究対象者のほかに代諾者等を含む場合は「研究対象者等」という．医薬品を投与されるだけではなく，試料や診療情報を提供する者も範疇に含む．ここでいう試料とは，血液，組織，細胞，体液，排泄物およびこれらから抽出したDNAなど，人の身体の一部であって研究に用いられるもの(死者にかかわるものを含む)をいう．また研究に用いられる情報とは，研究対象者の診断および治療を通じて得られた傷病名，投薬内容，検査または測定の結果など，

表 7･3　倫理審査委員会の構成及び会議の成立要件等

1. 倫理審査委員会の構成は，研究計画書の審査等の業務を適切に実施できるよう，次に掲げる要件の全てを満たさなければならず，①から③までに掲げる者については，それぞれ他を同時に兼ねることはできない．会議の成立についても同様の要件とする．
  ①医学・医療の専門家等，自然科学の有識者が含まれていること．
  ②倫理学・法律学の専門家等，人文・社会科学の有識者が含まれていること．
  ③研究対象者の観点も含めて一般の立場から意見を述べることのできる者が含まれていること．
  ④倫理審査委員会の設置者の所属機関に所属しない者が複数含まれていること．
  ⑤男女両性で構成されていること．
  ⑥５名以上であること．
2. 審査の対象となる研究の実施に携わる研究者等は，倫理審査委員会の審議及び意見の決定に同席してはならない．ただし，当該倫理審査委員会の求めに応じて，その会議に出席し，当該研究に関する説明を行うことはできる．
3. 審査を依頼した研究機関の長は，倫理審査委員会の審議及び意見の決定に参加してはならない．ただし，倫理審査委員会における当該審査の内容を把握するために必要な場合には，当該倫理審査委員会の同意を得た上で，その会議に同席することができる．

[文部科学省，厚生労働省，経済産業省：人を対象とする生命科学・医学系研究に関する倫理指針，p.17-18，令和３年３月 23 日一部改正より引用]

人の健康に関する情報その他の情報であって研究に用いられるもの(死者にかかわるものを含む)をいう．

さらに，臨床研究の倫理指針では，研究者，研究責任者，臨床研究機関の長などの責務に関する指針，研究計画書の作成，倫理審査委員会の具体的な構成と責務(表 7･3)，インフォームド・コンセントにかかわる事項(被験者からインフォームド・コンセントを受ける手続，代諾者などからインフォームド・コンセントを受ける手続き，電磁的方法によるインフォームド・コンセント)，代諾者等，インフォームド・アセント，個人情報と個人情報等(死者について特定の個人を識別することができる情報を含む)，個人識別符号，要配慮個人情報，匿名化，対応表，匿名加工情報，非識別加工情報，オプトアウト(臨床研究の情報公開と研究対象者の拒否権の保障)，有害事象，重篤な有害事象，予測できない重篤な有害事象，モニタリング，監査，遺伝カウンセリング，本人確認，利益相反の管理等の研究の信頼性確保ついて細かく定められている．なお，インフォームド・コンセントを受ける際に研究対象者に説明すべき内容については表 7･4 のように明記され，オプトアウトについても明解となった．また，この指針のほか，必要に応じて個人情報保護法なども遵守しなければならない．

ヘルシンキ宣言では，臨床研究内容については公開可能なデータベースに掲載されることが提唱されており，現在わが国には，厚生労働省の臨床研究情報ポータルサイトにて，大学病院医療情報ネットワークが管理する「UMIN-CTR」，日本医薬情報センターが管理する「iyakuSearch 医薬品情報データベース」，日本医師会治験促進センターが管理する「臨床試験登録システム」，厚生労働省「JRCT」があり，国立保健科学院がこのポータルサイトを運営している．

表7･4　インフォームド・コンセントを受ける際の説明事項

①研究の名称及び当該研究の実施について研究機関の長の許可を受けている旨
②研究機関の名称及び研究責任者の氏名（多機関共同研究を実施する場合には，共同研究機関の名称及び共同研究機関の研究責任者の氏名を含む．）
③研究の目的及び意義
④研究の方法（研究対象者から取得された試料・情報の利用目的及び取扱いを含む．）及び期間
⑤研究対象者として選定された理由
⑥研究対象者に生じる負担並びに予測されるリスク及び利益
⑦研究が実施又は継続されることに同意した場合であっても随時これを撤回できる旨（研究対象者等からの撤回の内容に従った措置を講じることが困難となる場合があるときは，その旨及びその理由を含む．）
⑧研究が実施又は継続されることに同意しないこと又は同意を撤回することによって研究対象者等が不利益な取扱いを受けない旨
⑨研究に関する情報公開の方法
⑩研究対象者等の求めに応じて，他の研究対象者等の個人情報等の保護及び当該研究の独創性の確保に支障がない範囲内で研究計画書及び研究の方法に関する資料を入手又は閲覧できる旨並びにその入手又は閲覧の方法
⑪個人情報等の取扱い（匿名化する場合にはその方法，匿名加工情報又は非識別加工情報を作成する場合にはその旨を含む．）
⑫試料・情報の保管及び廃棄の方法
⑬研究の資金源その他の研究機関の研究に係る利益相反及び個人の収益その他の研究者等の研究に係る利益相反に関する状況
⑭研究により得られた結果等の取扱い
⑮研究対象者等及びその関係者からの相談等への対応（遺伝カウンセリングを含む．）
⑯研究対象者等に経済的負担又は謝礼がある場合には，その旨及びその内容
⑰通常の診療を超える医療行為を伴う研究の場合には，他の治療方法等に関する事項
⑱通常の診療を超える医療行為を伴う研究の場合には，研究対象者への研究実施後における医療の提供に関する対応
⑲侵襲を伴う研究の場合には，当該研究によって生じた健康被害に対する補償の有無及びその内容
⑳研究対象者から取得された試料・情報について，研究対象者等から同意を受ける時点では特定されない将来の研究のために用いられる可能性又は他の研究機関に提供する可能性がある場合には，その旨と同意を受ける時点において想定される内容
㉑侵襲（軽微な侵襲を除く．）を伴う研究であって介入を行うものの場合には，研究対象者の秘密が保全されることを前提として，モニタリングに従事する者及び監査に従事する者並びに倫理審査委員会が，必要な範囲内において当該研究対象者に関する試料・情報を閲覧する旨

[文部科学省，厚生労働省，経済産業省：人を対象とする生命科学・医学系研究に関する倫理指針，p.49-52，令和3年3月23日より引用]

❷ 生物統計

a 母集団と標本

母集団（population）とは研究調査対象となる個体の集まりを指し，母集団から選び出された一部を標本（sample）という．生物統計では抽出された標本から母集団の特徴や傾向を得ることと，その母集団における仮説を検証することが主な目的となる．

b データの要約

臨床研究において母集団の特徴や傾向を得るためにデータを要約することが必要である．データの要約には，データ分布の位置を示す代表値と，ばらつき（広がり）を示す散布度が重視され，これらを基本統計量という．一般に研究対象とする母集団は膨大でありすべてを観測することは不可能なので，標本の基本統計量が用いられることが多い．

c 代表的な基本統計量

代表値には，中心的傾向を示す値として**平均値**および**中央値**があり，順位を示す値として**最大値**，**最小値**，**四分位数**，**最頻値**などがある．散布度には，**分散**，**標準偏差**，**変動係数**，**範囲**などがあり，その他に重要な基本統計量として**標準誤差**などがある．

(1) 平均値

平均値(mean)のうち，最も一般的なものは，**算術平均**(**相加平均**，arithmetic mean)であり，これはデータをすべて足し合わせて，標本数(データ数)で割った値である．そのほかに，データを掛け算した積のデータ数を指数とするべき根である**幾何平均**(**相乗平均**，geometric mean)，データの逆数の算術平均の逆数である**調和平均**(harmonic mean)などがある．それぞれの定義式を以下に示すが，本書では詳細は割愛する．

$$\text{算術平均}(\bar{X}) = \frac{\text{全標本の和}}{\text{標本数}} = \frac{1}{n}(X_1 + X_2 + \cdots + X_n) = \frac{1}{n}\sum_{i=1}^{n} X_i \quad (7\cdot1)$$

$$\text{幾何平均}(m_{\mathrm{G}}) = \sqrt[\text{標本数}]{\text{全標本の積}} = \sqrt[n]{X_1 \times X_2 \times \cdots \times X_n} \quad (7\cdot2)$$

$$\text{調和平均}(m_{\mathrm{H}}) = \frac{1}{\text{標本の逆数の算術平均}} = \frac{1}{\frac{1}{n}\left(\frac{1}{X_1} + \frac{1}{X_2} + \cdots + \frac{1}{X_n}\right)} = \frac{1}{\frac{1}{n}\sum_{i=1}^{n}\frac{1}{X_i}} \quad (7\cdot3)$$

n：標本数，X_i：i 番目の標本

一般に，算術平均≧幾何平均≧調和平均の関係が成立する．

(2) 中央値

中央値(中位数，median)とはデータを大きさの順に並べたときに，その中央に位置する値である．標本数(n)が奇数のときはちょうど中央にくる位置$\left(\frac{n+1}{2}\text{番目}\right)$の値で，偶数のときは中央に最も近い2つの値の算術平均で定められる．分布がほぼ左右対称の場合は，平均値，中央値はともに分布の中心的傾向をよく表すが，分布が大きく偏っている場合や，図7･2のBグループのように極端に離れた値がある場合は中央値のほうがより中心的傾向を表す．完全に左右対称な分布の場合は，平均値と中央値は一致する．

(3) 最大値，最小値

データのうちの最も大きな値(maximum)と最も小さな値(minimum)を表す．

(4) 四分位数

四分位数(quartile)とはデータを大きさの順に並べたときに，データ全体を標本数が等しい4つのグループに分ける3つの位置の値を表す．小さいほうから順に第1，第2，第3四分位数という．したがって，第

図7･2　中央値と平均値

A, Bグループとも15例の観測値の集まりを示す.

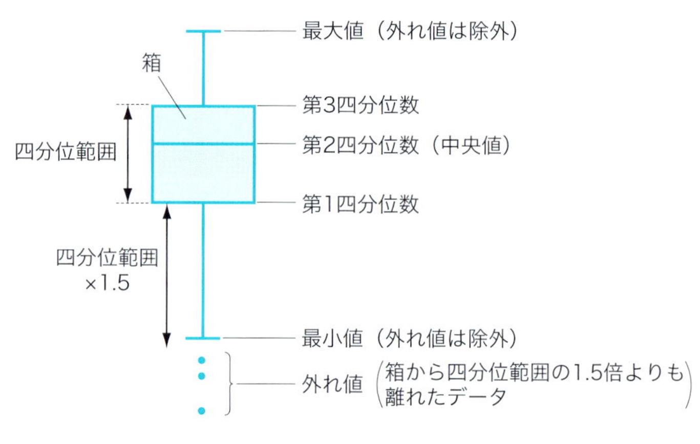

図7･3　箱ひげ図

2四分位数と中央値は同じである.

この四分位数をもとにしてグラフ化した分布図を箱ひげ図という(図7･3). 箱のなかにある線は第2四分位数, 箱の下辺は第1四分位数, 箱の上辺は第3四分位数を表す. 箱の上下にある短い横線はそれぞれ最大値(上側)と最小値(下側)を表す. ただし, 箱の上・下辺からそれぞれ四分位範囲(第3四分位数～第1四分位数, 箱の縦の長さに相当)の1.5倍より離れたデータは外れ値として点で表すので, 正確には外れ値を除外したなかの最大値と最小値となる.

(5)最頻値

最頻値(mode)はデータのなかで最も多く出てくる値を表す. 連続的な変数の場合には, 最も度数の大きい階級の中央値を最頻値とする.

(6)分散, 標準偏差

平均値からのデータのばらつき・広がり具合を表す原則は, 平均からの偏差, すなわち個々のデータとその平均値の差である. しかし偏差は負の値をとるものがあり, 偏差の合計は0となるため,「平均値からの偏差を2乗した値の平均」を用いてばらつきを記述し, これを分散[*5](variance)という. この分散の平方根を求めることにより, 元のデータと単位を合わせた値を標準偏差[*5](standard deviation, SD)といい, 最も代表的な散布度である.

*5　**分散, 標準偏差**　母集団で考えた場合は, 母分散, 母標準偏差, 標本で考えた場合は, 標本分散, 標本標準偏差という.

$$分散(\sigma^2)=\frac{「平均値からの偏差」の2乗の総和}{標本数}=\frac{1}{n}\sum_{i=1}^{n}(X_i-\bar{X})^2 \quad (7\cdot4)$$

$$標準偏差(\sigma)=\sqrt{\frac{1}{n}\sum_{i=1}^{n}(X_i-\bar{X})^2} \quad (7\cdot5)$$

n：標本数，X_i：i 番目の標本，$\bar{X}$：標本平均

このとき母集団から抽出した標本を用いて分散を求めると，母分散よりも小さい値になる．一方で，式(7･4)の分母を標本数(n)ではなく「$n-1$」とすることでこの偏りが解消されることも知られているため，一般的に標本分散は不偏性を重視して分母を $n-1$ とした式(7･6)を用いて求め，これを(標本)不偏分散という．また不偏分散から求めた標準偏差を不偏標準偏差という．したがって，母集団すべてのデータが入手できている場合には式(7･4)，(7･5)を用い，標本から母集団を推定する場合には式(7･6)，(7･7)を用いる．臨床研究ではほとんどの場合標本抽出した調査となるため，標本不偏分散を用いる．一般に標本分散というと不偏分散を指す場合が多い．

$$不偏分散(S^2)=\frac{「平均値からの偏差」の2乗の総和}{標本数}=\frac{1}{n-1}\sum_{i=1}^{n}(X_i-\bar{X})^2 \quad (7\cdot6)$$

$$不偏標準偏差(S)=\sqrt{\frac{1}{n-1}\sum_{i=1}^{n}(X_i-\bar{X})^2} \quad (7\cdot7)$$

n：標本数，X_i：i 番目の標本，$\bar{X}$：標本平均

母集団が**正規分布**する場合，その母集団は母平均と母標準偏差により一義的に決まる(☞ p.208)．

(7)変動係数

変動係数(coefficient of variation, CV)とは，標準偏差を平均で割った値をいう．一般に百分率(%)で表示される．平均値が大きくなると一般的に標準偏差も大きくなり，平均値が大きく異なる集団間のばらつき・広がり具合の比較はしにくいが，変動係数を用いると相対化されているため比較しやすい．相対標準偏差(relative standard deviation, RSD)ともいう．

(8)範　囲

範囲(range)とは，標本(集団)での最大値と最小値の差を表す．

(9)標準誤差

標準誤差(standard error, SE)とは，何らかの統計量(推定量)の標準偏差を表す．最も一般的な平均の標準誤差を例にとると，同じ母集団から何度も標本収集を行いその都度標本平均を計算したとき，標本平均のばらつきの大きさはデータ全体のばらつきの大きさよりずっと小さくな

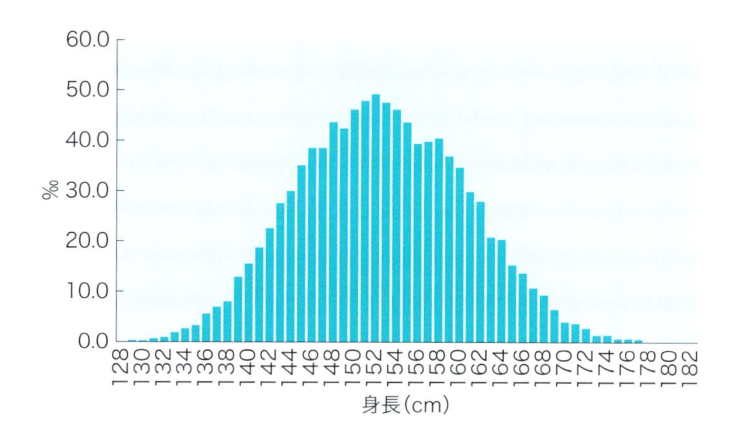

図7･4　身近な正規分布例：中学1年生男子身長分布
［総務省：学校保健統計調査 平成28年度全国版を参考に著者作成］

ると考えられる．この「標本平均のばらつき・広がり具合の大きさ」を測る概念が標準誤差となる．とくに言及なく標準誤差というときは，一般に標本平均の標準誤差(standard error of mean, SEM)を指し，式(7･8)で求められる．この式からも明らかなように標本数が増えればSEMは次第に小さくなる．データのばらつき・広がり具合を示したい場合は標準偏差を，平均値の正確性や2群間の比較検定に主眼がある場合はSEMを示せばよいが，いずれを用いる場合でも標本数(n)の表示は忘れてはならない．

$$\text{標準誤差} = \frac{\text{標準偏差}}{\text{「標本数」の平方根}} = \frac{S}{\sqrt{n}} \qquad (7\cdot8)$$

n：標本数，S：標準偏差

d 代表的な分布

(1)正規分布(normal distribution)

図7･4には中学1年生の男子の身長の分布例を示したが，左右対称な釣鐘(ベル)型の形状をしているのがわかる．自然界や世の中の多くの事象(誤差を伴う事象)は，例数(標本数)を十分に大きくとれば，このような釣鐘型の形状をとることが知られている．この分布を正規分布とよぶ．この分布の特徴は，平均値と中央値と最頻値が一致し，平均値を中心にして左右対称を示すことである．平均値をμ，分散をσ^2とした場合に正規分布は以下の確率密度関数［式(7･9)］で表される確率分布を指し，$N(\mu,\ \sigma^2)$と表記される．図7･4でいえば確率変数(確率をもつ変数X)が横軸の身長で，縦軸の頻度が確率密度(Xの値の出やすさ，とりやすさ)を示す．この確率密度をXで表す関数を確率密度関数という．ここでは一定の法則をとる曲線は数式(関数)で表示できると考えてもらう程度で十分で，式自体よりも特徴(特性)をとらえるようにしたい．先に述べた特徴のほかに，分散(標準偏差)が大きくなると，曲線の山は低

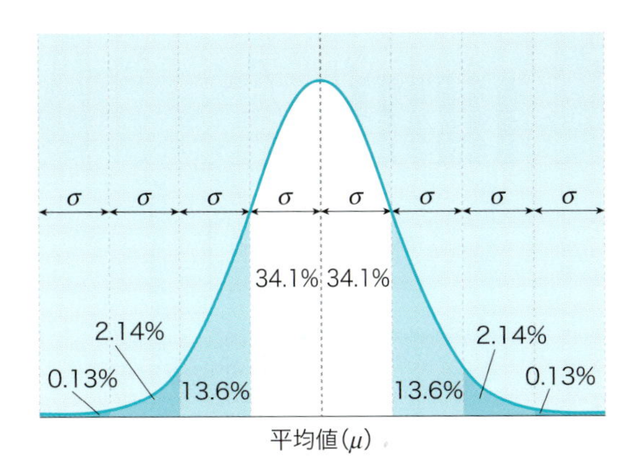

図 7･5　正規分布 $N(\mu,\ \sigma^2)$ の 1 標準偏差内に占める面積比率

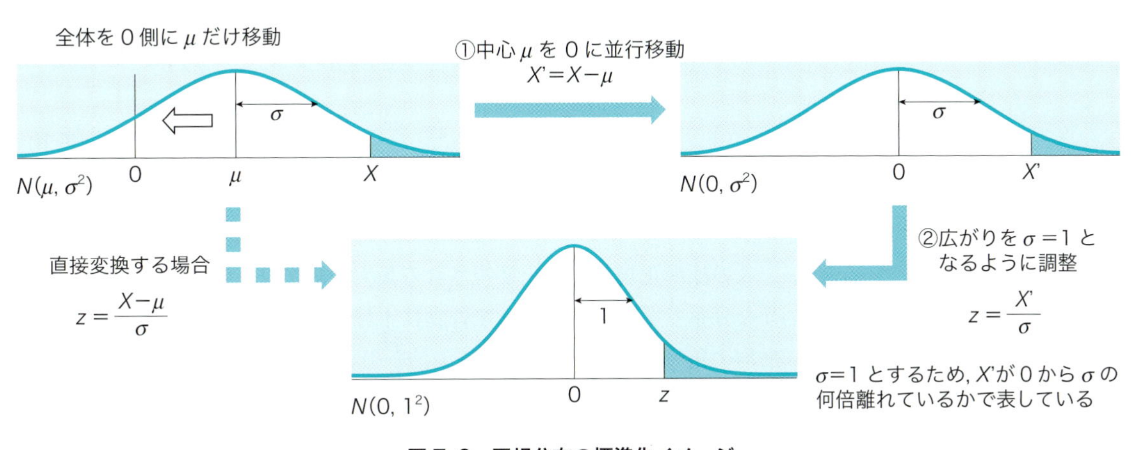

図 7･6　正規分布の標準化イメージ

くなり，左右に広がって平らになる．分散(標準偏差)が小さくなると，山は高くなり，より尖った形になる性質がある．また，分散が同じで平均値が異なると，同じ形のまま左右にシフトする．正規分布の利点は，着目する値が平均値から標準偏差のいくつ分ずれているかがわかると，その値の全体のなかでの位置がわかる点にある．正規分布では平均値 ± 1 標準偏差内に全体の約 68.2%，平均値 ± 2 標準偏差内に約 95.4%，平均値 ± 3 標準偏差内に約 99.7%のデータが入ることがわかっている(図 7･5)．たとえば，図 7･4 のような身長の分布で，平均値 152 cm，標準偏差 8 cm であったとすると，正規分布から 160 cm 以上の割合は 15.9%，168 cm 以上の割合は約 2.3%であることがわかる．この着目する値(X)が標準偏差のいくつ分(何倍)になるのかの計算を一般化すると，式(7･10)となる．この操作を標準化といい，この値(一般に z と表す)は，平均値 0，分散 1 の正規分布 N (0, 1)に従い，これを標準正規分布と呼ぶ(図 7･6)．

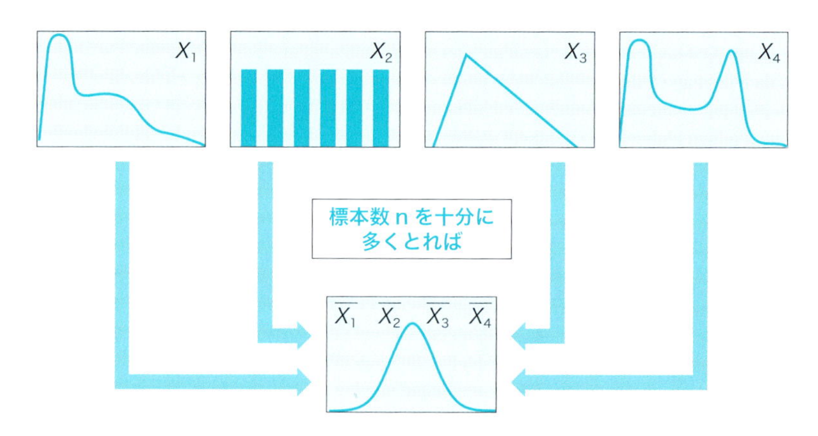

図 7・7　中心極限定理のイメージ

$$\text{正規分布の確率密度関数} f(X) = \left(\frac{1}{\sqrt{2\pi\sigma^2}}\right) exp\left[\frac{-(X-\mu)^2}{\sqrt{2\sigma^2}}\right] \quad (7\cdot9)$$

$$\text{標準化}\quad z = \frac{X-\mu}{\sigma} \quad (7\cdot10)$$

σ^2：分散，σ：標準偏差，μ：平均値

この標準正規分布が重要視される最大の理由は，元の母集団がどのような分布であれ，そこから無作為に十分な標本を抽出すれば，その標本平均の確率分布は正規分布 $N(\mu, \frac{\sigma^2}{n})$ に接近する（近似できる）という**中心極限定理**による（図 7・7）．したがって，母集団の平均値（母平均）およびその精度（誤差）の推定が標本抽出によって可能となる．このことは，次の項の区間推定や各種検定を可能とする前提にもなっている．

(2)　t 分布（t-distribution）

t 分布とは，分布の形は標準正規分布に非常によく似ているが，標準正規分布に比べて，t 分布のほうが少しだけ，釣鐘型の頂点の位置が低く，左右に広がる裾が厚い特徴をもつ．これは，標本数が少ない場合，正規分布よりも分布の広がりが大きくなることが知られており，その点を反映させたものである．

このことを先ほどの中心極限定理を利用して説明すると以下のようになる．先に標本平均（$\bar{X}$）の確率分布は正規分布 $N\left(\mu, \frac{\sigma^2}{n}\right)$ に近似できると述べた．これを標準化すると，

$$z = \frac{\bar{X}-\mu}{\sigma/\sqrt{n}} \sim N(0, 1) \quad (7\cdot11)$$

と表せる［式（7・10）に，$X = \bar{X}$，σ にこの分布の分散である $\frac{\sigma^2}{n}$ の平方根（標準偏差）を代入］．このとき母平均 μ の存在区間を 95.4％の確率で推定しようとしたとする．μ の存在確率が 95.4％であるのは，$N(0, 1)$ の標準正規分布に従う変数 z が（$-2.0 \sim 2.0$）の間であるため（図 7・5 を参照，$\pm 2\sigma = \pm 2.0$），z の範囲は

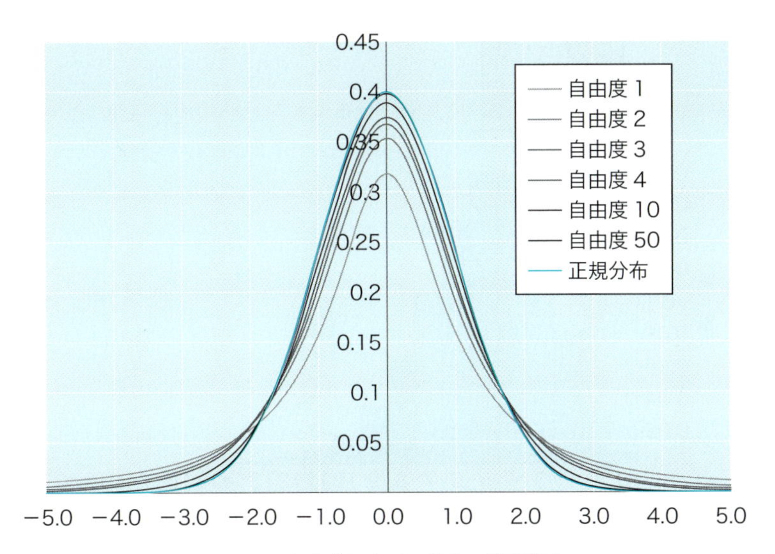

図 7･8 自由度による t 分布の形状変化

$-2.0 \leqq z \leqq 2.0$ であり，式(7･11)から

$-2.0 \leqq \dfrac{\bar{X}-\mu}{\sigma/\sqrt{n}} \leqq 2.0$ と表せる．

μについて整理すると，

$$\bar{X}-2.0\times\frac{\sigma}{\sqrt{n}} \leqq \mu \leqq \bar{X}+2.0\times\frac{\sigma}{\sqrt{n}}$$

これは母平均μが95.4％の確率で存在する範囲を示している．しかしながら，式中のσ（母標準偏差）が既知であることは標本抽出による分析ではほとんどない．したがって，μの存在範囲を計算することはこのままではできない．そこで，σを不偏標準偏差Sと置き計算する．標本数が十分に多いときは，σはSに近似できるが，標本数が少ない場合はズレが生じる．そこでt値を

$$t=\frac{\bar{X}-\mu}{S/\sqrt{n}} \tag{7･12}$$

と置き，そのt値の確率分布を示したのが，t分布である．このように母分散が未知の正規分布を標準化して得られたt値は，自由度$(n-1)$のt分布に従う．t分布は自由度によって形状が変わり，自由度が大きくなるに従い頂点の位置が高く，左右の裾が薄くなり正規分布に近づき，自由度$=\infty$のとき，t分布は標準正規分布となる(図7･8)．

(3)二項分布(binomial distribution)

二項分布とは，事象Eが起こる確率をp，起こらない確率をqとする$(p+q=1)$とき，このような2つの互いに排反的な事象からなる二項型母集団において，n回の独立な試行を行ったときのr回に事象Eが起こる確率の分布である．たとえば，5％の確率で当たるクジを100回引いたときに5回当たる確率を計算する場合，5回当たる確率は0.05^5，そ

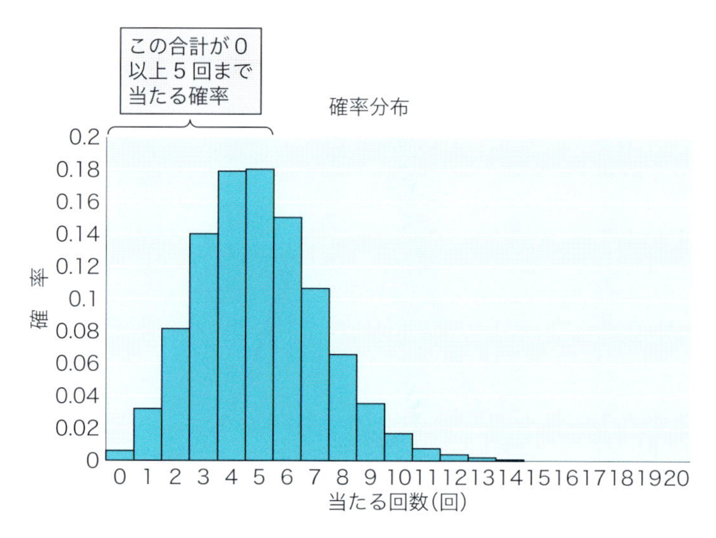

図 7・9 5%の確率で当たるクジを 100 回引いたときに当たる回数とその確率

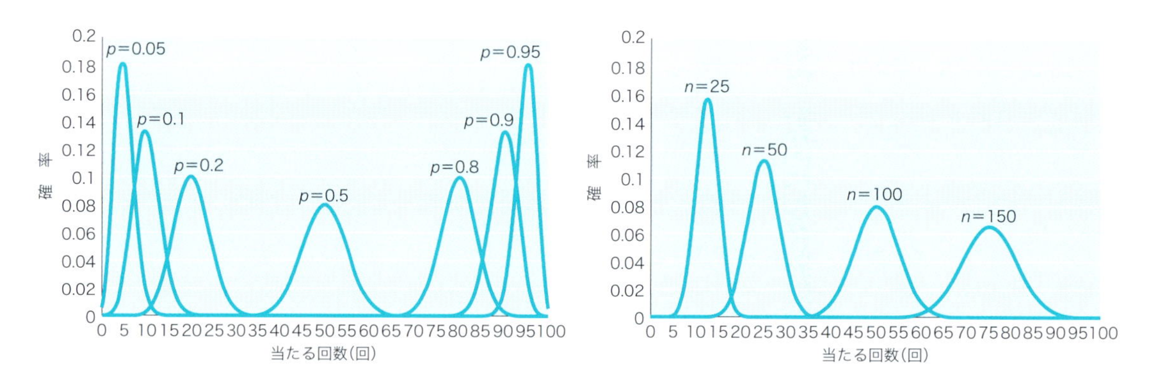

図 7・10 二項分布の生起確率(p)，試行回数(n)を変化させたときの形状変化

左：n = 100 固定で p を 0.05 から 0.95 まで変化，右：p = 0.5 に固定で n を 25 ～ 150 まで変化.

の反対に 95 回外れる確率は 0.95^{95} なので，5 回当たって 95 回外れる確率は，その積である $0.05^5 \times 0.95^{95}$ となる．100 回のうち何番目かに 5 回当たるパターンは，100 個中どの 5 個を選ぶかという ${}_{100}C_5$ で求められる．したがって，求める確率はこれらの積 ${}_{100}C_5 \times 0.05^5 \times 0.95^{95} = 0.18$ (18%) となる．それをある事象 E の起こる回数を X，$q = 1 - p$ として n 回中 X 回起こる確率 $P(X = r)$を一般化すると以下の式となる．

$$P(X = r) = {}_nC_r p^r (1 - p)^{n-r} \qquad (r = 0,\ 1,\ 2,\ \cdots,\ n) \qquad (7\cdot13)$$

今回の例を，横軸に「クジを 100 回引いて当たる回数」，縦軸にその確率をとってグラフ化すると図 7・9 になる．ここで当たりが 0 以上 5 回までとなる確率を求めたい場合は，5 回までの確率の累積を二項分布表から求めればよい．図 7・10 には 100 回試行した場合の確率を変化させた場合と，確率を 0.5 に固定して試行回数を変化させたグラフを示した．確率および試行回数とも増やすと右にシフトするのがわかるとともに正規分布のように左右対称の釣鐘型を示すことがわかる．このとき，当たる回数の平均値 $E(X)$ は $n \times p$（＝試行回数×当たる確率），分散 $V(X)$ は $n \times p \times (1 - p)$（＝試行回数×当たる確率×当たらない確率）となり，当たる回数 X の分布は確率 p，試行回数 n の二項分布に従う．

(4)ポアソン分布(Poisson distribution)

二項分布において，n が非常に大きく，p がきわめて小さい事象の場合（$n \to \infty$，$p \to 0$ とした場合），ポアソン分布に従う．平均値 $n \times p$ を μ とおくと，ある一定時間（期間）あるいは区間に平均して μ 回起こる事象が，r 回起こる確率の分布を示し，以下の式で示される．

$$P(X = r) = \frac{e^{-\mu} \mu^{r}}{r!} \qquad (r = 0,\ 1,\ 2,\ \cdots,\ n) \qquad (7 \cdot 14)$$

これは μ さえわかれば，n や p と無関係に事象が r 回起こる確率が求められることを示している．たとえば，1 日平均 4 人が救急搬送される病院で，1 人も搬送されない確率を計算する場合，$\mu = 4$，$r = 0$ を代入すると 0.018（1.8%）と算出され，1 人も搬送されない日は 50 日に一度もないことだとわかる．一方，n と p がわかっている事象としては，たとえば有病率が 6000 人に 1 人の疾患に対し，2 万 4000 人をスクリーニングしても 1 人も発見できなかったとする．このようなことが起こりうるのか確率を計算すると，$p = 1/6000$，$n = 2$ 万 4000 なので，$n \times p = \mu = 4$ となり，$r = 0$ を代入して算出すると 0.018（1.8%）となる．したがって，2 万 4000 人に対し 1 人も有病者がみつからないことが，きわめてまれなことであることがわかり，診断の見落としや正確性を疑うなどの対応が必要かもしれない．

(5) χ^2 分布(chi-square distribution)

χ^2 分布は，カイ二乗分布と読み，独立に標準正規分布に従ういくつかの変数があるとき，それらの二乗和が従う分布のことをいう．変数の数を k とすると，式(7·15)で表される統計量 χ^2 が，自由度 k の χ^2 分布に従う．感覚的には，ズレの度合いを確率分布で表したものといえる．これは，正規分布をとる確率変数の標準化を考えるとわかりやすい．母平均 μ，母分散 σ^2 の正規分布に従う確率変数 X を標準化すると，$Z = \frac{X - \mu}{\sigma}$ となる．これは X と母平均 μ との差（ズレ）が母標準偏差のいくつ分かを意味し，この二乗をすることですべて正の値をとる．この確率変数が複数あるとき，その和である χ^2 値は全体のズレの大きさを表すことになる．したがって，変数の数（自由度）が大きいほど χ^2 値は大きくなることがわかり，自由度によって分布が変わるのが理解できる（図 7·11）．この分布は観測値と期待値のズレの大きさが χ^2 分布に従うことを利用した χ^2 検定などに使用される．

$$\chi^2 = Z_1^2 + Z_2^2 + Z_3^2 + \cdots + Z_k^2 = \sum_{i=1}^{k} Z_i^2 \quad (i = 0,\ 1,\ 2,\ \cdots,\ k) \qquad (7 \cdot 15)$$

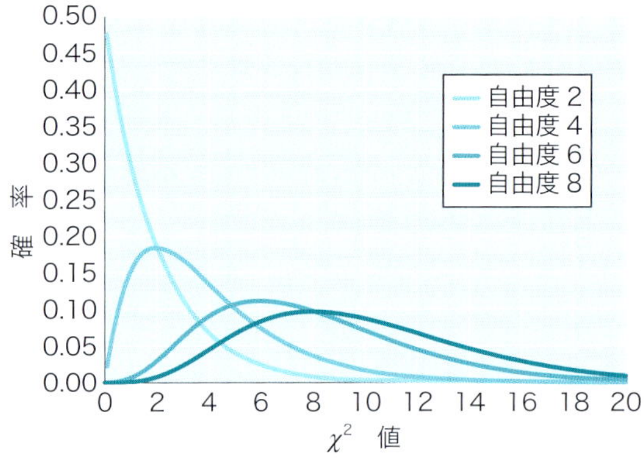

図 7・11　自由度によるχ^2分布の形状変化

(6) F分布(F-distribution)

F分布とは,「分散比の分布(variance ratio distribution)」ともいわれ,等分散性の検定や分散分析に使われる．正規分布に従う2つの母集団が従う確率変数$N(\mu_1, \sigma_1^2)$, $N(\mu_2, \sigma_2^2)$があるとするとき，これらの母集団からそれぞれサンプルサイズがn, mの標本を抽出したときの不偏分散をそれぞれS_1^2, S_2^2とする．このときFを求める式は,S_1/S_2となり,自由度($n-1$, $m-1$)のF分布に従う．t分布やχ^2分布と異なり，2つの自由度から分布が決まる．

e 検　定

(1)検定と推定

検定とは，母数[*6]についてある仮説を立て，標本からその確からしさを確率という基準を用いて判断することである．一方，推定とは，母数の確からしい値を標本から導出することである．ある値のみを推定する点推定と，その値を確率的に区間で推定する区間推定がある．言い換えると,検定とは仮説の検証であり,推定とは母数の定量的推測である．

*6　**母数**　母集団の特性を表す代表値と散布度．それに対し，標本集団の代表値と散布度を統計量という．たとえば母集団の平均値であれば母平均という．

(2)帰無仮説と対立仮説

統計学の検定の手続きでは，まず「母数に差(関係)がない」とする帰無仮説を立て，それとは反対の「母数に差(関係)がある」とする対立仮説を立てる．次に標本から得られる統計量を用いて，帰無仮説のもと標本で生じている状況(およびそれよりも極端なこと)が生じる確率の大きさを計算し,その大きさがある基準以下になれば,帰無仮説を支持しない(帰無仮説を棄却する)ことになり，対立仮説[母数に差(関係)がある]を採択することになる．このような統計的方法を仮説検定または有意性検定という．ここで帰無仮説ではなく,「差がある」という仮説を積極的に証明しようとすると，検定がうまくいかない．なぜなら，その差の大きさが不明なため，パターンとしては無限の可能性をもち，証明するのは困難となり，またその大きさがわかっているのであれば，検定はそもそも実施する必要がないからである.

たとえば,コインAを使ってコイントスを100回繰り返して,表が70回出たとする.何の仕掛けもないコインBを使って同様にコイントスを100回繰り返したときに表が70回以上(70回とそれ以上に出にくい事象をすべて含める)出る確率は二項分布から0.004%と計算された.この結果からコインAとコインBは同じ(帰無仮説)といえるかを判断する.明らかにコインAの結果は偶然とは思えない確率だが,検定の手続きでは偶然起こりうる結果だと許容する確率をあらかじめ決めておき,その確率以下の場合は偶然では生じにくい,すなわち両者は同じではない(対立仮説)と判断する[*7].この確率を**有意水準**または**危険率**(α)といい,生物統計では一般に5%もしくは1%が用いられる.ここで,気を付けなければならないのは,「差がない(帰無仮説)」が棄却されなかった場合の解釈である.この場合は,「差がない(帰無仮説)」を採択するのではなく判断ができないと解釈する.なぜなら,検定で「差がない」ことを100%証明できたわけではなく,「差がある」証拠がみつからなかっただけであって,本当に「差がない」のかどうかまではわからないからである.

*7 帰無仮説が真であるときに帰無仮説を棄却してしまう誤りを第一種の過誤という.一方,対立仮説が真であるときに対立仮説を棄却してしまう誤りを第二種の過誤という(☞ p.239).

(3)パラメトリック検定とノンパラメトリック検定

パラメトリック[*8]**検定**は,母集団の分布型が正規分布すると仮定して検討する方法であり,**ノンパラメトリック検定**は,母集団の分布型について仮定を設けない方法である.したがって前者は量的データ[*9](連続変数)についての検定であり,後者は順序尺度を用いた観測値あるいは量的データで正規分布を想定できない場合に用いられる.ノンパラメトリック検定のほうがパラメトリック検定よりも有意差が出にくい(厳しい)方法なので,正規分布に従うか迷う場合はノンパラメトリック検定を用いたほうがよいとされる.

*8 **パラメトリック**(parametric) 「パラメータに関する」という意味で,母集団がparameter(母数)の平均と分散によって説明がつく条件(正規分布)のもとで,母数を使用して検定されるところからこうよばれる.

*9 **量的データ** 連続データともいう.数値で評価するデータであり,原点(ゼロ点)が定まっている比尺度と原点をどこにとってもよい間隔尺度に分けられるが検定上はあまり区別しない.これに対し,質的データ(カテゴリカルデータ)は,グループ分けに用いられ,順序の概念のない「名義尺度」と順序の概念がある「順序尺度」に分けられる.

(4)対応のない2群間の差の検定

ここでは,統計量の計算方法などは専門の統計書に譲り,どのようなときにこの検定を利用するかを中心に述べる.

2群(2つの母集団)を比較するとき,この2群間には「対応がない」場合と「対応がある」場合がある.これは,同一個体の異なる2時点の観測値を比較検定しているかどうかであり,していれば「対応がある」ことになる.たとえば,降圧薬の効果として投与前と投与後に同じ被験者の血圧を測定(観測値)した場合などがこれにあたる.これに対し,2群が別の個体であれば「対応がない」という.たとえば,被験者を実薬投与群とプラセボ群に割り付けて,その効果を2群間で比較する場合などがこれにあたる.

対応のない2群間(独立2群間)の差の検定には,パラメトリック検定である「**対応のない*t*検定**」とノンパラメトリック検定である「**ウィルコクソン**(Wilcoxon)**の順位和検定**」「**マン・ホイットニー**(Mann-

Whitney)のU検定」がある．

対応のない t 検定は平均値に差があるかどうかを検証するので(平均値の差＝0を帰無仮説とする)，用いるデータは量的データであり，母集団が正規分布していることと，2群の母分散が等しい(等分散)ことが必要である．各群の標本数と平均値，標準偏差から統計量 t(＝標本平均の差／標本平均の差の標準誤差)を求め，t 分布表から判断する．t 分布表は，データ数が少ないときに正規分布よりも裾野が広がりをもつことを反映している分布表である(☞ p.210)．

検定の手順としては，まず2群が等分散であるかを F 検定により確認する．F 検定はまず各群の標本分散を算出し，その比を求め，F 分布表から判断する．両群の分散が完全に等しければ F 値は1になる．F 分布は，2つの母集団AとBの分散比(σ_a^2/σ_b^2)に関する統計分布を表す(☞ p.214)．等分散が確認できたら t 検定を継続し，分散が等しいといえなければ(不等分散)，ウェルチ(Welch)の方法もしくはノンパラメトリック検定を使用する．

ウィルコクソンの順位和検定は中央値に差があるかどうかを検証する方法である．主に標本数が少なく得られたデータに正規性を仮定できないときや，データが順序尺度であるときに用いられる．本検定では，観測値の大小を順位に置き換えて統計的検定を行う．そのため，極端な外れ値の影響を受けにくいという利点がある．検定の手順としては，両群のデータを合わせて小さい順(または大きい順)に並べて順位を割りあてる．同じ値があるときは，そのなかの順位の平均を用いる．次に各群のデータの順位をそれぞれ合計する(順位和)．これを各標本数で割った平均値は，両群に差がなければ近い値を示す．実際の検定では標本数の少ない群の順位和をウィルコクソンの順位和検定数表と比較して判断する．なお，マン・ホイットニーのU検定は，ウィルコクソンの順位和検定と実質的に同じであり，使い分けはとくにない．t 検定に適用できるデータをウィルコクソンの順位和検定に用いることはできるが，t 検定のほうが有意差は出やすい特徴がある．

(5)対応のある2群間の差の検定

対応のある2群間の差の検定には，パラメトリック検定である「対応のある t 検定」とノンパラメトリック検定である「ウィルコクソンの符号付き順位検定」がある．

対応のある t 検定は，対応するデータの差の平均値が0からどの程度偏っているかを検定する方法である．そのため，個人差による観測値のばらつきを減じて，検定の感度がより高くなる．検定の手順は，対応するデータの差を新しい標本と考えて，その平均値と標準誤差から統計量 t(＝標本平均／標本の標準誤差)を求め，t 分布表から判断する．

ウィルコクソンの符号付き順位検定は，名前が似ているウィルコクソンの順位和検定とは異なり，得られた2つのデータ間に対応があるとき

表 7･5　量的データをもつ 2 群間の検定

	パラメトリック検定	ノンパラメトリック検定
データの特徴	データが正規分布 等分散(F 検定)	データが正規分布しない 不等分散 データが順序尺度
群間に対応あり	対応のある t 検定	ウィルコクソンの符号付き順位検定
群間に対応なし	対応のない t 検定 不等分散→ウェルチの方法	ウィルコクソンの順位和検定 マン・ホイットニーの U 検定

表 7･6　2×2 分割表

		属性(有効性)		計
		効果あり	効果なし	
属性(薬の種類)	既存薬	70 (80)	30 (20)	100
	新　薬	90 (80)	10 (20)	100
計		160	40	200 (総観測度数)

同一セル内の左側は観測度数，右側は期待度数を表す.

に用いる検定法である．主に得られたデータに正規性を仮定できないときやデータが順序尺度であるときに用いられる．本検定法ではほかのノンパラメトリック検定と同様に，データを順位化して統計的検定を行う．

検定の手順としては，標本数 n の対応のあるデータ $X_i(i = 1, 2, \cdots, n)$ と $Y_i(i = 1, 2, \cdots, n)$ に対して，対応するデータの差 $D_i(= X_i - Y_i)$ を作成し，その絶対値の小さい順に順位を割りあてる．同じ値があるときは，そのなかの順位の平均を用い，差(D_i)が 0 の場合は順位を付けない．ここで，順位を付けない場合はその分だけ標本数は減る．次に $D_i > 0$ を満たす順位の和と，$D_i < 0$ を満たす順位の和をそれぞれ求め，その 2 つのうち小さいほうの値を統計量とする．実際の検定は，この統計量と標本数(順位を付けなかった分だけ減らしたもの)を用いてウィルコクソンの符号付き順位検定表から判断する．表 7･5 に量的データをもつ 2 群間の検定法をまとめた．

(6) 度数の検定(割合の検定)

ある観察データが，2 つの属性により行と列に分類され，行と列が交わるところに観測度数が記入されているような表を 2 × 2 分割表(クロス集計表)という(表 7･6)．この行と列が互いに独立であるか(関連の有無)を評価することを「**独立性の検定**」といい，**χ^2 検定**を用いる．たとえば，臨床研究でよくみられる，ある 2 種類の薬(既存薬と新薬)を患者に投与したときの有効患者数と無効患者数の割合を比較するようなときに用いる(この場合 2 つの属性は「薬の種類」と「有効性」となる)．

χ^2 検定の手順は，帰無仮説(2 属性に関連性はない，すなわち表 7･6

の例であれば2種類の薬の効果に差はない）を前提として，分割表の観測度数が記入されているセルの期待度数（期待値，理論値ともいう）を，周辺和（行小計，列小計）をもとに計算する．表7･6の既存薬・効果ありのセルでは，列（効果あり）の小計値が160であり，既存薬と新薬で差がないと仮定した場合，行の小計値から1：1の割合が期待できるため$160 \times \frac{100}{200} = 80$となる．次に各セルについて，「（観測度数－期待度数）の2乗／期待度数」を計算し，すべてのセルを合計する．この値が統計量χ^2値となる．このχ^2値からχ^2分布を用いて差があるかどうかを判断する．χ^2分布とは，観測値と期待値のズレの度合いを確率分布で表したものといえる（☞ p.213）．なお，期待度数が5以下のセルがある場合は，χ^2検定を使わずに，フィッシャー（Fisher）の直接確率検定を用いるが，その詳細は割愛する．

（7）多重比較検定（多群間の比較検定）

（4），（5）で2群間の比較について述べたが，3群（たとえばA群，B群，C群とする）の平均値の差異をt検定により行おうとすると「検定の多重性」の問題が生じる．2群の検定を行う組み合わせはA–B，B–C，C–Aの3通りとなり，これを有意水準5％（$\alpha = 0.05$）で検定するということは，検定1回あたり誤って帰無仮説を棄却する確率が5％となる．ここで3回とも誤りを起こさず正しく検定できる確率を計算すると，$(1 - 0.05)^3 \fallingdotseq 0.857$なので，3回のうち1回でも誤りを起こす確率は$1 - 0.857 = 0.143$（14.3％）となり，5％よりも有意水準が高くなる．一般化すると次の式で表される．

$$1 - (1 - \alpha)^k \qquad (7\cdot16)$$

α：検定の有意水準，k：検定数

そこで多重比較検定では，複数回検定を繰り返しても設定した有意水準を超えない方法を用いる必要がある．最も単純な方法が，繰り返す検定回数で設定した有意水準を割った値を有意水準として用いるボンフェローニ（Bonferroni）法である．先ほどの例でいうと，3回検定を繰り返すので，$5\% \div 3 \fallingdotseq 1.67\%$として$t$検定を行うことになる．この方法は，多重比較検定としてはほとんどの場合で使用できるが，有意差が出にくい．

そのほかによく用いられる多重比較検定に，一元配置分散分析（one way ANOVA, analysis of variance）がある．一元配置とは，結果（測定値）に影響を与える要因あるいは因子が1種類で解析することを意味する．また，「分散」という名前がついているが，平均値に関する検定である．分散すなわちデータ全体のばらつきを群間のばらつきと群内のばらつき2つに切り分けて評価する方法である．

たとえば，日本，オランダ，インドネシアの3ヵ国の男性の身長に差があるかを調べるために各国100人ずつ抽出して測定した結果，図7･12のような分布になったとする．オランダ人の★で表された1つのデー

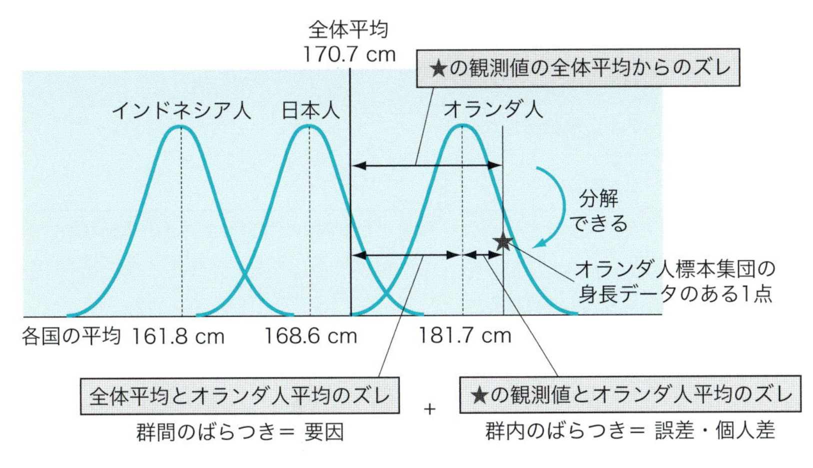

図 7･12 分散分析の概念図，分散(ばらつき)の分解

タ(観測値)と全体平均からのズレは，「全体平均とオランダ人平均のズレ」と「観測値とオランダ人平均のズレ」に分解できる．前者は全体の平均から各群(各標本集団)がどれだけズレているかを示し，「群間のばらつき」とする．後者は，群(標本集団)のなかで，個々すべての観測値が群の平均からどれだけズレているかを示し，「群内のばらつき」とする．この分解はすべてのデータについて適応できるので，「全体平均からのズレ(ばらつき)＝全体の平均とその群の平均のズレ(群間のばらつき)＋その群の平均と各データとのズレ(群内のばらつき)」で表される．

この「群間のばらつき」は，標本集団間の平均値に対する**要因の効果**を表し，「群内のばらつき」は，同じ標本集団のなかでのばらつきなので，**誤差や個人差**を表している．したがって，「群内のばらつき」よりも「群間のばらつき」が大きいかどうかを検証するのが分散分析である．

実際の手順は，標本分散の算出と同じような考え方である．群間のばらつきは，「(全体平均－各群平均)の 2 乗の総和 / 自由度」で計算される．総和とは各群のデータ数すべての合計の意味で，すなわちこの身長の例だと「(全体平均－オランダの平均)^2 ×群内標本数＋(全体平均－日本の平均)^2 ×群内標本数＋(全体平均－インドネシアの平均)^2 ×群内標本数」のことである．これは，ズレの分解がすべての標本について行われることを考えると理解できるであろう．また，標本分散では，分母に「標本数－1」を用いていたがここでは自由度を使う．群間のばらつきに用いる自由度は，「群の数－1」である．

一方，群内のばらつきは，「(その群の平均－各データ)の 2 乗の総和/自由度」で計算される．このときの自由度は，「(全標本数－1)－(群の数－1)」となる．これらの作業が先に述べた分散を 2 つに分けることを指している．次に，統計量 F 値を「群間のばらつき / 群内のばらつき」から求めて，F 分布表により有意差を検定する．F 値が大きいほど各群の平均値に差がある可能性は大きいことになる．また分散分析を行うに

表7·7 量的データをもつ多群間の検定

	パラメトリック検定	ノンパラメトリック検定	比較対象
データの特徴	データが正規分布 等分散	データが正規分布しない 不等分散 データが順序尺度	
群間に対応あり	反復測定一元配置分散分析	フリードマン検定	検定した群間のいずれかに差があるかを検定．どの群間に差があるかを検定するには post hoc test の実施が必要
群間に対応なし	一元配置分散分析	クラスカル–ウォリス(Kruskal-Wallis)検定	
post hoc test	チューキー法	スティール・ドゥワス法	すべての群の組み合わせを比較
	ダネット法	スティール法	対照群との比較
	ボンフェローニ(Bonferroni)法		さまざまな検定法に適用できる(有意水準を比較回数で割るだけ)

は，分散が均一でなければならず，バートレット(Bartlett)検定(2群間比較ではF検定を使った)により等分散性を担保する必要がある．

分散分析は，検定の手順からもわかるように，全体平均からの各群の差に着目して解析しているため，有意差があった場合でも，どの群とどの群に差があるのかわからない．そこで，どの群間に差があるのかを検定するためには別の多重比較検定を使用する必要がある．このように分散分析を行いその帰無仮説が否定された次のステップの多重比較検定をpost hoc test(事後検定)という．すべての群の組み合わせの検定にはチューキー(Tukey)法[*10]を，対照群と各群の比較にはダネット(Dunnett)法などを用いる．ここまではすべてパラメトリック法であったが，2群間の比較と同様に，ノンパラメトリック法にもさまざまな方法がある．表7·7にまとめたようにチューキー法のノンパラメトリック検定にあたるのがスティール・ドゥワス(Steel-Dwass)法，ダネット法に対応するノンパラメトリック検定がスティール(Steel)法であるが詳細は本書の目的を逸脱するので割愛する．

*10 **チューキー法** チューキー法とチューキー・クレーマー(Tukey-Kramer)法があるが，前者は各群の標本数が等しい場合にのみ適用でき，後者は標本数の異なる群間で検定できるよう拡大したものである．

(8)多変量解析

多変量解析とは，複数の変量(変数，因子)に関するデータをもとにして，これらの変量間の相互関連をすべて同時に考慮しながら分析する統計的技法の総称である．その目的には，大きく分けて「要約」と「予測」の2つがある．多変量解析で扱う変数のなかで，この「要約」や「予測」したいものを目的変数(従属変数)といい，目的変数を説明する変数(要約や予測のもととなる変数)を説明変数(独立変数)という．たとえば，「薬物Aの血中濃度」を「投与量」「血清クレアチニン値」「体重」から予測しようとするとき，目的変数は「薬物Aの血中濃度」であり，説明変数は「投与量」「血清クレアチニン値」「体重」となる．

これに対し，1変量ごとに解析することを単変量解析といい，平均値や標準偏差などの基本統計量を算出しその分布の状態を把握する際に使

表 7･8 予測を目的とする多変量解析の種類と変数の特徴

結果（予測したい項目）＼原因（予測のもとになる項目）		説明変数（独立変数） 量的データ ［投与量，血清クレアチニン値，出血量，年齢など］	説明変数（独立変数） 質的データ ［検査の陽性・陰性，性別，出身地，性格など］
目的変数（従属変数）	量的データ ［血中濃度，手術時間，入院日数など］	重回帰分析	数量化 1 類
目的変数（従属変数）	質的データ ［疾患の有無，試験の合否，治療法の選択など］	判別分析	数量化 2 類

用され，多変量解析を実施する前のデータの要約にも使用される．

多変量解析には，標本データの種類や解析の目的によってさまざまな方法がある．予測を目的とする場合のデータと解析方法を表 7･8 にまとめた．上記の例のように，目的変数が「量的データ」（薬物 A の血中濃度）であるときに，説明変数として「量的データ」（「投与量」「血清クレアチニン値」「体重」）を用いて予測する場合は次項で述べる重回帰分析を用いる．一方，目的変数が量的データのときに，説明変数として質的データを用いて予測する方法が**数量化 1 類**である．例をあげると，ある疾患の入院日数（量的）を合併症の有無，患者の性別，成人か小児か，などから予測する手法である．質的データは，合併症なしを 1，合併症ありを 2 のように数値に置き換えて解析する．また目的変数が質的データのときに，量的データを説明変数として用いて予測する場合は判別分析を，質的データを説明変数として予測する場合は数量化 2 類を用いるが，詳細は割愛する．

(9) 回帰分析

回帰分析は，ある変数をほかの 1 つ以上の変数を用いて予測する式（回帰式）を求める手法である．臨床研究の分野で最も広く用いられている多変量解析の 1 つである．前項で述べたように予測したい変数のことを目的変数（または従属変数）といい，目的変数を説明する変数のことを説明変数（または独立変数）という．目的変数を Y，s 種類の説明変数を $X_1, X_2 \cdots X_s$ と置くと求める回帰式は次の 1 次式で表される［式（7･17）］．このように 1 次式で表される回帰式を求めることを**線形回帰分析**という．

$$Y = b_0 + b_1X_1 + b_2X_2 + \cdots b_sX_s \qquad (7\cdot17)$$

Y：目的変数，X：説明変数，b_0：切片，b_s：偏回帰係数

目的変数は 1 つしかとらないが，説明変数はいくつでもよく，説明変数が 1 つのとき単回帰，2 つ以上のときは重回帰という．目的変数には連続変数を割りあてるが，説明変数には質的データを割りあてることが

表 7·9　ダミー変数の例

薬　効	ダミー変数	
	有　効	不　変
有　効	1	0
不　変	0	1
悪　化	0	0

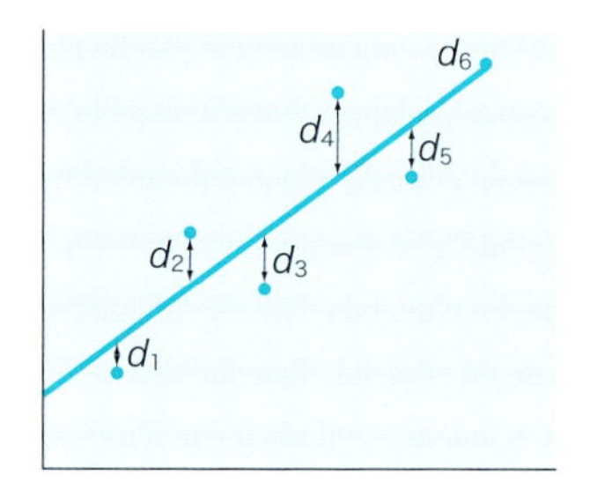

図 7·13　直線回帰と誤差(残差)

＊11　「相関」と「回帰」の違い：相関は上下関係がないときに用いる．すなわち2変量の回帰分析のときのXとYを入れ替えても成り立つ場合，相関という．

できる．たとえば性別が目的変数の予測性に影響するかを検討したい場合，男性を1，女性を0として，回帰分析することが可能である．効果判定の「有効」「不変」「悪化」のように質的データの分類が3つの場合は，表7·9のようにたとえば「有効」と「不変」を変数として使い，あてはまれば1，あてはまらなければ0とする．悪化は両変数とも0となり一義的に決まる．このように質的データの変数を0と1で表される変数に変換したものをダミー変数という．

説明変数が1つのときの回帰式は，$Y = b_0 + b_1X_1$ で表される．すなわち傾き b_1, y 切片が b_0 で表される直線である．回帰分析により標本データに最もよくあてはまる傾きと y 切片が求められたとき，その直線を**回帰直線**という．この回帰直線は，求める直線とデータとの y 軸でみた誤差(残差) d の2乗の合計が最小になるように算出される(図7·13)．このような方法を**最小二乗法**という．重回帰分析でも同じ原理で回帰式は求められる．

回帰分析によって得られる主な情報として，**相関係数**，**決定係数**，**偏回帰係数**，**標準化偏回帰係数**，**p 値**があげられる．

相関係数とは2変数間の相関[*11]の強さを示し，$-1 \leq$ 相関係数 ≤ 1 の値をとる．絶対値が1に近いほど相関は強い．一方，相関係数の2乗値で表される決定係数は，その回帰式によって目的変数の変動を説明変数の変動により説明できる割合を示している．相関係数0.8，決定係数0.64であれば，説明変数の変動により目的変数の変動の64%を説明できるが，36%は誤差もしくは未知の因子による影響があると解釈できる．偏回帰係数(単回帰では，単に回帰係数という)は，ほかの変数が一定のままで，その変数のみが1単位変化したときの目的変数の変化量を表す．しかしながら，この係数は変数の単位によって大きく変わるので，どの従属変数が最もよく目的変数を説明しているかの比較に用いることはできない．このような比較をしたい場合，標準化偏回帰係数を用いる．この係数は，目的変数およびそれぞれの説明変数が，平均値 = 0，分散 = 1に標準化(正規化)されたときの偏回帰係数である．p 値は回帰式全体と偏回帰係数それぞれに算出される．両者とも p 値が有意水準よりも小さい場合は，有意であると判断する．偏回帰係数の p 値が小さい変数は，解析結果が信頼に足るデータであることを示し，標準化偏回帰係数が大きい変数は，目的変数への影響が大きいことを示す．

ロジスティック回帰分析は，2種類の分類データ(たとえば，イベントあり・なし)を目的変数として回帰分析したい場合に用いる．重回帰分析で質的データを組み込みたいときに行ったように，イベントありを1，なしを0と置いたとしても，回帰式の右辺は $-\infty$〜∞ を取り得るため，このままでは分析できない．左辺を $-\infty$〜∞ までとれるように変換する必要がある．そこで左辺をイベントの発生確率 p に拡張する．p は0から1までの値をとるが，これをオッズ$\left(\frac{p}{1-p}\right)$(後述 ☞ p.225)に変形すると0から＋∞までとることができる．さらにこの対数をとると－∞から＋∞までの値をとることができるようになる．$\ln\left(\frac{p}{1-p}\right)$は確率$p$のロジットとよび，確率$p$のロジットに対する線形回帰分析をロジスティック回帰分析という．

$$\ln\left(\frac{p}{1-p}\right) = b_0 + b_1X_1 + b_2X_2 + \cdots b_sX_s \qquad (7\cdot18)$$

p：発生確率，X：説明変数，b_0：切片，b_s：偏回帰係数

各変数の係数b_iをロジスティック回帰係数といい，$\exp(b_i)$はその説明変数X_iのオッズ比(☞ p.217)を表す．たとえばある発生確率pのイベントのロジスティック回帰分析を，年齢を説明変数の1つとして行ったとき，そのロジスティック回帰係数が0.693だとすると，ほかの変数の値が同じで，年齢が1歳違う人を比べると，イベントの発生するオッズ比は$\exp(0.693) \fallingdotseq 2$であり，1歳年をとるとイベントの発生リスクが2倍になると解釈できる．このオッズ比はほかの説明変数の影響を取り除いて評価できるという意味で，調整済みオッズ比とよぶ．

(10)生存時間解析

生存時間解析は，ある基準の時刻からある目的の反応(観測対象とする個体に対し，1度だけ起こるイベント)が起きるまでの時間データを対象とする解析である．イベント発生までの時間に群間で差があるかを評価できる．臨床研究の分野では病気の再発や死亡などをイベントとして解析されることが多い．イベントを経験した人の割合の変化を時間経過に沿って表現したグラフを生存曲線といい，**カプラン・マイヤー(Kaplan-Meier)法**が最もよく用いられる．この方法で作成された生存曲線を**カプラン・マイヤー曲線**といい，複数の曲線間の違いはログランク検定を用いて有意差検定することができる．生存時間解析は，長期間被験者を追跡しなければならないことが多いため，全被験者を最後まで(イベントが発生するまで)追跡できることはまれである．そこで生存時間解析ではイベント発生前に追跡不能になった症例を「打ち切り」とよび，この打ち切り例を考慮した解析が行われる．

カプラン・マイヤー法とは，データを観察期間の順に並べ替えて，イベントが発生するたびに累積生存率(累積生存割合)を逐次計算する方法である．図7·14にカプラン・マイヤー法の概念図を示した．イベント(図の場合，イベントは死亡)が発生した直前の観測可能人数を直前のリスクという．研究開始時の人数は7人で，1週間後に1人死亡しているので，生存率は1から死亡率を差し引いた$\left(1-\frac{1}{7}\right)=\frac{6}{7}$となる．2週間後に1人死亡しているが直前のリスクは6になっているので，この時点の生存率は$\left(1-\frac{1}{6}\right)=\frac{5}{6}$となり，累積生存率はそれまでの生存率との積$\left(\frac{6}{7}\times\frac{5}{6}\right)$となる．3週間後に打ち切り例が1名いるが死亡ではないので，生存率に変化はない．しかし観測可能人数が減るので，直前のリスクを

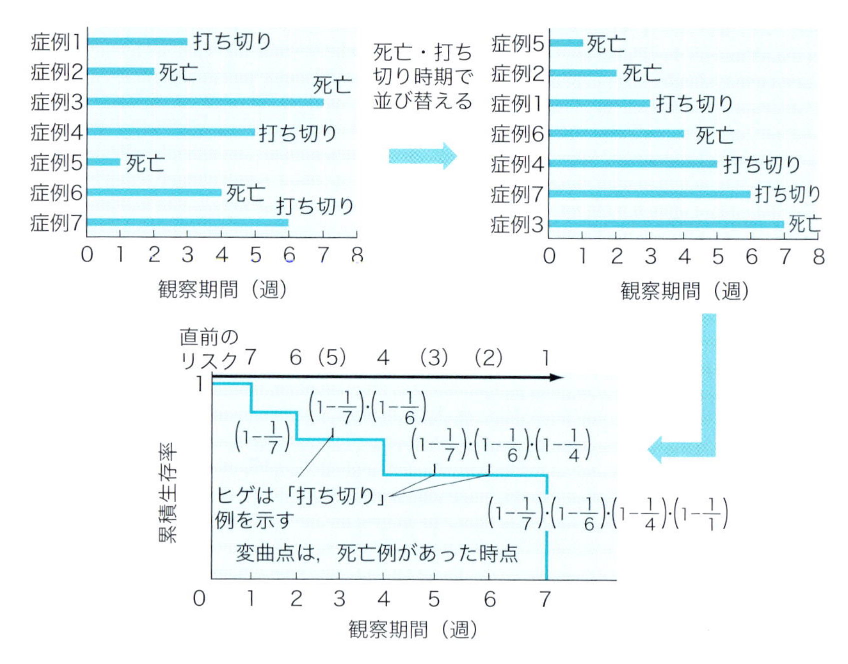

図7・14　カプラン・マイヤー法の概念図

1減じる．したがって，4週間後の死亡例では直前のリスクを5ではなく4として死亡率を計算するので，この時点の累積生存率は，$\left(\frac{6}{7}\times\frac{5}{6}\right)\times\left(1-\frac{1}{4}\right)=\frac{6}{7}\times\frac{5}{6}\times\frac{3}{4}$となる．すなわち，カプラン・マイヤー曲線の縦軸(累積生存率，累積生存割合)は，打ち切り例を直前のリスクに反映させた各時点の生存率を積算したものになる．

❸ 観察研究

臨床研究には疫学[*12]研究のデザインがよく用いられ，研究者が，因果関係があると考えられる要因に積極的に介入して検証する「介入研究」と，研究者が被験者に介入せずに，健康，疾病などの自然の姿を観察する「観察研究」に大別される．

*12　**疫学**　集団における疾病の分布とその決定要因を研究する学問．

a 症例報告，症例集積

症例報告とは，薬剤の有効性・安全性にかかわるイベントが起こった1症例を提示したものをいい，薬剤の服用開始から副作用の発症，その転帰までについて経時的に記載される．未知の副作用に対しては，ほとんど唯一の検出方法である．有名なアンジオテンシン変換酵素(ACE)阻害薬の副作用の空咳は発売4年後の症例報告がきっかけとなった．短所としては，報告バイアス[*13]を受けやすい，すなわち研究者が重要視しなかったイベントは報告されないことや，薬剤と副作用との関連性について仮説を立てることはできるが，因果関係を確定することはできない点があげられる．したがって，エビデンスレベルは低い位置に置かれ

*13　**バイアス**　研究結果を真実から遠ざけてしまうすべての要因(☞ p.239)．

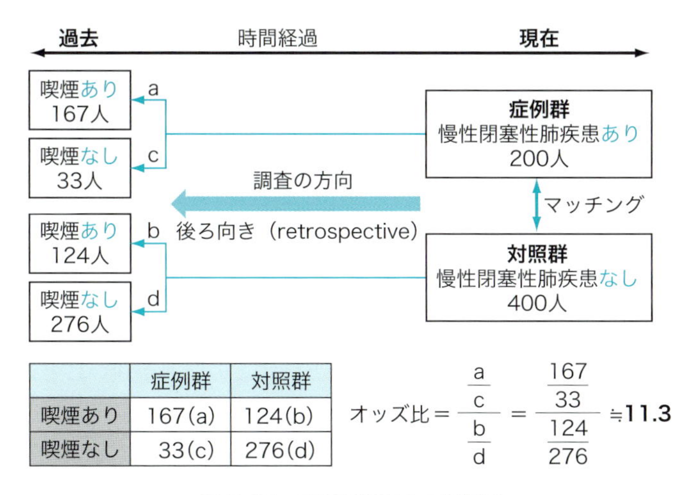

	症例群	対照群
喫煙あり	167(a)	124(b)
喫煙なし	33(c)	276(d)

$$\text{オッズ比} = \frac{\frac{a}{c}}{\frac{b}{d}} = \frac{\frac{167}{33}}{\frac{124}{276}} \fallingdotseq \mathbf{11.3}$$

図 7･15 症例対照研究の解析例

ている．

症例集積とは，特定の薬剤を服用している複数の患者の症例の集積により得られた見解の報告をいう．症例報告で提示された仮説が症例数を重ねることで強化されるが，対照群がなく比較分析されていないため，症例報告とともに記述疫学的研究[*14]に分類される．また，患者背景因子（喫煙など生活習慣や病態など）と薬剤投与（曝露）の間に関連が生じる可能性もある．

*14 **記述疫学的研究** これに対し，対照群をおいて因果関係を検討した疫学研究を分析疫学的研究という．

b 横断研究

横断研究（cross sectional study）とは，調査対象集団について，ある1時点における観察結果から，有病率や曝露の状態などの実態を調査し，その関連性を検討する研究である．長所としては，迅速に比較的低コストで実施できることがあげられるが，同一対象者を追跡してはいないため，因果関係の検討には向かない．これに対し，時間経過の要素が含まれている追跡研究を縦断研究という．

c 症例対照研究とオッズ比

症例対照研究（case-control study，ケース・コントロール研究）とは，副作用や効果の因果関係を知るために，あるイベント（効果・副作用）が発生した症例（ケース）群と発生のない対照（コントロール）群のそれぞれにおける曝露（薬剤服用など）の有無の割合を過去にさかのぼって比較する方法である．症例対照研究の解析例を図 7･15 に示した．したがって，ある曝露が原因で引き起こされたと疑われる疾病（結果）が現れている状態から実施される研究になる．このように過去にさかのぼって調査する研究を**後ろ向き研究**（retrospective study）といい，未来に向かって追跡する研究を**前向き研究**（prospective study）という．

指標には，症例群における曝露オッズと対照群における曝露オッズの比（オッズ比）が用いられる．オッズ（odds）とは，ある事象が起こる確率を P とすると，$\frac{P}{1-P}$ で表される．すなわち，式（7･19）のようになる．

$$\text{症例群の曝露オッズ} = \frac{\text{症例群における曝露された人の割合}}{\text{症例群における曝露されていない人の割合}} \quad (7\cdot19)$$

オッズ比は両群間の曝露オッズに差がなければ1となるので，オッズ比が1より大きければ大きいほど疾病と曝露との関連が強いことが推論される．この分割表を用いた χ^2 検定を用いて有意差検定することは可能であるが，一般には，オッズ比と一緒に示される信頼区間（confidence interval, CI）[＊15]によって判断される．すなわち，信頼区間が1をまたがなければ統計的に有意であると判断する．

＊15　**信頼区間（CI）**　標本から推定した母集団の母数（この場合はオッズ比）が存在する区間を確率的に示したもの．通常95％が用いられる（☞ p.246）．

症例対照研究は，イベントの発生率が小さい場合でも，すでに発症した患者を選択して研究対象集団とするため実施しやすく，疾病発症への関連が疑われる多くの曝露を調査対象とすることができるなどの利点がある．一方，対照群をつくる際に任意性（研究者の恣意）を避けられないためバイアスを生じやすい．できるだけバイアスを回避するために，対照群は症例群と同じ集団から選択するようにし（たとえば同じ病院の同じ科に通院する患者群），このとき症例群1人に対し，患者背景が似ている（同じ性別・年齢・体格など）患者を1～5人選択する．このような患者背景を合わせた対照群の選択をマッチング[＊16]という．また，この研究デザインは疾病を発症した集団と発症していない集団それぞれの過去の曝露を調査するものなので，発生頻度（ある集団における疾病の発生率）を直接調べることはできない．

＊16　**マッチング**　マッチングには，この例のような個別マッチングと頻度マッチングがある．頻度マッチングでは，症例群とマッチングさせたい因子が同じような分布になるように設定する（☞ p.242）．

d　コホート研究と相対リスク

コホートとはもともと軍事用語で軍隊を指し，生物統計の分野では同じ属性もしくは同じ外的条件に置かれた集団を意味する．したがって，コホート研究（cohort study）とは，特定の薬剤を服用（曝露）していたか否かに基づいて，その薬剤を服用した患者群（曝露群）と服用していない患者群（非曝露群）に分けて疾病症状を調べ，その薬剤の曝露が疾病症状発現の要因であるか否かを調査する方法である．コホート研究は，要因対照研究ともよばれ，後述する無作為化比較試験の無作為割り付けの部分をなくした方法とも考えられる．コホート研究の解析例を図7･16に示した．また，コホート研究と症例対照研究を混同する場合も多いので，症例対照研究とコホート研究の関係を図7･17に示した．

指標には，曝露群の発生割合と非曝露群の発生割合の比である相対リスク（relative rate, RR，相対危険度，リスク比ともいう）が用いられる．両群間の発生割合に差がなければその比である相対リスクは1となるの

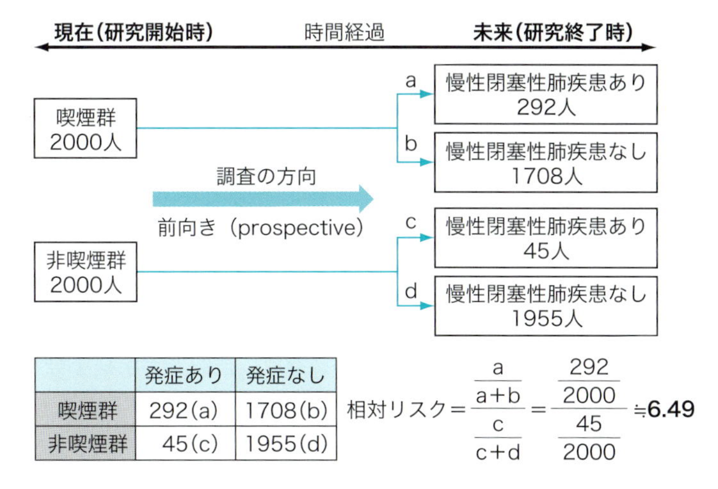

	発症あり	発症なし
喫煙群	292(a)	1708(b)
非喫煙群	45(c)	1955(d)

$$相対リスク=\frac{\frac{a}{a+b}}{\frac{c}{c+d}}=\frac{\frac{292}{2000}}{\frac{45}{2000}}\fallingdotseq \mathbf{6.49}$$

図 7･16 コホート研究の解析例

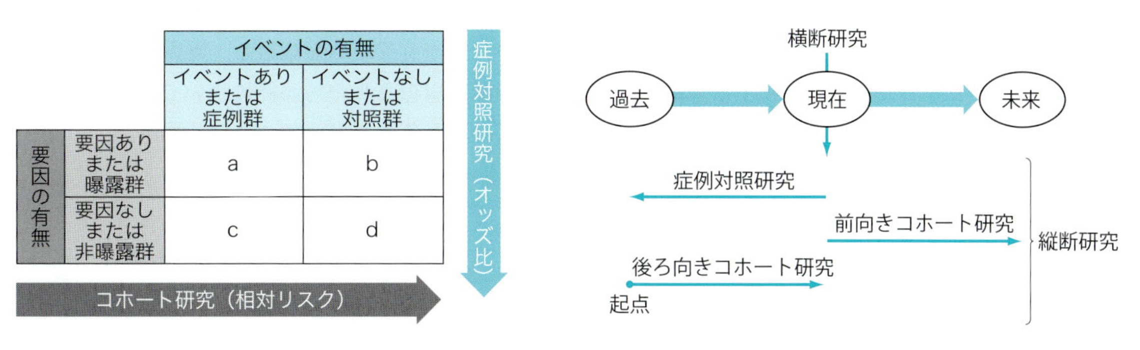

図 7･17 コホート研究と症例対照研究の関係

図 7･18 研究デザインと時間軸の関係

で，相対リスクが大きいほど曝露と疾病との関連が強いことを示す*17．一般に，相対リスクと信頼区間が合わせて表示され，信頼区間が 1 をまたがない場合は有意であることを示す．たとえば，RR 3.5（CI：0.8 ～ 13）であれば，相対リスクは高くみえるが，信頼区間が 1 をまたいでいるので統計的に有意ではない．その他の指標については，本章 C-4（☞ p.244）に譲る．

コホート研究には，前向き研究と後ろ向き研究とがある．前向きコホート研究とは未来に向かって追跡調査をする研究であり，後ろ向きコホート研究とは過去のある時点を開始点として現在に向かって追跡調査する研究である．後ろ向き研究である症例対照研究のような過去にさかのぼって調査していく方法ではなく，調査方法としては，過去起点の前向き研究とイメージしたほうがわかりやすいと思われる．コホート研究は観察研究のなかでは最も エビデンスレベルは高い．図 7･18 に研究デザインを時間軸でまとめた．

コホート研究は，因果関係を調べるには有効な方法であり，発生頻度を直接調べることができる．また，曝露が原因と推定される多くの疾患

*17 治療効果の場合は，値が小さいほど薬剤と治療効果との関連が大きくなる．

を同時に調査対象にすることができる．しかしながら，非曝露群（対照群）をつくる際に任意性（研究者の恣意）を避けられないことや，発生頻度が低い疾患の場合に多くの対象患者と観察期間が必要なことが短所としてあげられる．

e ネステッド・ケース・コントロール研究

ネステッド・ケース・コントロール研究とは，前向きコホート研究に登録された被験者から症例群および対照群を抽出して実施される症例対照研究のことをいう．この研究デザインでは，被験者が疾病を発症し，ケース（症例）となった時点でコントロール（対照）を選択する．最も一般的なコントロールの選択方法は，症例が発生した時点で症例以外の観察期にあるコホート集団から１人またはそれ以上の対照を無作為に選択する時点マッチングである．一方，症例群の選定は，通常コホート内で疾病を発症したすべての被験者を症例群に取り込む．最初に登録されたコホート全体ではイベントの発生の有無だけを観察し，曝露や交絡因子に関する詳細な情報は，症例群と選択された対照群についてのみ収集すればよいのでサンプルサイズは小さくなり効率的である．

f ケース・コホート研究

ケース・コホート研究では，観察開始時の全コホート（被験者）から無作為に「対照群」を選択する．これをサブコホートという．全コホートのイベントの有無を観察し，そこで発生した症例とあらかじめ設定したサブコホートのみ詳細な情報（交絡因子など）を調査する．当然ながらサブコホートから症例が発生することもある．この方法は，複数のイベントや研究開始時に着目していなかったイベントに対しても，あらかじめ設定しておいたサブコホートとの比較評価が可能である．

ネステッド・ケース・コントロール研究およびケース・コホート研究はいずれもコホート研究と症例対照研究の利点を活かしたハイブリットデザインといえる．一般にコホート研究は，症例対照研究に比べて多くの被験者が必要であり，時間もコストもかかるため，両者とも効率化の方策の１つとして考案された．

g 副作用の因果関係の評価

観察研究デザインではないが，観察研究の結果を利用した評価となるので，ここで副作用の因果関係の評価について触れる．

ある医薬品がある患者に使用されたときに，好ましくない事象が発生した場合，この時点ではこの好ましくない事象は「副作用」ではなく，「有害事象」である．この副作用と疑われる有害事象は，原疾患や合併症，併用治療薬でも引き起こされることがあり，また，もともと薬を使用し

表 7･10 Meyboom らによる副作用の分類

タイプ	内容
タイプ A	医薬品の既知の性質に起因，予測可能，高頻度，用量依存性
タイプ B	特異体質的，予測困難，低頻度
タイプ C	対象集団でもともとある程度発現する事象であり，そのリスクを薬が高めるタイプの副作用

[Meyboom RH, Egberts AC et al：Drug saf 16：355-365, 1997 より引用]

ていなくても対象となる集団である程度発現する事象(たとえば高齢者における心筋梗塞や脳卒中，インフルエンザ罹患者の異常行動など)も存在する．そのため，因果関係を問わず医薬品により生じた好ましくないすべての事象を「有害事象」といい，有害事象のうち，医薬品との因果関係が否定できない場合に「副作用」と定義している．

この副作用は Meyboom らによって 3 つのタイプに分類される(表 7･10)．個別症例において，医薬品と有害事象の因果関係をほぼ確実に説明できる場合はごく限られている．例としては，当該医薬品においてその副作用が既知で因果関係が確立されている場合や，歴史的に薬が原因であることが知られている(薬に特異的である)横紋筋融解症，スティーブンス・ジョンソン症候群，好中球減少症，無顆粒球症などが発生した場合などである．とくにタイプ C の副作用に分類される「対象患者集団では薬がなくともある程度の発現頻度があり，薬によってそのリスクが上昇するような事象」については，個別症例において因果関係を判断するのは困難あるいは不可能であり，集団のデータの評価，つまり対照群との比較でしか因果関係を明らかにすることはできない．

このような背景からこれまでに，個別症例に関する因果関係の評価基準や副作用判定アルゴリズムが数多く提案されている．その 1 つが世界保健機関(WHO)の Uppsala Monitoring Center(UMC)による因果関係の分類と評価基準である(表 7･11)．副作用判定アルゴリズムは，このような評価基準をフローチャート形式にして提案されている．また Naranjo スケールに代表される評価基準ごとにスコア化してその合計から「definite(可能性が高い)」「probable(おそらく)」「possible(可能性あり)」「doubtful(疑わしい)」のようなカテゴリー分けをする方法も提案されている．しかしながら，副作用の因果関係を評価するために広く一般に受け入れられた方法は存在せず，国際医学団体協議会 (Council for International Organizations of Medical Sciences, CIOMS) ワーキンググループⅥの報告書でも，上記の副作用のカテゴリー分けには否定的であり，「有害事象と当該医薬品との間に因果関係があるという合理的な可能性はあるか / ないか」の二者択一を推奨している．CIOMS の公表した因果関係の判断基準を表 7･12 に示す．

実際には，わが国では PMDA への報告は因果関係の「あり / なし」で分類され，「因果関係を否定できない」症例はすべて「副作用」とされてい

表7･11　WHO-UMCによる因果関係の分類と評価基準

因果関係の分類	評価基準
certain (確実)	・時間的関係が妥当であり，疾病やほかの薬剤では説明できない ・中止後の反応が薬理学的，病理学的に妥当である ・薬理学的，現象論的に確実なイベントである ・再投与の結果が妥当である
probable/likely (おそらく)	・時間的関係が合理的であり，疾病やほかの薬剤によるとは考えにくい ・中止後の反応が臨床的に合理的である ・再投与の結果は不要である
possible (可能性あり)	・時間的関係が合理的である ・疾病やほかの薬剤によっても説明が可能である ・中止後の結果の情報が不足 / 不明である
unlikely (考えにくい)	・時間的関係がありそうになく，疾病やほかの薬剤によるものとの説明が妥当である
conditional/unclassified (条件付き / 未分類)	・適切な評価には追加データが必要あるいは調査中である
unassessable/ unclassifiable (評価不能 / 分類不能)	・副作用を示唆する報告である ・情報が不十分または矛盾しており，判断できない ・データを補完または確認できない

[WHO：The use of the WHO-UMC system for standardised case causality assessment.(https://who-umc.org/media/164200/who-umc-causality-assessment_new-logo.pdf)(2022年3月31日参照)より引用]

る(CIOMSのいう二者択一よりは広い範囲を副作用としている)．また，重篤な副作用や未知の副作用のPMDAへの自発報告は，緊急性の観点から因果関係が確立した「副作用」ではなく，「副作用の疑い」である．この「因果関係を否定できない」を含む「副作用の疑い」が副作用になるまでには，因果関係を示唆する情報を集積しエビデンスを作成・検証していくことが必要となる．

❹ 介入研究

研究者が介入，すなわち研究プロトコールに従って対象者を2群あるいはそれ以上のグループに能動的に割り付けを行い，結果を比較する研究手法をいう．

a 無作為化比較試験(RCT)

無作為(ランダム)化比較試験(randomized controlled trial, RCT)とは，ある薬剤・治療法の介入研究において，有効性，安全性を検証するために，被験者を無作為(乱数表などを使用)に処置群(新治療法を行う群)と，対照群(既存の治療法を行う群，あるいはプラセボ投与群)に分け，効果を比較検討する試験をいう．現在，介入研究で最も一般的に用いられている効果証明方法の1つである．被験者を無作為に割り付けることにより，もともと被験者集団に存在しているさまざまな個人的背景のば

表 7·12 CIOMS ワーキンググループVIによる因果関係の判断基準

A. 個別症例での判断基準	・リチャレンジ陽性(再投与による再発) ・因果関係が確立されており明らか(被験薬や同種薬の副作用であることがわかっている) ・発現までの時間に説得力がある ・デチャレンジ陽性(投与中止で消失) ・交絡するリスク因子がない ・曝露量や曝露期間との整合性がある ・正確な既往歴による裏付けがある ・その症例の場合明らかで容易に評価できる ・併用治療が原因である可能性が低い ・その他の治験責任(分担)医師による判断 ・ほかに説明できる原因がない
B. 集団データでの判断基準	・特定の安全性を検討する目的の試験で確かめられた ・対照群よりも発現頻度が一貫して高い ・用量反応関係がある ・対照群よりも特定の有害事象が原因の中止例が多い ・対照群よりも早期に発現あるいは重症度が高い ・症状発現のパターンが一貫している ・発現までの時間が一貫している ・複数の試験で一貫した傾向がある ・臨床的常態や潜伏のパターンが一貫している
C. 有害事象，薬剤(薬効群)についての既知の知見	・過量投与の結果として知られている ・対象となる患者集団では(その薬なしで)起こることはまれな事象である ・歴史的に，薬剤性の事象であることが知られている(スティーブンス・ジョンソン症候群，好中球減少症など) ・薬物相互作用などの臨床薬理学的エビデンス ・既知の作用機序 ・既知の同種同効薬効果 ・動物モデル，*in vitro* モデルでの同様な所見 ・その事象を引き起こすほかの薬剤との特性の類似性

[CIOMS Working Group VI：Management of Safety Information from Clinical Trials, p.276-277, 2005より引用]

らつき(年齢や体格，生理機能など)の分布が，理論上そのまま割り付けられた両群で等しくなり，介入の違いによる**真の効果の差**を推定することが可能となると考えられている．一方，短所としては，費用と時間がかかること，発生頻度の低いイベントには適さないことがあげられる．さらに倫理的な理由から副作用や有害事象の評価を主目的とする研究には用いない．

無作為割り付けをしても，被験者(患者)あるいは治療効果を判定する医師が，処置群か対照群かを知っていると，「新しい治療法は従来のものよりも優れているに違いない」あるいは「プラセボなので効くはずがない」といった期待感，先入観をもってしまい，介入の効果判定に影響を与えることがある．その対策として，処置群か対照群かをわからないようにする**盲検化**が行われる．被験者も医師もわからない場合を二重盲検，被験者だけがわからない場合を単盲検という．無作為化二重盲検比較試験が疫学研究デザインのなかで最も厳密な試験であり，そこから得られ

表 7・13　臨床研究に用いられる疫学研究デザイン

	研究デザイン		対照群	特　徴	費　用
観察研究	症例報告	記述疫学的	なし	偶発的・観察的	安価
観察研究	症例集(症例集積)	記述疫学的	なし	弱	↑
観察研究	横断研究	分析疫学的	あり/なし	証明力(エビデンスレベル)	
観察研究	症例対照研究	分析疫学的	あり	↕	↕
観察研究	コホート研究	分析疫学的	あり		
介入研究	比較臨床試験	分析疫学的	あり		
介入研究	無作為化比較試験	分析疫学的	あり	強	↓
介入研究	無作為化二重盲検比較試験	分析疫学的	あり	計画的・検証的	高価

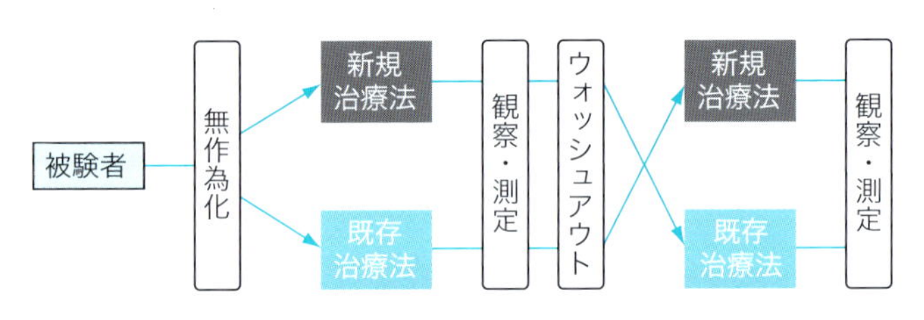

図 7・19　クロスオーバー比較試験(交差試験，交互試験)のデザイン

た結果は最もエビデンスレベルが高いとされている．表 7・13 にここまでに説明した疫学研究デザインをまとめた．

b クロスオーバー比較試験（交差試験，交互試験）

同一被験者に対して時期をずらして複数の治療法(一般的には2種類)を実施して，それぞれの反応(効果)を比較する試験である(図 7・19)．このデザインでは被験者の各治療法の実施順序が無作為に割り付けられる．同一被検者に実施された治療効果を比較するため，無作為化比較試験のような並行群間比較試験に比べ，個人差を考慮しなくてよい．したがってデータのばらつきが少なくなり，被験者数が少なくてすむ．さらに，順序効果・時期効果も評価可能である．ただし，時期をずらして測定するため，病態があまり変化せず，一時的な症状緩和や測定値の変化を検討する場合には適しているが，進行性の疾患や1つの治療で治癒するような場合は不適である．したがって，薬物動態試験，生物学的同等性試験，薬力学試験などでよく用いられる．その他の短所としては，治療(薬剤)のもち越し効果が認められる場合，ウォッシュアウト期間を設けてもその可能性を否定しきれないことがあげられる．

c 優越性試験と非劣性試験

優越性試験は，どちらの介入(治療)のほうが優れているかを検証する

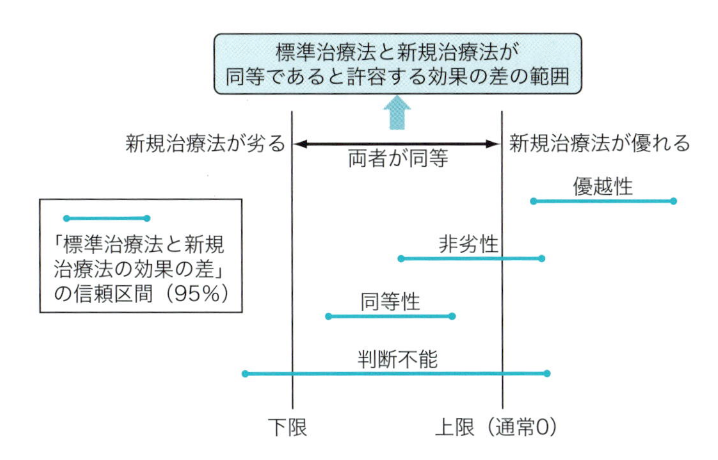

図 7･20　優越性試験と非劣性試験の概念図

ために実施される試験であり，**非劣性試験**はある介入がほかの介入よりも明らかに劣ることがないことを示すために実施される試験である．また，混同しやすい用語として，**同等性試験**がある．これは，2者以上の介入の間に効果の違いがないことを示すために実施される（図 7･20）．これらはあらかじめ設定された有意な治療効果の差の上限と下限に対し，介入間の差の95%信頼区間がどの位置にくるかによって判断される．すなわち優越性試験では，信頼区間は治療効果の差の上限よりも上位に位置しなければならず，非劣性試験では下限よりも上回らなければならず，同等性試験では信頼区間は上限と下限の間に位置しなければ有意とはいえない．したがって，非劣性試験では下限のみに着目した片側性，同等性試験では両側性と考えられる．

d メタアナリシス（メタ分析）

メタアナリシスとは，臨床上の特定の疑問に関する複数の臨床研究を収集し質を評価したうえで，良質な結果に絞り統計学的手法を用いて統合し，1つの結論に導く手法である．ただし，統合する効果指標は同一でなければならず，オッズ比，相対リスク，絶対リスク減少などが用いられる．この手法は，すでに発表されている研究データをもとにして，再構築・再評価するため，二次研究に分類される．例数の少ない，あるいは個々の報告でははっきりとした解答が得られなかった研究を統合することで，臨床上重要な疑問に答えられる．無作為化比較試験のメタアナリシスの結果は，最もエビデンスレベルが高いとされる．一方，収集した個々の臨床研究（論文）の質の評価が難しいこと，**出版バイアス**（有意差がある研究結果が論文化されやすいこと）の影響を受ける可能性があることが短所としてあげられる．

出版バイアスの評価方法の1つに，**ファンネルプロット**（funnel plot，ファンネルとは漏斗の意）を用いた視覚的手法がある（図 7･21）．ファ

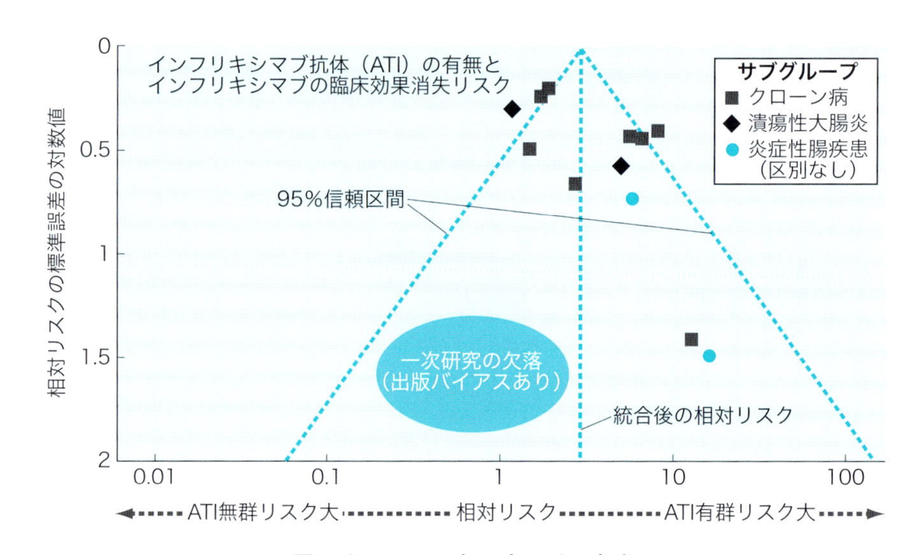

図 7･21　ファンネルプロットの解釈

[Nanda KS, Cheifetz AS et al：Am J Gastroenterol 108：40-47, 2013を参考に著者作成]

ンネルプロットとは，解析に用いた各臨床研究の結果を x 軸に効果量（相対リスク，オッズ比など）を，y 軸に研究の精度（標準誤差やサンプルサイズなど）をプロットしたグラフである．一般にサンプルサイズの小さい研究は，実施が容易なため数多く行われているが結果がばらつきやすい傾向にあり，逆にサンプルサイズが大きい研究は，精度は高いが実施が難しく研究が少ないと考えられる．したがって，出版バイアスがなければ，統合後の効果指標値を中心に左右対称な漏斗を逆さまにしたような図が確認できる．出版バイアスが存在する場合は，対称性が崩れて一方にプロットが集中して他方が空白となった図となり，空白の部分の臨床研究が欠落していることを示唆する．

収集した研究データを統合する解析モデルには，固定（母数）効果モデル（fixed effect model）と変量（ランダム）効果モデル（random effect model）とがある．固定効果モデルは，研究間に偏りはなくそれぞれの研究は同質（均質）であることを前提とした解析モデルであり，変量効果モデルは，研究間には偏りがあり，それぞれの研究は基本的に異質であることを前提とした解析モデルである．したがって，どちらの解析モデルを選択するかは，研究データの異質性の検定を行った後に行う．異質性の検定は，Q 検定統計量を用いた χ^2 検定が用いられ，求められた p 値が有意水準未満であれば異質性があると判断する．Q 検定統計量と自由度（研究数 − 1）から求められた I^2 統計量は，研究の異質性の尺度として用いられ，0 を超えると異質性が存在する可能性を示す．一般的に I^2 統計量が 70 ～ 80%以上で強い異質性，40%未満で弱い異質性と判断する．検定の結果，異質性が認められない場合は固定効果モデルと変量効果モデルのどちらを用いてもよいが，異質性が認められた場合には変量

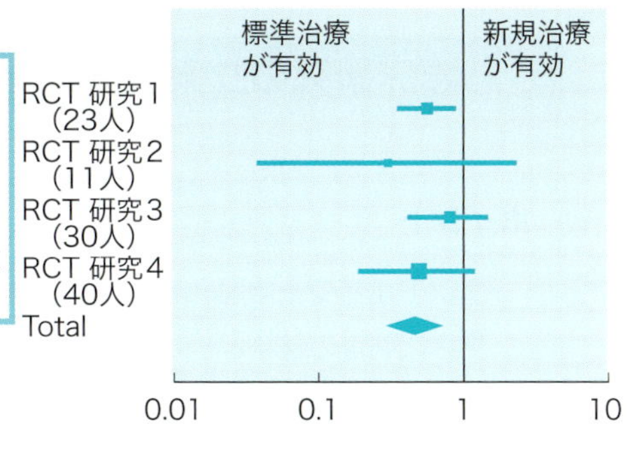

図 7･22 フォレストプロットの概要

■の位置は相対リスク(またはオッズ比)を示し，面積は研究の重みの大きさ(症例数)を表す．
水平線は，95％信頼区間を表し，1 の垂直線をまたぐと有意差はない．
◆は相対リスクの要約推定値を示す．

効果モデルを選択しなければならない．ただし，異質性の強い研究を統合することには疑問が残るため，異質性が認められた原因を検討する必要がある．

メタアナリシスの結果は，フォレストプロット(forest plot)を用いて視覚的に示されることが多い(図 7･22)．各研究の効果の大きさは四角で示される．点推定値が四角の中心であり，信頼区間は左右の水平線で示される．四角の面積は研究の重みの大きさを表す．一般的に，症例数が多い臨床試験は少ない試験と比べて研究の重みが大きくなる．統合後の効果の大きさはひし形で示され，点推定値がひし形の中心であり，信頼区間はひし形の左右の頂点として示される．

e システマティックレビュー

システマティックレビューとは，あるテーマについて研究を網羅的に調査し，同質の研究をまとめ，バイアスを評価しながら分析・統合したものである．できる限り主観を排除し，客観的な記載内容を重要視している．メタアナリシスは，システマティックレビューにおける統計解析の1構成要素である．システマティックレビューを世界的に行っているプロジェクトが，コクラン共同計画[*18]である．

*18 コクラン共同計画 ☞ p.58

SBO・臨床研究におけるバイアス・交絡について概説できる.
・統計解析時の注意点について概説できる.
・介入研究の効果指標(真のエンドポイントと代用のエンドポイント,主要エンドポイントと副次的エンドポイント)の違いを,例を挙げて説明できる.
・臨床研究の結果(有効性,安全性)の主なパラメータ(相対リスク,相対リスク減少,絶対リスク,絶対リスク減少,治療必要数,オッズ比,発生率,発生割合)を説明し,計算できる.(知識・技能)

C 臨床研究の立案と実践

ポイント

- エンドポイントとは治療行為や医薬品使用のアウトカムを評価する場合に判定の材料として用いる項目である.
- 死亡率などの臨床的に重要な評価項目が真のエンドポイントであるが,これを短期間で合理的に予測できる臨床検査値や生理学的指標などが代用エンドポイントとして使用される.
- 複数のエンドポイントを設定する場合には,最も重要なものをプライマリ・エンドポイント(主要評価項目)とし,それ以外のものをセカンダリ・エンドポイント(副次評価項目)とする.
- サンプルサイズとは,母集団から一部分を抽出したサンプル(標本)の数であり,研究計画の立案において適切なサンプルサイズを設定することが重要である.
- 有意水準や検出力の設定値はサンプルサイズに影響を及ぼす.
- 臨床研究を行ううえで,比較する集団間に生じるおそれのある偏りをバイアスといい,選択バイアスと情報バイアスに分類される.
- 調査目標とする曝露要因に,別の関連する原因が存在することを交絡といい,しばしば因果関係が誤った解釈をされることがある.
- 適切な手法でバイアスや交絡を回避することで,信頼性の高い臨床研究を行うことができる.
- 相対リスクは一般に無作為化比較試験やコホート研究などの前向き研究で用いられる.
- 臨床的に意味のあるエビデンスを記述するには絶対リスク減少を用いるのがよい.
- オッズ比は一般に症例対照研究やメタアナリシスなどの後ろ向き研究で用いられる.

❶ エンドポイント

臨床研究の立案においてエビデンスレベルに影響を及ぼす要因として,臨床研究の手法(観察研究,介入研究など)に加え,適切な**エンドポイント**(endpoint,**評価項目**)の設定も重要である.いくらエビデンスレベルが高いといわれる研究手法を用いたとしても,エンドポイントの設定が適切でなければレベルは下がってしまう.エンドポイントとは,治療行為や医薬品使用の意義・有効性など(**アウトカム**[*19],outcome)を評価する場合に判定の材料として用いる項目のことであり,観察・測定などにより客観的に評価できる項目が望ましい.

*19 **アウトカム** 治療的介入や危険因子への曝露が及ぼす影響のこと.①臨床的アウトカム:罹患率,死亡率,生存率,合併症の発生率などの客観的評価.②患者立脚型アウトカム:患者の主観的な評価指標を重視.QOL,主観的健康状況,治療に対する満足度など.③経済的アウトカム:医療資源の利用状況や総コスト,費用対効果など.

表 7･14　エンドポイントとして使用される項目とその特徴

	項　目	特　徴
真のエンドポイント	死亡率，合併症の発現率，副作用の発現率，QOL の変化　など	・評価するために長期間を要する ・測定可能な形態での評価が困難な場合がある
代用エンドポイント	各種臨床検査値(血圧，血糖値)，生理学的指標　など	・客観的に測定可能 ・短期間で評価可能 ・アウトカムを合理的に予測可能

a 真のエンドポイントと代用エンドポイント(表 7･14)

治療や医薬品の有効性として臨床的に重要な評価項目は**真のエンドポイント**(true endpoint)とよばれ，死亡率や合併症や副作用の発現率，QOL の変化などが用いられる．しかし，真のエンドポイントを短い研究期間で測定可能な形態で評価することは困難な場合が多い．そのような場合には，一般に**代用エンドポイント**(surrogate endpoint，サロゲートエンドポイント)を用いる．代用エンドポイントとして採用されるものとしては，治療行為に対する評価を短期間で行える血圧や血糖値，腫瘍サイズなどの臨床検査値や生理学的指標などが選択される．臨床上重要なアウトカムとしては高血圧や高血糖状態が持続したときに生じる症状の発症や生存年数などであるが，血圧や血糖値は，これらを評価することでアウトカムを合理的に予測できるため，代用エンドポイントとして使用される．このように，代用エンドポイントを使う場合には，代用エンドポイントと真のエンドポイントとの関連が示されていることが重要である．

b プライマリ・エンドポイントとセカンダリ・エンドポイント

臨床研究において，しばしば複数のエンドポイントを設定する場合がある．その際，どれが当該研究の最も大事な(最も評価したい)ものなのかを決めておく必要がある．その研究の主要な目的に直結したエンドポイントを**プライマリ・エンドポイント**(**主要評価項目**)という．それ以外のものは**セカンダリ・エンドポイント**(**副次評価項目**)であり，研究の主要な目的を補完あるいは補足するものであるが，必ずしもプライマリ・エンドポイントと関連性がある必要はない．エンドポイントは研究計画書にあらかじめ定めておき，また，研究の質を高めるためにも，プライマリ・エンドポイントの数はできる限り少なくするのがよい．

❷ サンプルサイズ

a サンプルサイズとサンプル数

※サンプルサイズとサンプル数は混同して使用されることがあるので注意が必要である．

ある母集団に関する情報を得る場合，通常，母集団すべてについて調査することは困難であるため，無作為に抽出する．抽出されたその母集団の一部分は**サンプル**(**標本**)とよばれる．たとえば，ある疾患の母集団

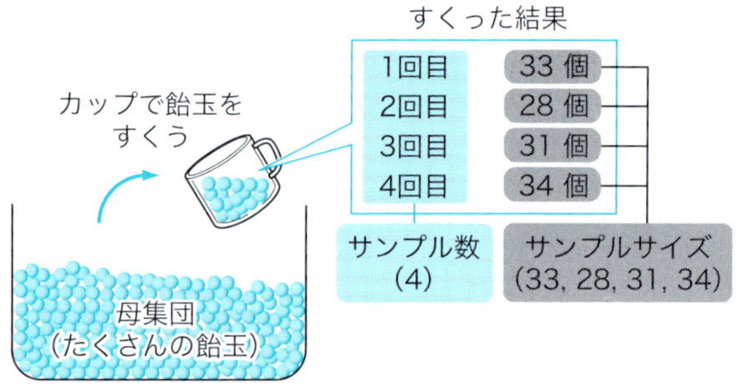

すくった結果
1回目　33個
2回目　28個
3回目　31個
4回目　34個
カップで飴玉をすくう
サンプル数(4)
サンプルサイズ(33, 28, 31, 34)
母集団(たくさんの飴玉)

図 7·23　サンプルサイズとサンプル数の考え方

表 7·15　サンプルサイズの算出に必要な条件
(2群間の平均値の差の検定の場合)

1. 両群ともデータが正規分布に従っている
2. 両群のデータの分散が等しい
3. 有意水準が指定されている
4. 検出力が指定されている
5. 臨床上意味のある2群間の差が設定されている
6. データの分散が指定できる

から50人を抽出する．このときのサンプルサイズ(標本の大きさ)は50，サンプル数(標本数)は1である．同様な作業を10回繰り返したとき，サンプル数が10でそれぞれのサンプルサイズが50となる．ここではサンプルサイズが同じ例で説明したが，それぞれのサンプルサイズの異なる例を図7·23に示す．たくさんの飴玉が入った箱からカップを使って飴玉をすくい取るとする．4回すくってそれぞれ図7·23に示す個数をすくい取った場合，箱に入った飴玉が母集団，すくい取った回数がサンプル数であり，すくい取った個数それぞれがサンプルサイズに相当する．サンプルサイズの大きな場合は大標本(large sample)，小さい場合は小標本(small sample)とよばれる．

b サンプルサイズの決め方

研究計画の立案において，どれくらいのサンプルサイズが必要かが問題となる．サンプルサイズが非常に大きいと小さな値の差でも統計学的に有意となり，逆にサンプルサイズが小さいと大きな変化量であっても有意差がないと判定されることがある．そこで，確率論を用いて，あらかじめ設定された臨床上意味のある差を適切に検出できるようなサンプルサイズを客観的に算出する方法が用いられる．サンプルサイズの算出に必要な条件を表7·15に示す．また，検定の有意水準や検出力などのパラメータはサンプルサイズ設定に影響を及ぼすので算出時に考慮する(表7·16)．

たとえば，2群間の平均値を比較する t 検定における例数設定の場合

表 7・16　サンプルサイズ設定に及ぼす各パラメータの影響

パラメータ	サンプルサイズへの影響
検定の有意水準	有意水準を上げると大きくなる
検出力	検出力を高めると大きくなる
データの標準偏差	標準偏差の 2 乗に比例して大きくなる
検出する 2 群間の差	設定された差の 2 乗に反比例する

を考える．ただし，両群ともデータが正規分布に従い，分散が等しいとする．まず，有意水準[第一種の過誤，帰無仮説が正しいにもかかわらず棄却するという誤り(α)]，検出力[帰無仮説が誤っているにもかかわらず採択するという誤り(第二種の過誤)をβとすると$1-\beta$]，検出しようとする2群間の差(δ，臨床上意味のある差)，データの分散(σ^2，ばらつきの大きさ)を指定する必要がある．詳細は省略するが，平均値の比較において必要な1群あたりの例数(n)は以下のように表される．

$$\text{片側検定}^{*20}\text{の場合：}n=\frac{2\sigma^2\ (z_\alpha+z_\beta)^2}{\delta^2} \tag{7・20}$$

$$\text{両側検定}^{*20}\text{の場合：}n=\frac{2\sigma^2\ (z_{\alpha/2}+z_\beta)^2}{\delta^2} \tag{7・21}$$

ただし，z_x は標準正規分布の 100x パーセント点[*21]であり，分散の値は先行研究のデータの推定値を参考に設定することが多い．

具体的な数値例で考えてみる．ある新規降圧薬がプラセボに比べて収縮期血圧を平均10 mmHg低下させることが臨床的に意味のある差だと考えられるとする．データの標準偏差が15とするとき，有意水準5%，検出力80%の両側検定を行うのに必要な例数を計算する．

両側検定なので，式(7・21)を使う．標準偏差が15なので，σ^2(分散)は225である．また，標準正規分布表から$z_{\alpha/2}=1.96$，$z_\beta \fallingdotseq 0.84$であり，検出したい2群間の差$\delta=10$である．

したがって，

$$n=\frac{2\times 225\times(1.96+0.84)^2}{100}=35.28$$

少数点以下は切り上げて，1群あたり36例となる．

＊20　**片側検定と両側検定**　ある新規降圧薬と既存薬の効果を比較する場合，新規降圧薬が既存薬より優れていることが期待されていたとしても，逆に効果が劣っていることもあり得る．一方向(新規降圧薬が既存薬より効く)だけを考える検定が片側検定，これに加えて逆の結果も考慮した検定が両側検定である．一般には，特別な理由がない限り両側検定が用いられる．

＊21　**パーセント点**　観測データを小さい順に並べたとき，その値以下の値の数が指定された割合(パーセント)になるデータの値のこと．たとえば，50パーセント点は中央値(☞ p.205)である．

❸ バイアスと交絡の回避

a バイアスの種類

比較する集団間に何らかの偏りがあった場合，データの平均(標本平均)は母集団の平均(母平均)と一致するとは限らない．また，得られる結果は偶然誤差(一定の方向性や関連性がないばらつき)や系統誤差(一定の方向性や関連性をもつ偏り)を含む．このような偏りをバイアス(bias)とよび，症例対照研究においてしばしば問題となる．バイアスは一般に，選択バイアスと情報バイアスに分類される．

(1)選択バイアス(selection bias)

選択バイアスとは，臨床研究や疫学研究において選択にかかわる過程で生じ，対象者の選択方法が標的集団に存在する要因と結果の関係を歪める場合がある．たとえば，日本人の糖尿病患者における DPP-4 阻害薬とスルホニル尿素薬の治療効果を比較したいのに，DPP-4 阻害薬を投与する集団は軽度の糖尿病患者が多く，一方スルホニル尿素薬を投与する集団は比較的重度の糖尿病患者が多い場合，正しく有効率を比較することはできなくなる．以下に，選択バイアスの代表的な例を示す．

1)参加バイアス(自己選択バイアス)

症例対照研究を行う場合，症例群(たとえば副作用が生じた)に相当する患者は，その理由を知りたいために積極的に参加するが，対照群(副作用が生じなかった)に相当する患者は面倒なので参加しにくくなる．その結果，両群の差を比較する際に系統誤差が生じるおそれがある．

2)有病バイアス(生き残りバイアス)

有病者を対象とした場合，疾患による早期死亡例は登録されなかったり，早期回復例は非有病者として誤って算定されたりするおそれがある．その結果，軽度の曝露を受けていることで疾患を発症し，生き続けている患者が多くなってしまうおそれがある．

3)入院バイアス

入院患者を対象とした場合，専門病院では重度の患者が多く集まるが，一般病院では軽度の患者が多く集まる傾向があり，その結果，専門病院の患者の割合の多い集団では治療効果が低い傾向を示すおそれがある．また，一般に入院患者は外来通院の患者よりも重症の例が多いため，治療効果そのものが低い傾向を示すおそれもある．

4)脱落バイアス

前向き研究を行っている際に，登録患者数と最終的に調査を終了した患者数が大きく異なる(脱落した患者が多い)場合に生じる．脱落した患者群(あるいは最後まで継続できる患者群)に特別な理由があると，調査解析する対象がこれらの患者が差し引かれた集団となるため結果が歪んでしまうことがある．

(2)情報バイアス(imformation bias)

データを収集する方法によって生じるバイアスで，不適切な情報収集方法や測定方法によって生じるバイアスを情報バイアスという．このバイアスは，研究者と被験者のいずれか(あるいは両方)に原因がある．

1)思い出しバイアス

先天的な奇形と医薬品との関連性について症例対照研究を行う場合，奇形児を出産した母親は必死になって妊娠中に服用した薬を思い出そうとするが，正常児の母親は興味がないため実際には飲んでいても忘れてしまい，回答しないことがある．

2)診断バイアス

誤った診断によって集団への登録を誤ってしまうと，その集団から得られる結果は歪んでしまう．たとえば，軽度の疾患なのに診断を誤って中等度のグループに登録してしまうと，中等度のグループでの有効性が高まるおそれがある．

3)検出バイアス

研究者が対象者から聞き取り調査などを行う場合，研究者が不適切な質問をしたり，対象者に対して先入観をもって調査を行うと生じるバイアスである．症例対照研究において，研究者の聞き取りが症例群に対しては細かくていねいであるのに，対照群へは不十分であるなどの場合が該当する．

4)出版バイアス

メタアナリシスなどでしばしば問題となる．一般的に，学術論文として採択される研究は「2群間に差がある研究」であることが多い．これは差がある研究のほうが人々の興味を得やすいということと，差がないことを証明することは非常に難しいためである(差がない結果が得られた場合，サンプルサイズが小さいから，適切な集団を対象としなかったからなどの理由により論文の採択がされない可能性が高い)．したがって，出版される論文は「差がある研究」が多くなり，結果として差があることが真の値とされてしまうおそれがある．

b バイアスの回避

(1)選択バイアスの回避

選択バイアスを回避するためには，対象とする集団に偏りをもたせないことが重要となり，そこで，研究デザインする時点で制御し，ランダム割り付けや統計学的に多変量解析を行う．症例対照研究やコホート研究の場合には，被験者の選択基準を明確に定義した研究計画を作成することが必要である．また，被験者の男女比，年齢層，疾患の重篤度などで偏りが生じないように研究への参加(登録)を制限することも必要となる．

前向き研究の場合には，登録時の偏りを減らしても途中で脱落例が多発すると最終的に偏った集団となるおそれがある．そのため，脱落を最小限とするような配慮が必要となる．

(2)情報バイアスの回避

情報バイアスについても，選択基準や診断基準を明確にした研究計画を作成するとともに，検出バイアスを減らすために研究実施マニュアルを作成し，プロトコールの標準化や盲検化が有効である．アンケート調査を行うような場合，研究者の思い込みなどで被験者に対する調査のやり方に微妙な違いが生じることが検出バイアスにつながるため，聞き取りの際のマニュアルを作成し粛々と調査を進めるなどの配慮が必要となる．また，思い出しバイアスを防ぐために，何も問題が生じていない対照群の被験者に対しても思い出しやすい状況を設定することもバイアス回避へとつながる．プラセボ効果によるバイアスを回避するためには，二重盲検試験が有用である．

一方，出版バイアスについては回避が難しいため，可能な限り多くの論文を検索・抽出してメタアナリシスを行う必要がある．ファンネルプロット*22による解析を行うことで，症例数と有意な差のない研究のバランスを評価して，潜在するバイアスの可能性を考慮しておくことも重要である．

*22　ファンネルプロット
☞ p.233

c 交絡とその回避

(1)交絡とは(confounding)

ある曝露要因(原因)と結果との間に，曝露要因と関連がある第3の因子が介在することにより，結果が歪められる現象を交絡といい，この因子を交絡因子という．交絡では，原因と結果以外の第3の要因が結果に影響を及ぼしている．図7・24に示したように，たとえば，飲酒と肺がんの関係を調査すると，飲酒と肺がんは因果関係があるという結果が得られた．ここで酒を飲むと肺がんになる(酒を飲まなければ肺がんにはならない)と結論付けてよいだろうか？この場合の原因は「飲酒」であり，結果は「肺がん」であるが，交絡因子として「喫煙」が潜在している．すなわち，一般に酒を飲む人は飲まない人と比べて喫煙の習慣をもつ傾向が強いため，実際には喫煙をすると肺がんになりやすいという事象を表しているにすぎない．酒を飲まなくても喫煙者は肺がんになる可能性もあり，結果に交絡因子が影響を及ぼしている．

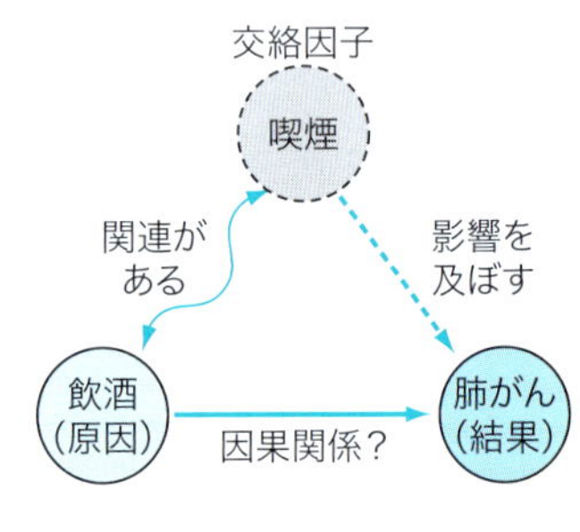

図7・24　交絡因子の例

(2)交絡の回避

交絡の回避は，研究デザインの標本の設定時と統計解析時において制御する(表7・17)．

表7・17　交絡の回避方法

標本設定時
・無作為化(ランダム化) ・個別マッチング ・頻度マッチング ・登録制限
統計解析時
・標準化 ・層化 ・多変量解析

1)標本設定時

無作為化(ランダム化)とは，前向き研究において比較する2つの集団に登録する被験者をランダムに決定する方法である．さまざまな因子がほぼ均一に分散するため，症例数が多いほど交絡がほとんど問題にならない標本設計が可能である．

一方，後ろ向き研究(とくに症例対照研究)では無作為化を行うことが難しいため，マッチングが行われる．個別マッチングとは，2つ以上の集団における比較を行う場合に，1つの群の被験者の特徴とよく似た被験者を別の群から抽出して，同じような集団を構築することである．すなわち，薬剤投与群の1例目が40歳代・男性・中等度高血圧であれば，プラセボ群の1例目も40歳代・男性・中等度高血圧の被験者を登録するといったように，個々の患者ごとにマッチングを行う．これにより，2つの集団はほぼ同じ年代，男女比，疾患の重篤度となる．必ずしも1：1とする必要はなく，症例対照研究では症例群に該当する事例は少ない

表 7･18 交絡と層別解析の例

			有害事象		計	オッズ比
			あり	なし		
全 体		薬剤 A 薬剤 B	57 40	43 60	100 100	1.99
年齢層	50 歳代	薬剤 A 薬剤 B	2 6	18 44	20 50	0.81
	60 歳代	薬剤 A 薬剤 B	10 15	20 15	30 30	0.50
	70 歳以上	薬剤 A 薬剤 B	45 19	5 1	50 20	0.47

ことが一般的であるため，症例群：対照群が 1：3 などとしてもよい．一方，**頻度マッチング**とは，被験者個々でマッチングを行うのではなく，交絡因子の分布を群間で集団としてマッチさせる方法である．薬剤投与群の 40 歳代は男女比がほぼ同じで軽度：中等度：重度の症例が 5：4：1 であったとすれば，プラセボ群も同様にマッチさせる．

登録制限とは，たとえば特定の年齢層に限って研究を行う手法である．

2）統計解析時

表 7･18 のように，薬剤 A と B による有害事象を調査したとする．全 200 症例のデータをすべてまとめると，薬剤 A の有害事象発生率は 57%，薬剤 B は 40%であり，薬剤 A のほうが有害事象が発生しやすい（副作用が現れやすい）という結論が導かれる．しかし，年代ごとに再解析すると，すべての年代層において薬剤 A のほうが有害事象発生率が低いことがわかる．これは，各年代における被験者の数が異なっているため，有害事象の発生しにくかった 50 歳代の被験者が多い薬剤 B のほうがトータルでは安全であるという結果を導いてしまっている．このように，年代などの層ごとに解析をすることを**層別解析**という．この例において，年代ごとに人数が異なっている点に着目して，年代ごとに人数の割合などで重み（すべての年代の重みの和は 1 となる）を付けて発生率に掛けた和を比較することを**標準化**という．一方，各年代の統計的な精度で重みを付けて再解析をすることを**層化**という．一般的には，分散の逆数などを重みに用いるなどの手法がとられ，代表的な統計解析法としてはマンテル・ヘンツェル（Mantel–Haenszel）法がある．

交絡因子が複数存在するときには，標準化や層化では対応することが困難になるため，そのような場合には**多変量解析**を行って交絡因子の判別と除去を行う．汎用される多変量解析手法としては，**重回帰分析・ロジスティック回帰分析**，**Cox 比例ハザードモデル**などがあり，現在では安価な統計解析ソフトによって簡単に解析することが可能である．

表 7･19 AFCAPS/TexCAPS 研究における心血管イベントの発症

	発症あり	全例数
ロスバスタチン群(治療群)	116	3304
プラセボ群(対照群)	183	3301

[Downs JR, Clearfield M et al : JAMA 279 : 1615-1622, 1998 より引用]

表 7･20 リスクとリスク減少

	イベントあり	イベントなし	総人数
治療群	a	b	a+b
対照群	c	d	c+d

治療群のリスク $=\frac{a}{a+b}$

対照群のリスク $=\frac{c}{c+d}$

相対リスク $=\dfrac{\frac{a}{a+b}}{\frac{c}{c+d}}$

相対リスク減少＝1－相対リスク

絶対リスク減少 $=\frac{c}{c+d}-\frac{a}{a+b}$

❹ 臨床適用上の結果の解釈

臨床研究における統計解析時に注意すべき点はいくつかある．エンドポイントと統計的仮説および統計解析手法は，研究計画の段階であらかじめ具体的に設定する必要がある．また，研究目的に合った解析を可能とするために，対象となる集団の選択基準と除外基準を適切に設定する必要がある．さらに，先行研究や予備検討などの結果も参考にしながら，有意水準や検出力，脱落例などを考慮して必要な例数を算出する．

臨床研究の結果(有効性や安全性)を評価するためには，種々の定量化された評価指標を理解しておく必要がある．ここではロスバスタチンによる急性冠動脈イベント予防効果に関する研究(AFCAPS/TexCAPS 研究)の結果を例に説明する．本研究のプライマリ・エンドポイントは「心血管イベントの発症」であり，研究デザインは無作為化，二重盲検，プラセボコントロール試験である．サンプルサイズは検出力 90 ～ 97%，脱落例 30 ～ 35%を見込み，有意水準 5%の両側検定を想定して計算された．詳細は割愛するが，結果は表 7･19 のとおりであった．

a リスクと相対リスク（リスク比）

リスクとリスク減少の計算方法を表 7･20 に示す．リスク(risk)とは調査した「全体の人数」のうち「イベントが起きた人数」の割合である．あくまでもイベントが起きた人の割合なので，「死亡」や「疾患の発症」のようなよくない事象を意味するだけではなく，「治癒」や「改善」のような場合にも用いられる．表 7･19 に示した治療群では 0.0351 (3.51%)，対照群では 0.0554 (5.54%)となる．相対リスク(relative risk, RR)は，治療群のリスク(イベント発生率)の対照群のリスクに対する比で表される．

$$相対リスク=\frac{治療群のリスク}{対照群のリスク} \qquad (7\cdot22)$$

したがって，本研究例の相対リスクは $\frac{0.0351}{0.0554}\fallingdotseq 0.63$ と算出される．

相対リスクの計算値が1のとき，治療とイベントの発生は無関係である．1を超えると治療群は対照群に比べてイベントが発生しやすく，逆に1未満だと発生しにくいことを示す．たとえば，相対リスクが0.5と算出された場合，治療群におけるイベント発生率は対照群の半分程度と考えられる．相対リスクは**リスク比**または**相対危険度**ともよばれ，一般に無作為化比較試験やコホート研究などの前向き研究で用いられる．

b 相対リスク減少と絶対リスク減少

治療群のリスクが対照群に比べてどの程度減少するかを表したものを**相対リスク減少**(relative risk reduction, **RRR**)という．

$$相対リスク減少 = \frac{対照群のリスク - 治療群のリスク}{対照群のリスク}$$

$$= 1 - 相対リスク \qquad (7\cdot23)$$

すなわち，相対リスク減少はリスクが1からどれだけ減少したかを表す．

一方，絶対リスク減少(absolute risk reduction, ARR)とは対照群のリスクと治療群のリスクの差の絶対値である．

$$絶対リスク減少 = |対照群のリスク - 治療群のリスク| \qquad (7\cdot24)$$

本研究例では，相対リスク減少は0.37，絶対リスク減少は0.0203となる．

相対リスク減少が0.5であるA，Bの2つの介入研究の事例があるとする．対照群および治療群のリスクはそれぞれ，事例Aでは0.1および0.05，事例Bでは0.01および0.005である場合，絶対リスク減少は事例Aでは0.05，事例Bでは0.005であり，10倍の開きがある．相対リスク減少を用いる場合には，各群のもともとのリスクの値が小さくその差の絶対値が臨床的にはさほど意味がないほど小さい場合でも，介入の効果を過大評価してしまう可能性がある．したがって，臨床的に意味のあるエビデンスを記述するには絶対リスク減少を用いるのがよい．

c 治療必要数

治療必要数(number needed to treat, **NNT**)とは，絶対リスク減少の逆数で表され，対照群，治療群の各群の数が治療必要数のときにイベント発生人数の差が1になる値である．すなわち，何人の患者を治療すると1人に効果があるかを示す値である．この値が小さいほどよい治療法と考えられる．

$$治療必要数 = \frac{1}{絶対リスク減少} \qquad (7\cdot25)$$

本研究例では，$\frac{1}{0.0203} \fallingdotseq 49.3$ で，治療必要数は50人となる．

d オッズとオッズ比

表7・21　オッズとオッズ比

	イベントあり	イベントなし
治療群	a	b
対照群	c	d
合　計	a+c	b+d

治療群のオッズ＝$\frac{a}{b}$

対照群のオッズ＝$\frac{c}{d}$

オッズ比＝$\frac{\frac{a}{b}}{\frac{c}{d}}$

オッズとオッズ比の計算方法を表7・21に示す．オッズ(odds)とは「イベントが起きた人数」を「イベントが起きなかった人数」で割った値である．また，オッズ比(odds ratio)とは，治療群のオッズの対照群のオッズに対する比である．

$$\text{オッズ比} = \frac{\text{治療群のオッズ}}{\text{対照群のオッズ}} \qquad (7\cdot26)$$

オッズ比が1のとき，両群のイベント発生率は同じであり，1を超えると治療群のほうが対照群よりイベントが発生しやすく，1未満であればその逆である．オッズ比は一般に症例対照研究やメタアナリシスなどの後ろ向き研究で用いられる．注意しなければならないのは，症例対照研究で相対リスクを使用すると不都合が生じる場合があることである．相対リスクの値は抽出したイベント発生患者群と対照群の数によって異なる場合があり，変動のないオッズ比のほうが適している．

e 相対リスク・オッズ比の信頼区間

相対リスク，オッズ比いずれも，その自然対数をとったものが正規分布を示す．これを利用して相対リスクやオッズ比の信頼区間を求めることができる．相対リスク，オッズ比いずれにおいても1のときには治療群と対照群との間に差がないので，求めた95%信頼区間(有意水準5%として)に1が含まれる場合には統計的に有意ではなく，含まれない場合に有意である．

演習問題

①MEDLINEなどの医学・薬学文献データベース検索におけるキーワード，シソーラスの重要性を理解し，検索できる．（知識・技能）
②臨床試験などの原著論文および三次資料について医薬品情報の質を評価できる．（技能）
③EBMの基本概念と実践のプロセスについて説明できる．
④代表的な臨床研究法（ランダム化比較試験，コホート研究，ケースコントロール研究など）の長所と短所を挙げ，それらのエビデンスレベルについて概説できる．
⑤メタアナリシスの概念を理解し，結果を説明できる．
⑥基本的な生存時間解析法（カプラン・マイヤー曲線など）について概説できる．
⑦観察研究での主な疫学研究デザイン（症例報告，症例集積，コホート研究，ケースコントロール研究，ネステッドケースコントロール研究，ケースコホート研究など）について概説できる．
⑧介入研究の効果指標（真のエンドポイントと代用のエンドポイント，主要エンドポイントと副次的エンドポイント）の違いを，例を挙げて説明できる．
⑨臨床研究の結果（有効性，安全性）の主なパラメータ（相対リスク，相対リスク減少，絶対リスク，絶対リスク減少，治療必要数，オッズ比，発生率，発生割合）を説明し，計算できる．（知識・技能）

課題7-1　該当SBO　①，②，③，④，⑦　実施方法　各自調査　難易度　★★★☆☆

ツール　日本病院薬剤師会誌や医療薬学などの日本語学術論文，インターネットによる文献検索（Google ScholarやCiNiiなど）
注意点　要旨（abstract）だけではなく，本文をよく読むこと

日本病院薬剤師会誌や医療薬学などの日本語学術論文から適当な一報を選び，PICO/PECOを用いて研究内容を整理せよ．また，研究手法について，介入・観察研究，エビデンスレベルについても判別せよ．

課題7-2　該当SBO　①，③，④　実施方法　各自調査，SGD　難易度　★★★★★

ツール　日本呼吸器学会や日本化学療法学会などのMRSA肺炎に関連するガイドライン
注意点　有効の判定基準や安全性評価のポイントだけでなく，交絡やバイアスの存在と回避についても考慮すること

ある総合病院（ベッド数800床の基幹病院）におけるMRSA肺炎患者に対するアルベカシン1日1回投与（1回200 mg）による有効性と安全性を，1日2回投与（1回100 mg）の場合と比較したい．過去2年間における症例を用いて，後ろ向きコホート研究計画を立案せよ．

課題7-3　該当SBO　⑨　実施方法　各自調査　難易度　★☆☆☆☆

表7·18（☞p.243）のデータを用いて，各年代の薬剤AあるいはBを投与した場合の有害事象の発生リスク（発現率）について各薬剤群の総数に対する各年代の患者数の割合を掛け合わせ，それらの総和を薬剤A群とB群で比較せよ．また，この値と，全患者を対象とした相対リスクとの違いを比較せよ．

課題7-4　該当SBO　⑦，⑨　実施方法　各自調査　難易度　★★☆☆☆

次の臨床研究結果について，以下の設問1）～3)に答えよ．なお，臨床研究内容はすべて架空である．

ある地区で肝機能障害を発生した患者100人について調査したところ，そのなかにはある外国産のダイエット食品Aを摂取している患者が24人いることがわかった．また，同様にして肝機能障害を発生していない患者200人を対象に調査したところ，そのなかには同じダイエット食品Aを摂取している患者が8人いることがわかった．

1)このような研究デザインを何というか．また，この研究デザインの長所と短所を1つずつ述べよ．

2)下線部の患者200人を選択するときに留意すべき点をあげよ．

3)適切なリスク指標によりこのダイエット食品Aの影響を評価し，その結果を説明せよ．

課題7-5　該当SBO　⑥　実施方法　各自調査　難易度　★★★☆☆

ツール　電卓，グラフ用紙(エクセルでもよい)

ある臨床試験が実施され，10人を登録，その後死亡までの期間を1年間追跡・観察した．その結果，1ヵ月後1人死亡，3ヵ月後1人死亡，4ヵ月後1人脱落(＝追跡不能)，5ヵ月後1人脱落，6ヵ月後1人死亡，8ヵ月後1人脱落，12ヵ月後2人死亡が確認された．この臨床研究結果をカプラン・マイヤー曲線で表すとき，各変曲点での累積生存率を計算して，グラフ用紙にカプラン・マイヤー曲線を描け．また脱落例を何とよぶかもあわせて答えよ．

課題7-6　該当SBO　①，⑤　実施方法　各自調査　難易度　★★★★☆

ツール　インターネット

薬学実務実習生として薬局で実習しているあなたは，ある患者(20歳代男性，事務職)から「自分はかぜをひきやすいのだが，ビタミンCがかぜにいいと聞くことが多い．本当に効くのか？」と質問された．すぐには回答できず，後日来局時までに調べてお伝えすることになった．この質問に科学的に回答するために文献調査をして，どのように回答すべきか答えよ．

課題7-7　該当SBO　⑧　実施方法　各自調査　難易度　★★☆☆☆

ツール　AFCAPS/TexCAPS研究論文および関連論文

ロスバスタチンによる急性冠動脈イベント予防効果に関する研究(AFCAPS/TexCAPS研究)では「心血管イベントの発症」をプライマリ・エンドポイントとしているが，その具体的な症状として考えられるものをあげよ．

また，セカンダリ・エンドポイントとして考えられるものをあげよ．

付録 最近のトピックス

❶ 医薬品関連コードについて(GS1 など)

医薬品には目的別にさまざまなコード体系が存在しているが，医療情報システムにおける医薬品情報の標準化および効率的な管理に重要である．2021 年 8 月の改正医薬品医療機器等法施行に伴い，医薬品や医療機器にバーコードなどの符号を表示することで，製品追跡(トレーサビリティ)システムの構築が可能となり，物流や医療現場での活用が期待されている．

GTIN(global trade item number)コードは世界共通の商品識別コードで，わが国では流通システム開発センターが標準化している商品識別コードの総称であり GS1 コードともよばれている．外箱などに表示される GS1-128 シンボル(GS1 バーコード)は，商品識別コード(GTIN-14)以外の情報も任意に追加可能であり，製造年月日，有効期限，ロット番号，シリアル番号，数量を表示することができる．

GS1 バーコードをスマートフォンのアプリケーションなどを用いて読み取ることで，インターネットを経由して最新の添付文書および注意事項などの情報提供にアクセスし，電子的に閲覧することができる．調剤の際に活用できるよう販売包装単位に加え，PTP シートなどの調剤包装単位への GS1 バーコードの記載が進んでおり，最新の情報による安全対策が可能となる．

❷ 虚偽・誇大広告による医薬品・医療機器等の販売に対する措置命令や課徴金制度の導入

医薬品医療機器等法第 66 条 1 項は，「何人も，医薬品，医薬部外品，化粧品，医療機器又は再生医療等製品の名称，製造方法，効能，効果又は性能に関して，明示的であると暗示的であるとを問わず，虚偽又は誇大な記事を広告し，記述し，又は流布してはならない」と定めている．また，同条 2 項は「医薬品，医薬部外品，化粧品，医療機器又は再生医療等製品の効能，効果又は性能について，医師その他の者がこれを保証したものと誤解されるおそれがある記事を広告し，記述し，又は流布することは，前項に該当するものとする」としている．これまでの罰金は最大 200 万円とされてきたが，改正医薬品医療機器等法施行に伴い，罰金の上限が撤廃され，違反していた期間における売上額の 4.5% とする課徴金制度が導入された．

医薬品医療機器等法第 66 条にある「何人も」という主語を根拠に，規制対象はその商品を取扱っている事業者に限られない．インターネット広告媒体費はわが国における総広告費の約 3 割を占めるとされ，不適切な広告が増えた原因の 1 つとされる．代理店，アフィリエイター(メディアを運営する個人や企業)，インフルエンサーには措置命令の対象となることに注意が必要となる．

❸ 医療用医薬品の販売情報提供活動に関するガイドライン

近年，医療用医薬品において，看過できない虚偽・誇大広告の違反が行われ，医療現場だけでなく社会全体に大きな衝撃を与えることとなった．日本製薬工業協会(製薬協)は，2015 年 9 月に医療用医薬品広告作成要領を全面改定し，社外第三者による広告審査体制を導入した．厚生労働省は 2014 年 4 月に臨床研究にかかわる制度の在り方に関する検討会を立ち上げ，同年 11 月に「医療用医薬品の広告の在り方の見直しに関する提言」を公表した．また，2016 年度より，医療用医薬品の広告活動監視モニター事業を実施している．その事業を通して，広告規制における課題が改めて認識された．

a 証拠が残りにくい事例（66，67，68 条共通）

広告活動に通常使用される資材は適正であるものの，証拠の残りにくい口頭説明や MR のモバイルパソコンの映像のみで不適切な説明を行う事例が，広告活動監視モニターから多数報告された．

【具体例】口頭による個別説明，MR のモバイルパソコンの映像のみを使用した説明，製品説明会におけるスライド説明

b 明確な虚偽誇大とまではいえないが，不適正使用を助長すると考えられる事例（66 条）

わが国でも業界ごとに自主的な行動規範を定めていたにも関わらず，広告活動監視モニターにおいて不適切な事例がでてきている．

c 広告該当性の判断が難しい事例（66，67，68 条共通）

アフィリエイト広告(成果報酬型広告)をはじめとして，広告該当性の判断が難しい手法が増加している．

【具体例】口頭による個別説明，研究論文，記事態広告，アフィリエイト広告，疾患啓発広告など

d 医療関係者，患者への情報提供の確保

未承認薬，適応外薬の広告は医薬品医療機器等法 68 条において禁止されているが，未承認薬の使用が特定の患者に必要な場合，企業からの文献などの提供が広告には該当しない場合もあることから，その場合の適切な情報提供のあり方を検討する余地がある．

これらの広告規制における課題に対応するため，2018 年に「医療用医薬品の販売情報提供活動に関するガイドラインについて」(平成 30 年 9 月 25 日付け薬生発 0925 第 1 号厚生労働省医薬・生活衛生局長通知)が策定された．その目的は，「医療用医薬品の販売情報提供活動において行う広告又は広告に類する行為を適正化することにより，適正使用を確保し，もって保健衛生の向上を図ること」とされている．

本書で対応する薬学教育モデル・コアカリキュラム一覧

薬学教育モデル・コアカリキュラム（平成25年度改訂版） SBO		本書の対応項
E3 薬物治療に役立つ情報		
(1) 医薬品情報		
①情報	1. 医薬品を使用したり取り扱う上で，必須の医薬品情報を列挙できる．	1章A
	2. 医薬品情報に関わっている職種を列挙し，その役割について概説できる．	1章C
	3. 医薬品（後発医薬品等を含む）の開発過程で行われる試験（非臨床試験，臨床試験，安定性試験等）と得られる医薬品情報について概説できる．	2章A
	4. 医薬品の市販後に行われる調査・試験と得られる医薬品情報について概説できる．	2章B
	5. 医薬品情報に関係する代表的な法律・制度（「医薬品，医療機器等の品質，有効性及び安全性の確保等に関する法律」，GCP，GVP，GPSP，RMPなど）とレギュラトリーサイエンスについて概説できる．	1章B
②情報源	1. 医薬品情報源の一次資料，二次資料，三次資料の分類について概説できる． 2. 医薬品情報源として代表的な二次資料，三次資料を列挙し，それらの特徴について説明できる．	3章A
	3. 厚生労働省，医薬品医療機器総合機構，製薬企業などの発行する資料を列挙し，概説できる．	3章B
	4. 医薬品添付文書（医療用，一般用）の法的位置づけについて説明できる． 5. 医薬品添付文書（医療用，一般用）の記載項目（警告，禁忌，効能・効果，用法・用量，使用上の注意など）を列挙し，それらの意味や記載すべき内容について説明できる． 6. 医薬品インタビューフォームの位置づけと医薬品添付文書との違いについて説明できる．	3章C
③収集・評価・加工・提供・管理	1. 目的（効能効果，副作用，相互作用，薬剤鑑別，妊婦への投与，中毒など）に合った適切な情報源を選択し，必要な情報を検索，収集できる．（技能）	3章A
	2. MEDLINEなどの医学・薬学文献データベース検索におけるキーワード，シソーラスの重要性を理解し，検索できる．（知識・技能）	3章A，7章
	3. 医薬品情報の信頼性，科学的妥当性などを評価する際に必要な基本的項目を列挙できる．	4章A
	4. 臨床試験などの原著論文および三次資料について医薬品情報の質を評価できる．（技能）	4章A，7章
	5. 医薬品情報をニーズに合わせて加工・提供し管理する際の方法と注意点（知的所有権，守秘義務など）について説明できる．	5章
④EBM (Evidence-based Medicine)	1. EBMの基本概念と実践のプロセスについて説明できる．	7章A
	2. 代表的な臨床研究法（ランダム化比較試験，コホート研究，ケースコントロール研究など）の長所と短所を挙げ，それらのエビデンスレベルについて概説できる．	7章B
	3. 臨床研究論文の批判的吟味に必要な基本的項目を列挙し，内的妥当性（研究結果の正確度や再現性）と外的妥当性（研究結果の一般化の可能性）について概説できる．〔E3(1)③収集・評価・加工・提供・管理参照〕	4章A
	4. メタアナリシスの概念を理解し，結果を説明できる．	7章B
⑤生物統計	1. 臨床研究における基本的な統計量（平均値，中央値，標準偏差，標準誤差，信頼区間など）の意味と違いを説明できる． 2. 帰無仮説の概念および検定と推定の違いを説明できる． 3. 代表的な分布（正規分布，t分布，二項分布，ポアソン分布，χ^2分布，F分布）について概説できる． 4. 主なパラメトリック検定とノンパラメトリック検定を列挙し，それらの使い分けを説明できる． 5. 二群間の差の検定（t検定，χ^2検定など）を実施できる．（技能） 6. 主な回帰分析（直線回帰，ロジスティック回帰など）と相関係数の検定について概説できる． 7. 基本的な生存時間解析法（カプラン・マイヤー曲線など）について概説できる．	7章B

つづく

つづき

薬学教育モデル・コアカリキュラム(平成25年度版)	SBO	本書の対応項
⑥臨床研究デザインと解析	1. 臨床研究(治験を含む)の代表的な手法(介入研究,観察研究)を列挙し,それらの特徴を概説できる.	7章B
	2. 臨床研究におけるバイアス・交絡について概説できる.	7章C
	3. 観察研究での主な疫学研究デザイン(症例報告,症例集積,コホート研究,ケースコントロール研究,ネステッドケースコントロール研究,ケースコホート研究など)について概説できる. 4. 副作用の因果関係を評価するための方法(副作用判定アルゴリズムなど)について概説できる. 5. 優越性試験と非劣性試験の違いについて説明できる. 6. 介入研究の計画上の技法(症例数設定,ランダム化,盲検化など)について概説できる.	7章B
	7. 統計解析時の注意点について概説できる. 8. 介入研究の効果指標(真のエンドポイントと代用のエンドポイント,主要エンドポイントと副次的エンドポイント)の違いを,例を挙げて説明できる.	7章C
	9. 臨床研究の結果(有効性,安全性)の主なパラメータ(相対リスク,相対リスク減少,絶対リスク,絶対リスク減少,治療必要数,オッズ比,発生率,発生割合)を説明し,計算できる.(知識・技能)	4章B 7章C
⑦医薬品の比較・評価	1. 病院や薬局において医薬品を採用・選択する際に検討すべき項目を列挙し,その意義を説明できる. 2. 医薬品情報にもとづいて,代表的な同種同効薬の有効性や安全性について比較・評価できる.(技能) 3. 医薬品情報にもとづいて,先発医薬品と後発医薬品の品質,安全性,経済性などについて,比較・評価できる.(技能)	4章B(1, 2) 4章C(1, 2) 4章D(1, 3)

(2)患者情報

①情報と情報源	1. 薬物治療に必要な患者基本情報を列挙できる. 2. 患者情報源の種類を列挙し,それぞれの違いを説明できる.	6章A
②収集・評価・管理	1. 問題志向型システム(POS)を説明できる. 2. SOAP形式などの患者情報の記録方法について説明できる. 3. 医薬品の効果や副作用を評価するために必要な患者情報について概説できる. 4. 患者情報の取扱いにおける守秘義務と管理の重要性を説明できる.	6章B

索　引

欧　文

和　文

あ

い

う

え

お

か

き

く

ゆ よ

ら り

れ ろ

コンパス医薬品情報学（改訂第3版）[電子版付]―理論と演習

2015年 9 月15日　第1版第1刷発行
2018年 2 月 5 日　第1版第2刷発行
2018年12月15日　第2版第1刷発行
2022年 3 月 5 日　第2版第3刷発行
2022年12月10日　改訂第3版発行

編集者　小林道也，中村　仁
発行者　小立健太
発行所　株式会社　南　江　堂
〒113-8410 東京都文京区本郷三丁目42番6号
☎(出版)03-3811-7236（営業)03-3811-7239
ホームページ　https://www.nankodo.co.jp/
印刷・製本　小宮山印刷工業

Drug Informatics

定価は表紙に表示してあります．
落丁・乱丁の場合はお取り替えいたします．
ご意見・お問い合わせはホームページまでお寄せください．

Printed and Bound in Japan
ISBN 978-4-524-40409-4